중·고등 영어도 역시 **1위** 해커스다.

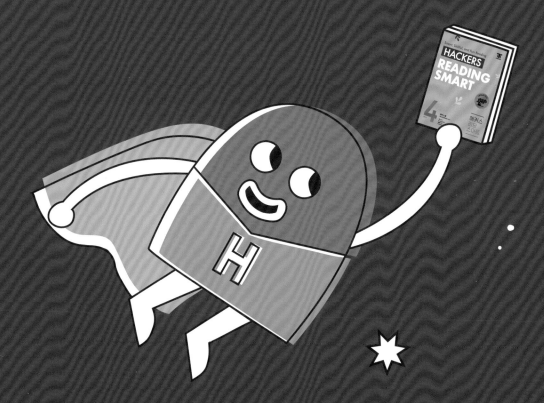

해커스북 중·고등

HackersBook.com

WHY
HACKERS
READING SMART?

FUN & INFORMATIVE

**최신 이슈가 반영된
흥미롭고 유익한**

독해 지문

**배경지식이
풍부해지는**

Read & Learn

**재미있는 활동과
읽을거리가 가득한**

FUN FUN한 BREAK

Hackers
Reading Smart

Level 1

Hackers
Reading Smart

Level 2

Hackers
Reading Smart

Level 3

Hackers
Reading Smart

Level 4

SMART & EFFECTIVE

**최신 출제 경향을
철저히 반영한**

다양한 유형의 문제

**본책을 그대로 담은
편리하고 친절한**

해설집

**추가 연습문제로
독해 실력을 완성하는**

WORKBOOK

HACKERS
READING SMART

LEVEL 4

HACKERS

Contents

HACKERS READING SMART LEVEL 4

Overview

Fun & Informative

UNIT 04

2

★★★

148 words

Rembrandt, one of history's greatest artists, died in 1669. However, a brand-new painting of his was recently released. How could a dead painter create something new?

Actually, this painting was created by artificial intelligence (AI) from the Next Rembrandt Project. ⓐ It analyzed all 346 paintings by Rembrandt using 3D scans and facial recognition technology. Based on that data, ⓑ it learned how Rembrandt painted human faces and bodies in his portraits. Then, (A) the researchers decided to put the AI to the test. They asked ⓒ it to produce a portrait of a man in his thirties wearing black clothes and a black hat. They didn't give ⓓ it any other details. When the portrait was completed, it was then printed by a 3D printer. The printer used 13 layers of paint to imitate the texture of Rembrandt's paintings. Surprisingly, the portrait looked as though ⓔ it had been done by Rembrandt himself!

Read & Learn

넥스트 렘브란트 프로젝트의 숨은 공신, '딥러닝'

넥스트 렘브란트 프로젝트에서 인공지능을 학습시키기 위해 사용한 기술이 바로 '딥러닝'이에요. 딥러닝 기술은 사람의 뇌가 정보를 처리하는 것처럼 기계가 스스로 학습하고 사고할 수 있도록 만드는 기술이에요. 이를 통해 기계는 개발자의 명령 없이도 수많은 데이터 속에서 패턴을 파악하여 스스로 판단을 내릴 수 있어요. 이러한 기술은 현재 사진의 화질 복원, 흑백사진의 컬러화, 지진 예측, 자율주행 자동차 등 다양한 분야에 쓰이고 있어요.

심화형

1 이 글의 제목으로 가장 적절한 것은?

① AI Brings Rembrandt Back to Life
② Artificial Intelligence: Then and Now
③ Restoring Great Artists' Masterpieces
④ Can AI Create Art Better Than Humans?
⑤ Rembrandt's Hidden Painting Is Revealed

2 이 글의 밑줄 친 ⓐ~ⓔ 중, 가리키는 대상이 나머지 넷과 다른 것은?

① ⓐ ② ⓑ ③ ⓒ ④ ⓓ ⑤ ⓔ

3 이 글의 밑줄 친 (A)의 목적으로 가장 적절한 것은?

① 인공지능이 초상화를 그리는 속도를 측정하기 위해
② 인공지능이 화가의 화풍을 재현할 수 있는지 확인하기 위해
③ 인공지능이 주어진 명령을 정확하게 이해했는지 판단하기 위해
④ 인공지능이 화가의 위작과 진품을 구분할 수 있는지 시험하기 위해
⑤ 인공지능이 여러 화가의 작품을 조합하여 그릴 수 있는지 파악하기 위해

4 이 글의 내용으로 보아, 다음 빈칸에 들어갈 말을 보기에서 골라 쓰시오.

| 보기 | analyzed | printed | portrait | texture | imitated |

The Next Rembrandt Project

| AI (1) _____ all of Rembrandt's artwork. |
| AI produced a (2) _____ with the information it had collected. |
| The work was (3) _____ with 13 layers of paint. |

Words

brand-new 웹 (완전히) 새로운 release 웹 공개하다; 풀어주다 artificial intelligence 인공지능 analyze 웹 분석하다 facial 웹 얼굴의 recognition 웹 인식, 인정 portrait 웹 초상화 detail 웹 세부 사항 layer 웹 막, 층 imitate 웹 따라 하다, 모방하다 texture 웹 질감, 감촉 〈문제〉 bring ~ back to life ~을 되살리다 restore 웹 복원하다 masterpiece 웹 걸작, 명작 reveal 웹 (비밀 등을) 드러내다, 밝히다

---

1. 흥미롭고 유익한 지문

최신 이슈와 관심사 반영
국내외 다양한 최신 이슈와 관심사가 반영된 흥미진진한 지문으로 재미있게 독해 실력을 쌓을 수 있어요.

교과서 연계 소재 반영
과학, 문화, 예술 등 교과서와 연계되는 최신 소재의 지문이 담겨 있어, 중등 교과 과정에 대한 이해력을 높일 수 있어요.

2. 배경지식이 풍부해지는 Read & Learn

지문과 관련된 유용한 배경지식을 읽으며, 지문 내용에 대해 확실히 이해하고 상식도 넓힐 수 있어요.

3. 추리 지문으로 독해력 up 재미도 up!

범인은 이 안에 있다! 교재의 마지막 지문에서는 추리 퀴즈를 다루고 있어요. 상상력과 추리력을 발휘해서 퀴즈를 풀어보며 재미있게 독해 실력을 키울 수 있어요.

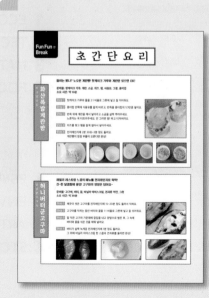

4. 재미있는 활동과 읽을거리가 가득한 Fun Fun한 Break

각 UNIT의 마지막 페이지에는 지문과 관련된 다양한 활동과 읽을거리가 담겨 있어, 재미있게 학습을 마무리할 수 있어요.

Smart & Effective

1. 효과적으로 독해 실력을 향상시키는 다양한 유형의 문제

서술형 문제
다양한 유형의 서술형 문제로 학교 내신 시험에도 대비할 수 있어요.

심화형 문제
조금 더 어려운 심화형 문제로 사고력을 키우고 독해 실력을 향상시킬 수 있어요.

다양한 도표 문제
표, 전개도 등 지문 내용을 도식화한 다양한 유형의 문제로 글의 구조와 핵심을 파악하는 능력을 키울 수 있어요.

English Only
각 UNIT의 마지막 지문에서는 영어로만 구성되어 있는 문제를 읽고 풀며 영어 실력을 더욱 강화할 수 있어요.

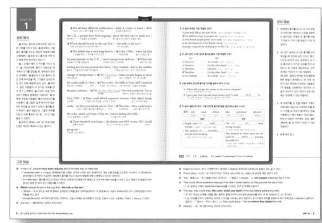

2. 추가 연습문제로 독해 실력을 완성하는 워크북

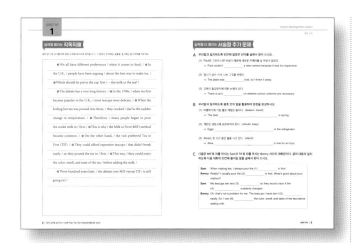

직독직해 워크시트
각 지문에 대한 직독직해와 문장별 주어·동사를 파악하는 훈련을 통해 한 문장씩 완벽히 복습할 수 있어요.

서술형 추가 문제
어휘·구문 확인 문제와 다양한 유형의 추가 서술형 문제를 통해 지문 내용을 확실히 익히고 영작 실력도 키울 수 있어요.

3. 본책을 그대로 담은 편리하고 친절한 해설집

본책의 지문과 문제를 그대로 담아 편리하게 학습할 수 있어요. 문장의 정확한 해석을 알려주는 직독직해와 본문 해석, 오답의 이유까지 설명해주는 자세한 문제 해설, 예문과 함께 제공되는 친절한 구문 해설을 통해 꼼꼼히 복습할 수 있어요.

HackersBook.com

UNIT 01

We all have different preferences when it comes to food. In the U.K., people have been arguing about the best way to make tea. Which should be put in the cup first—the milk or the tea?

The debate has a very long history. In the 1700s, when tea first became popular in the U.K., most teacups were delicate. When the boiling hot tea was poured into them, they cracked due to the sudden change in temperature. _____(A)_____, many people began to pour the cooler milk in first. This is why the Milk in First (MIF) method became common. _____(B)_____, the rich preferred Tea in First (TIF). They could afford expensive teacups that didn't break easily, so they poured the tea in first. This way, they could enjoy the color, smell, and taste of the tea before adding the milk.

Three hundred years later, the debate over MIF versus TIF is still going on!

Read & Learn

Tea, 어떻게 해석할까요?

우리나라에서 '차(tea)'라고 하면 녹차부터 보리차까지 다양한 종류의 차를 떠올리는 반면, 서양에서 tea는 보통 '홍차(black tea)'를 뜻해요. 그만큼 서양에서는 홍차를 많이 마시는데, 특히 영국은 홍차에 대한 사랑이 대단하다고 해요. BBC 보도에 따르면, 영국인들은 연간 600억 잔의 홍차를 마시는데, 이 정도 양이면 남녀노소 모두 1인당 매년 900잔의 홍차를 마시는 셈이라고 해요!

1 이 글의 주제로 가장 적절한 것은?

① how milk affects the taste of tea

② two different ways to prepare tea

③ why British people prefer tea to milk

④ the development of the British teacup

⑤ proper etiquette for drinking tea in the U.K.

2 이 글의 빈칸 (A)와 (B)에 들어갈 말로 가장 적절한 것은?

(A)	(B)	(A)	(B)
① However	...... As a result	② However	...... On the other hand
③ Therefore	...... Likewise	④ Therefore	...... On the other hand
⑤ For example	...... As a result		

3 다음 대화의 빈칸에 들어갈 단어를 글에서 찾아 쓰시오.

A: Where did you get the money to buy a new computer?
B: I got a part-time job and saved money until I could _____ it.

4 이 글의 내용으로 보아, 다음 빈칸에 들어갈 말을 보기에서 골라 쓰시오.

보기	rich	weak	before	after	prevented	allowed

MIF	TIF
• People used (1) _____ teacups. • This method (2) _____ teacups from breaking.	• The (3) _____ used strong teacups. • This method let them enjoy the tea itself (4) _____ pouring the milk in it.

Words

preference 圆기호, 선호 (prefer 圄선호하다)　when it comes to ~에 관해서라면　argue 圄논쟁하다　debate 圆논쟁　delicate 圈연약한
pour 圄붓다, 따르다　crack 圄금이 가다, 갈라지다　due to ~ 때문에　sudden 圈갑작스러운　afford 圄(~을 살/할) 여유가 있다[되다]
versus 圂~ 대(對), ~에 대한 (약자: vs.)　go on 계속되다; 일어나다 <문제>　affect 圄영향을 끼치다　proper 圈올바른, 적절한
etiquette 圆예절, 에티켓　part-time job 아르바이트, 시간제 일

Alex was studying late at night for an exam. He couldn't keep his eyes open, so he had an energy drink. He immediately felt more awake and could focus better. However, this didn't last long. He soon became even more tired than before and eventually fell asleep! Why did this happen?

Energy drinks commonly contain lots of caffeine and sugar. When you drink them, the sugar and caffeine quickly raise your heart rate, blood pressure, and energy level. This helps you concentrate better. But after about 45 minutes, the effect starts to go away as the caffeine is completely absorbed in your body. In addition, when you take in a lot of sugar, your body produces *insulin to maintain a steady blood sugar level. As a result, the increased blood sugar level starts to go down rapidly, and so does your energy. This is a phenomenon known as a sugar crash.

Thus, energy drinks are only useful if you need to concentrate for a brief period.

*insulin 인슐린 (혈당 조절을 담당하는 호르몬)

Read & Learn

카페인 함량이 높은 음식들

우리나라 청소년의 1일 카페인 권장섭취량은 체중 1kg당 2.5mg이에요.
만약 체중이 50kg이라면 1일 권장섭취량은 50 x 2.5 = 125mg이 되는 것이지요.
특히 다음 음식들은 카페인 함량이 높으니 주의해야 해요.

캔커피	초콜릿 우유	녹차 아이스크림
한 캔(175mL) 기준 74mg	한 팩(200mL) 기준 84mg	작은 컵(100g) 기준 100mg

1 이 글의 제목으로 가장 적절한 것은?

① How to Avoid a Sugar Crash

② The Truth about Energy Drinks

③ The Long-term Effects of Caffeine

④ Why Is It Hard to Focus on Studying?

⑤ Sugar Crash: A Physical Reaction to Staying Up Late

• 서술형

2 이 글의 밑줄 친 this가 의미하는 내용을 우리말로 쓰시오.

_____

3 이 글을 읽고 답할 수 없는 질문은?

① What is in energy drinks?

② What causes your body to produce insulin?

③ How long does sugar stay in your body?

④ How does your body maintain its blood sugar level?

⑤ What is a sugar crash?

4 이 글의 내용으로 보아, 괄호 안에서 알맞은 말을 골라 표시하시오.

Energy drinks increase your concentration for a (1) (short / long) time. This is because the effect of caffeine (2) (appears / disappears) after around 45 minutes. In addition, a sugar crash occurs as your blood sugar level and energy suddenly (3) (increase / decrease).

Words

immediately 뷔즉시 **awake** 혱깨어 있는 **caffeine** 몡카페인 **heart rate** 심박 수 **blood pressure** 혈압 **level** 몡수치 **concentrate** 통집중하다 (**concentration** 몡집중) **go away** 사라지다 **completely** 뷔완전히, 완벽하게 **absorb** 통흡수하다 **take in** 섭취하다 **maintain** 통유지하다 **steady** 혱일정한 **blood sugar** 혈당 **rapidly** 뷔급속히 **phenomenon** 몡현상 **sugar crash** 슈거 크래시(많은 당분을 섭취한 후 느끼게 되는 피로감) **brief** 혱짧은 <문제> **long-term** 혱장기적인 **stay up (late)** (늦게까지) 깨어 있다, 안 자고 있다

*Salar de Uyuni, located in Bolivia, is the largest salt desert in the world. It was formed after lakes that once had been there dried up thousands of years ago.

Salar de Uyuni offers a unique experience no matter when you visit. During the rainy season, the desert becomes the world's biggest natural mirror. (①) The entire surface is covered with a layer of rainwater, and it reflects the sky perfectly. (②) It is hard to tell where the land stops and where the sky starts. (③) This makes you feel as if you're walking in the clouds! (④) As the rainwater dries up, it leaves behind salt in an interesting hexagon pattern. (⑤) The desert looks like a giant white honeycomb.

Salar de Uyuni is a popular place not only for travelers but also for thousands of flamingos. If you're lucky enough, you may see them walking gracefully around the desert!

*Salar de Uyuni 우유니 소금사막

1 이 글의 흐름으로 보아, 다음 문장이 들어가기에 가장 적절한 곳은?

> Meanwhile, during the dry season, it offers a totally different experience.

①   ②   ③   ④   ⑤

2 우기와 건기 동안의 우유니 소금사막의 모습을 비유하는 단어를 글에서 찾아 쓰시오.

• 우기: _____   • 건기: _____

3 우유니 소금사막에 관한 이 글의 내용과 일치하지 <u>않는</u> 것을 <u>모두</u> 고르시오.

① It is the biggest salt desert on the Earth.

② It was originally covered with water long ago.

③ During the rainy season, it absorbs rainwater.

④ When the land is dry, a pattern can be observed.

⑤ No wildlife can stay around in its conditions.

(심화형)

4 다음 빈칸에 공통으로 들어갈 단어를 글에서 찾아 쓰시오. (단, 필요시 알맞은 형태로 고쳐 쓰시오.)

> • I looked at my face _____ in the shop window.
> • In the square, there was a metal sculpture that _____ the sunlight.

5 다음 질문에 대한 답이 되도록 빈칸에 들어갈 말을 글에서 찾아 쓰시오.

> Q. With luck, what could you observe in Salar de Uyuni?

A. You can watch _____ _____ _____ walking gracefully.

Words

Bolivia 뗑 볼리비아 desert 뗑 사막 form 똥 형성하다 dry up 말라붙다, 마르다 rainy season 우기 natural 휑 천연의, 자연의
entire 휑 전체의 surface 뗑 표면 layer 뗑 층, 겹 reflect 똥 비추다; 반사하다 tell 똥 구별하다 leave behind (흔적·기록 등을) 남겨 두다
hexagon 휑 육각형의 뗑 육각형 honeycomb 뗑 벌집 flamingo 뗑 홍학 gracefully 틘 우아하게 <문제> meanwhile 틘 한편
dry season 건기 totally 틘 완전히 wildlife 뗑 야생동물 conditions 뗑 환경; (단수형) 상태 square 뗑 광장

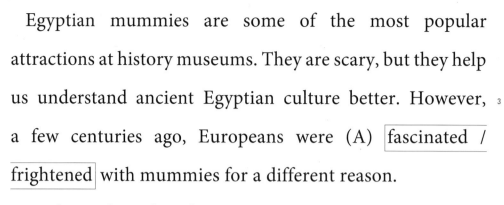

Egyptian mummies are some of the most popular attractions at history museums. They are scary, but they help us understand ancient Egyptian culture better. However, a few centuries ago, Europeans were (A) [fascinated / frightened] with mummies for a different reason.

In the 16th and 17th century, Europeans ate mummies as a treatment for various illnesses. They believed that dead human bodies possessed (B) [killing / healing] powers. Specifically, each part of the mummy was thought to cure the same part of the body. For example, eating a mummy skull was the treatment for a headache. Then, how did they (C) [assume / consume] mummies? Mummies were ground into powder and mixed with honey or chocolate. Doctors then told their patients to eat this mixture. However, by the 18th century, it became clear that this strange remedy was not actually effective. As a result, it fell out of favor.

Read & Learn

중세 유럽의 이상한 치료법
미라 가루 외에도 중세 유럽의 의사들은 무시무시한 전염병이었던 '흑사병'에 대해
다음과 같은 특이한 치료법을 사용했다고 해요.

 1. 거머리 치료법
오염된 피를 제거하면 병을 치료할 수 있다고 믿어 거머리로 환자의 피를 뽑았어요.

 2. 향기 치료법
오염된 공기가 병의 원인이라고 생각해 환자에게 향기 좋은 꽃과 허브 잎을 몸에 지니고 다니게 했어요.

 3. 보석 치료법
값비싼 보석인 루비나 에메랄드를 갈아 만든 가루를 음식과 술에 타서 환자에게 먹였어요.

1 What is the main topic of the passage?

① the origin of modern medical practices

② why Europeans were afraid of mummies

③ the cultural value of Egyptian mummies

④ the historical use of mummies by Europeans

⑤ how ancient Egyptians preserved dead bodies

2 Choose and write the correct one for (A), (B), and (C).

(A): _____   (B): _____   (C): _____

3 Write T if the statement is true or F if it is false.

(1) It is possible to learn about the culture of ancient Egypt from mummies.   _____

(2) A mummy skull was used to cure a headache.   _____

(3) Egyptians mixed honey or chocolate to make mummies.   _____

4 Complete the sentences with the following words.

popularity   explain   treat   possessions

In the 16-17th century		**By the 18th century**
Mummies were widely used to (1) _____ a variety of illnesses.	⇒	The practice of using mummies lost (2) _____.

Words

mummy 명미라 **attraction** 명볼거리; 매력 **ancient** 형고대의 **century** 명세기, 100년 **fascinated** 형매료된 **frightened** 형겁먹은 **treatment** 명치료제 (**treat** 통치료하다) **illness** 명질병 **possess** 통지니다, 소유하다 (**possession** 명소유물) **specifically** 부구체적으로 **skull** 명두개골, 해골 **assume** 통추정하다, 가정하다 **consume** 통먹다; 소비하다 **grind** 통(곡식 등을 잘게) 갈다, 빻다 (grind-ground-ground) **remedy** 명치료법; 해결책 **fall out of favor** 인기를 잃어버리다, 눈 밖에 나다 <문제> **medical practice** 의술 (**practice** 명행위; 관습) **preserve** 통보존하다, 유지하다 **widely** 부널리 **a variety of** 다양한

[1-3] 단어와 영영 풀이를 알맞게 연결하시오.

1 preserve • • ⓐ continuing something at the same level or speed

2 proper • • ⓑ suitable or correct for a certain situation

3 steady • • ⓒ to protect something to keep it in good condition

[4-5] 다음 밑줄 친 단어와 가장 비슷한 의미의 단어는?

4 Bill is a wealthy man who <u>possesses</u> many hotels and resorts.

① charges ② protects ③ affects ④ owns ⑤ builds

5 It is <u>assumed</u> that these teacups were made in the 17th century.

① proved ② supposed ③ revealed ④ announced ⑤ reminded

[6-8] 다음 빈칸에 들어갈 단어나 표현을 보기 에서 골라 쓰시오.

보기 awake delicate fall out of favor vivid when it comes to

6 Precise movement is the most important _____ ballet.

7 Please be careful when you move these plates because they are _____.

8 Even the most popular celebrities can _____ and few people will like them.

[9-10] 다음 밑줄 친 단어나 표현에 유의하여 각 문장의 해석을 쓰시오.

9 But after about 45 minutes, the effect starts to <u>go away</u> as the caffeine is completely absorbed in your body.

→ _____

10 As the rainwater dries up, it <u>leaves behind</u> salt in an interesting hexagon pattern.

→ _____

차, 茶, TEA
홍차 이야기

몸이 으슬으슬 추울 때, 나른한 오후에 책 한 권을 읽을 때, 달달한 케이크를 먹을 때 함께 마시면 좋은 차.
특히 매력적인 향과 맛을 자랑하는 홍차에 대해 함께 알아볼까요?

홍차란?

홍차는 찻잎을 완전히 발효시킨 후 건조해서 만든 것이에요. 한자로는 찻물의 색이 붉어 홍차라고 부르지만, 영어로는 잎의 색이 검다 하여 'Black tea'라 부르죠. 홍차의 종류는 정말 다양한데, 여러 찻잎을 섞어 만들기도 하고, 과일 향을 첨가해서 풍미를 더하기도 해요. 그리고 설탕이나 얇게 썬 레몬을 넣어 마시기도 하고, 진하게 우려낸 차에 우유를 넣어 밀크티로 마시기도 한답니다.

홍차의 인기는 우연히 탄생한 티백 덕분이라고?

옛날에는 차를 마시려면 찻주전자와 찻잔, 찻잎을 거를 거름망 등 다양하고 값비싼 도구가 필요했어요. 그런데 티백이 발명되면서 뜨거운 물과 컵, 이 두 가지만 있으면 쉽게 차를 마실 수 있게 됐죠. 홍차의 대중적인 인기를 끌어내는 데 큰 역할을 한 티백은 놀랍게도 우연히 탄생했어요.

20세기 초, 미국 뉴욕의 차 거래상이었던 토머스 설리번(Thomas Sullivan)은 고객들에게 홍보용 찻잎 샘플을 여러 개 보내곤 했어요. 당시에는 찻잎을 주석으로 된 상자에 넣어 보관했는데, 이 상자는 샘플을 담기 위한 용도로 쓰기에는 너무 비쌌어요. 샘플 포장 비용이 아깝다고 생각한 그는 가격이 더 저렴한 작은 비단 주머니에 찻잎을 넣어 보냈어요. 그러던 어느 날 설리번에게 예상치 못한 요청이 들어오기 시작했어요. 바로 그 비단 주머니만 살 수 없냐는 고객들의 주문이었죠. 고객들은 비단이 포장지인 줄도 모르고 찻잎이 든 비단 주머니를 통째로 뜨거운 물에 넣어 차를 우려 마셨던 거예요! 이 편리함에 반한 사람들은 점점 더 티백을 찾기 시작했고, 이렇게 우연히 탄생한 티백 덕분에 홍차의 인기도 덩달아 높아졌답니다.

HackersBook.com

UNIT 02

There is a type of "dust" that is as rare as a diamond. It's called diamond dust, but it's actually a cloud!

Diamond dust forms near the ground when moisture in 3 the air freezes. It consists of millions of tiny ice crystals that reflect sunlight like sparkling diamonds. These crystals resemble snowflakes when you look closely at them, but 6 they are much smaller and lighter. So, they float in the air rather than fall to the ground.

Unfortunately, it is not always easy to see diamond dust. 9 Only a few places in the world have the necessary conditions for diamond dust to form. First of all, it has to be extremely cold—below -16°C—with high humidity under clear skies. 12 Also, there should be no wind, otherwise, the water vapor will be blown away. So, if you'd like to observe this beautiful phenomenon in person, you'll have to be in the right place 15 at the right time!

1 이 글의 제목으로 가장 적절한 것은?

① How Do Snowflakes Form?

② Weather Conditions Necessary for Snow

③ Diamonds vs. Diamond Dust: Which is Rarer?

④ A Mysterious Jewel That Has Never Been Found

⑤ Diamond Dust: An Unusual Weather Phenomenon

2 다음 질문에 대한 답이 되도록 빈칸에 들어갈 말을 우리말로 쓰시오.

> Q. How are diamond dust crystals different from snowflakes?

A. 눈송이보다 _____, 땅에 떨어지기보다는 _____.

3 다이아몬드 더스트에 관한 이 글의 내용과 일치하는 것은?

① It is different from a cloud.

② It is created far from the ground.

③ It is composed of reflective ice crystals.

④ It can be observed all over the world.

⑤ It forms when water vapor is blown away.

4 이 글에서 밑줄 친 the necessary conditions로 언급되지 <u>않은</u> 것은?

① 기온이 낮아야 한다.　　　② 습도가 높아야 한다.

③ 하늘이 맑아야 한다.　　　④ 기압이 높아야 한다.

⑤ 바람이 불지 않아야 한다.

Words

dust 뗑 먼지　rare 혱 희귀한, 드문　moisture 뗑 수증기, 수분　consist of ~으로 이루어지다, 구성되다　tiny 혱 미세한　crystal 뗑 결정(체)
sparkling 혱 반짝거리는; 활기 넘치는　resemble 동 닮다, 유사하다　snowflake 뗑 눈송이　float 동 뜨다, 떠다니다　rather than ~보다는
humidity 뗑 습도　water vapor 수증기　blow away 날려버리다, 불어 날리다　observe 동 보다, 목격하다　in person 직접
<문제> jewel 뗑 보석　different from ~과 다른　be composed of ~으로 구성되다　reflective 혱 (빛·열을) 반사하는

As a child, she was told that she wouldn't be able to walk again. But, at age 20, she became the fastest woman in the world. Does this sound hard to believe? Actually, this is the story of Wilma Rudolph.

Wilma was born premature and weak. She suffered from numerous diseases throughout childhood. At age five, her left leg became paralyzed due to *polio. Despite this, Wilma refused to give up. To strengthen her leg muscles, she began wearing a heavy **brace on her leg. After several years of treatment, she was finally able to take the brace off and walk on her own. But she didn't stop there. She started to practice running and pursued her dream of becoming an athlete. In 1956, she went to her first Olympics and won a bronze medal. Just four years later, at the next Olympics, she became the first American woman to win three gold medals in one Olympics and even set a new world record! Her determination teaches us that

_____ .

*polio 소아마비   **brace 보조기, 버팀대

1 이 글의 밑줄 친 this가 의미하는 내용을 우리말로 쓰시오.

2 이 글의 빈칸에 들어갈 말로 가장 적절한 것은?

① every moment of our lives matters

② we should always be grateful to others

③ nothing is impossible if we have the will

④ we shouldn't be afraid of making mistakes

⑤ experience is a good teacher to help us grow

3 이 글에서 Wilma Rudolph에 관해 언급되지 않은 것은?

① what she did to strengthen her leg muscles

② how long she trained as a runner

③ what she wanted to be after finishing treatment

④ when she first competed in the Olympics

⑤ how many medals she won in the 1960 Olympics

4 이 글에서 Wilma Rudolph가 겪은 일과 일치하지 않는 것은?

① 어린 시절에 병을 앓아 혼자서는 걷지 못했다.

⬇

② 수년간의 치료 끝에 보조기 없이 걸을 수 있게 되었다.

⬇

③ 운동선수가 되고자 달리기 훈련을 했다.

⬇

④ 처음 출전한 올림픽에서 금메달을 받았다.

⬇

⑤ 다음 올림픽에서 세계 신기록을 세웠다.

Words

be born premature 예정보다 일찍 태어나다 suffer from ~을 앓다 numerous 형 수많은 paralyze 동 마비시키다 refuse 동 거부하다
give up 포기하다 strengthen 동 강화하다 take off 벗다 on one's own 혼자서 pursue 동 추구하다; (뒤)쫓다, 추격하다
athlete 명 육상 선수; 운동선수 bronze 명 (청)동 set 동 (기록을) 세우다; (물건을) 놓다, 두다 determination 명 결의, 결심
<문제> matter 동 중요하다 grateful 형 감사하는 will 명 의지 compete in (경기 등에) 참가하다, 출전하다

1 2 3

Show a group of friends the picture on the left for an interesting experiment. Ask each of them which line—1, 2, or 3—is the same length as the red line on the left. But, beforehand, tell all but one friend to answer line 1. Then, observe what happens when everyone else gives the wrong answer. Surprisingly, the friend you didn't tell might answer line _____(A)_____ too, even though he or she knows the correct answer is line _____(B)_____! This is because of conformity. Conformity is a tendency to change our opinions or behavior in order to fit in with a group. Most of us don't like to stand out, so we often _____(C)_____ what the majority does. The greater the emotional bond we feel with the group, the more strongly we conform. Other factors influence conformity, too. When it is difficult to make a decision, we tend to go along with the majority. Also, we will likely _____(C)_____ those who are higher in status. On the other hand, conformity can break down if even one member of the group disagrees with the majority opinion.

1 1, 2, 3번의 직선 중에서 빈칸 (A)와 (B)에 들어갈 번호를 골라 쓰시오.

(A): _____   (B): _____

2 이 글의 빈칸 (C)에 공통으로 들어갈 말로 가장 적절한 것은?

① expect   ② ignore   ③ change

④ follow   ⑤ appreciate

3 이 글의 밑줄 친 conformity에 영향을 주는 요인으로 언급되지 않은 것은?

① 집단에 대한 유대감   ② 집단의 크기

③ 결정의 난이도   ④ 구성원의 지위

⑤ 다수 의견에 반대하는 구성원

4 다음 중, 이 글에서 설명하는 원리에 해당하는 사례를 모두 고른 것은?

(A) Jake laughed along with others about a joke he didn't understand.
(B) Amy gave a poor review to the movie that sold the most tickets.
(C) Paul chose a college because his parents liked it.
(D) Nancy supported the baseball team with the lowest ranking.

① (A), (B)   ② (A), (C)   ③ (B), (C)

④ (B), (D)   ⑤ (C), (D)

5 다음 영영 풀이에 해당하는 단어를 글에서 찾아 쓰시오.

a connection caused by feelings of friendship, love, or shared experiences

_____

Words

length 몡길이 beforehand 퉘사전에, 미리 all but ~을 제외하고 모두 conformity 몡동조, 순응 (conform 통동조하다, 순응하다)
tendency 몡성향, 경향 (tend 통경향이 있다) opinion 몡의견 fit in with ~와 어울리다 stand out 눈에 띄다, 두드러지다 majority 몡다수
emotional 톙정서적인, 감정의 bond 몡유대; 속박 factor 몡요인, 원인 influence 통~에 영향을 주다 몡영향
go along with ~에 동조하다, 찬성하다 likely 퉘아마 톙~할 것 같은 status 몡지위, 신분; 상태 break down 무너지다; 고장 나다
disagree with ~에 동의하지 않다 <문제> ignore 통무시하다 appreciate 통인정하다; 감사하다 ranking 몡순위 friendship 몡우정

Do you know that you have <u>teeth</u> in the back of your mouth that haven't come out yet? They emerge when you're older, usually after the age of 17. At this age, it is said that you have gained wisdom. This is why they are called wisdom teeth.

In reality, wisdom teeth often cause pain and cavities, so most people have them removed. _____(A)_____, several million years ago, our ancestors used their wisdom teeth to eat tough roots, leaves, and raw meat. Their jaws were also much larger, providing plenty of room in the mouth for wisdom teeth.

However, as humans started to use fire for cooking, food became softer and easier to chew. _____(B)_____, our jaws became smaller over time. Now, we don't really have enough space for wisdom teeth. In fact, more and more people these days don't get wisdom teeth throughout their life!

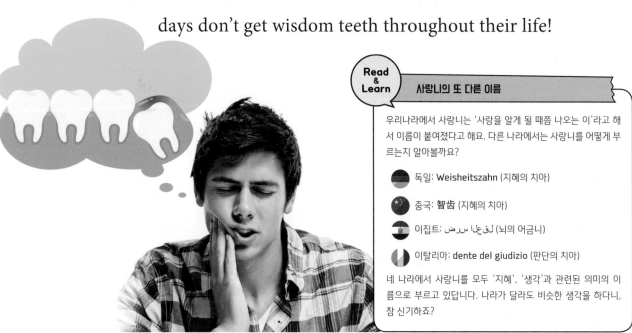

Read & Learn 　사랑니의 또 다른 이름

우리나라에서 사랑니는 '사랑을 알게 될 때쯤 나오는 이'라고 해서 이름이 붙여졌다고 해요. 다른 나라에서는 사랑니를 어떻게 부르는지 알아볼까요?

● 독일: Weisheitszahn (지혜의 치아)

● 중국: 智齒 (지혜의 치아)

● 이집트: ضرس العقل (뇌의 어금니)

● 이탈리아: dente del giudizio (판단의 치아)

네 나라에서 사랑니를 모두 '지혜', '생각'과 관련된 의미의 이름으로 부르고 있답니다. 나라가 달라도 비슷한 생각을 하다니, 참 신기하죠?

서술형

1 Why are the underlined <u>teeth</u> called wisdom teeth? Write the answer in Korean.

_____

2 Which is the best choice for blanks (A) and (B)?

	(A)		(B)
①	However	......	Nevertheless
②	However	......	As a result
③	For example	......	Nevertheless
④	For example	......	In fact
⑤	Therefore	......	As a result

3 Which CANNOT be answered about wisdom teeth based on the passage?

① Where are they located?

② When do they usually come out?

③ How many of them do people have?

④ Why do people get them removed?

⑤ What did ancient people use them for?

4 Choose the correct one based on the passage.

In the past	**Today**
Humans ate foods that were (1) (easy / hard) to chew, and they had (2) (smaller / larger) jaws.	People usually eat things that are (3) (easy / hard) to chew and have (4) (smaller / larger) jaws.

Words

emerge 동나오다 **gain** 동얻다 **wisdom** 명지혜 (**wisdom teeth** 사랑니) **in reality** 실제로는 **cavity** 명충치 **ancestor** 명선조, 조상 **tough** 형질긴, 거친 **root** 명뿌리 **raw** 형날(것의), 익히지 않은 **jaw** 명턱 **plenty of** 충분한, 많은 **room** 명공간, 방 **chew** 동씹다 **throughout one's life** 평생 (**throughout** 전 (시간의) 처음부터 끝까지; (장소의) 도처에) <문제> **nevertheless** 부그럼에도 불구하고

Review Test

정답 및 해설 p.83

1 다음 밑줄 친 단어와 가장 비슷한 의미의 단어는?

> Her <u>determination</u> to help people made her a good doctor.

① condition ② purpose ③ wisdom ④ phenomenon ⑤ will

2 다음 빈칸에 공통으로 들어갈 단어로 가장 적절한 것은?

> • As a professor, Dr. Adams has high _____ in his school.
> • The doctor said Edward's _____ was good after the surgery.

① term ② status ③ surface ④ tendency ⑤ etiquette

[3-5] 다음 괄호 안에서 알맞은 단어를 골라 표시하시오.

3 Michael doesn't (rescue / resemble) his father, but they have similar voices.

4 The skater worked hard to (pursue / argue) her dream of participating in the Olympics.

5 The public campaign about the environment (influenced / selected) people to recycle more.

[6-8] 자연스러운 대화가 되도록 빈칸에 들어갈 표현을 보기 에서 골라 쓰시오.

| 보기 | stand out | go along with | disagree with | consist of | due to |

6 A: Do you know what will be displayed in the gallery?
B: I heard that the exhibition will _____ several modern artworks.

7 A: Why do you always wear clothes with bright, vivid colors?
B: Because I want to _____ from other people.

8 A: I think schools should not allow students to dye their hair.
B: I _____ your opinion. I think it should be allowed.

[9-10] 다음 밑줄 친 단어나 표현에 유의하여 각 문장의 해석을 쓰시오.

9 So, they float in the air <u>rather than</u> fall to the ground.

→ _____

10 She <u>suffered from</u> numerous diseases throughout childhood.

→ _____

지문으로 알아보는 나의 성격 테스트

지문 속에 숨은 나를 찾으러 GO!

지문 모양으로 성격을 알아보는 간단한 심리테스트! 아래 다섯 가지 지문 유형 중 자신의 지문을 찾아보세요.
오른손잡이라면 왼손 엄지, 왼손잡이라면 오른손 엄지, 양손잡이라면 자주 쓰지 않는 손의 엄지 지문을
확인하세요! 다들 엄지 척하고 알아볼까요?

당신의 지문은 어떤 모양인가요?

합리적인 두형문

당신은 현실주의자라서 모든 일에 엄격하고 공평해요. 싫고 좋음이 확실한 당신은 남들에게 의지하기보다는 독립적인 걸
좋아하죠. 그래서 자신의 약점을 보여주기 싫어하고, 다소 고집 센 면도 있답니다. 하지만 당신은 사람들을 끄는 매력이 있고,
우정을 중시하는 의리파예요.

창의적인 정기문

당신은 감성적이고 자유로운 사고방식을 가졌어요. 미적 감각도 우수하죠. 공감 능력이 뛰어나고 온화한 성격으로 인간관계를
잘 유지해요. 하지만 때로는 인내심과 감정조절에 약한 면모를 보일 때도 있어요.

긍정적인 쌍기문

당신은 매사를 긍정적으로 바라보고 즐겁게 살아가려고 하는 낙관주의자랍니다. 어디서든지 적응 능력이 뛰어나고 남들과
충돌하는 것을 싫어해요. 한편 완벽주의적인 성향도 있어서 중요한 결정을 내려야 할 때 심사숙고하는 면모가 있어요.

책임감 있는 반기문

당신은 모든 일에 적극적이고 책임감이 뛰어나며 자기주장이 강해요. 충성심과 강인함을 가지고 있어서 남의 일에 적극적으로
나서서 도와주는 스타일이죠. 다만, 상대방이 호의적인 태도를 보여주지 않는다면 관계를 끊어버리려는 경향이 있어요.

계획적인 호형문

당신은 안정적인 것을 좋아하고, 계획을 꼼꼼히 세워 일을 진행하는 것을 선호해요. 따뜻한 성격으로 정이 많고, 문제가
발생했을 때도 차분하게 잘 대응해요. 하지만 때때로 자신의 주관보다는 남들의 의견을 따라 행동하는 경향도 있어요.

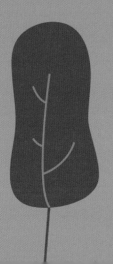

HackersBook.com

UNIT 03

If you sometimes feel guilty about eating meat, you may be interested in a new product called Clean Meat.

Clean Meat is produced in a lab. First, muscle cells are removed from a living animal, such as a pig, cow, or chicken. Next, the cells are given nutrients and grown into muscles, which are the main part of the meat we eat. Finally, Clean Meat is processed into various food products, like hamburger patties or sausages.

A single cell can create 10,000 kilograms of meat, which looks and tastes just like regular meat. With this new product, you can eat as much meat as you want without killing livestock. In addition, it _____ by reducing the number of animals that are raised on farms. For example, just four cows emit the same amount of greenhouse gas as a car. But Clean Meat doesn't release any greenhouse gas at all. What *clean* meat it is!

▲ 클린 미트로 만든 패티가 들어간 햄버거

▲ 클린 미트의 시중 판매 예상 이미지

Read & Learn

고기인 듯, 고기 아닌, 고기 같은 너
인공 배양육, 우리에게는 낯설게 들리지만, 해외에서는 빌 게이츠 같은 유명인들도 앞서서 투자를 할 만큼 큰 관심을 받아왔어요. 기술이 발전함에 따라 제작 비용도 점점 줄어들어 인공 배양육이 시중에 판매되기까지 얼마 남지 않았답니다. 실제로 싱가포르는 세계 최초로 인공 배양육 닭고기의 판매를 승인해 식당에서도 인공 배양육 요리를 맛볼 수 있어요. 언젠가는 우리의 밥상에서도 인공 배양육을 찾아볼 수 있을지도 모르겠네요!

● 심화형

1 이 글의 제목을 다음과 같이 나타낼 때, 빈칸에 들어갈 말을 글에서 찾아 쓰시오.
(단, 주어진 철자로 시작하여 쓰시오.)

A New Type of M_____ That Protects L_____ and Nature

2 이 글의 빈칸에 들어갈 말로 가장 적절한 것은?

① makes raising livestock easier

② improves the treatment of farm animals

③ has a positive effect on the environment

④ lowers the cost of producing meat

⑤ is able to produce meat more quickly

3 이 글의 내용과 일치하면 T, 그렇지 않으면 F를 쓰시오.

(1) Hamburgers and sausages can be made with Clean Meat.   _____

(2) The taste of Clean Meat is similar to that of normal meat.   _____

(3) A cow releases four times more greenhouse gas than a car.   _____

4 이 글의 내용으로 보아, 다음 빈칸에 들어갈 말을 보기 에서 찾아 쓰시오.

보기   removed   muscles   processed   reduced   nutrients

Clean Meat Production Process

Muscle cells are (1) _____ from an animal.

⌄

The cells receive (2) _____ so that they develop into meat.

⌄

The meat is (3) _____ for a variety of uses.

Words

guilty 혱 죄책감이 드는; 유죄의   produce 통 생산하다, 제조하다   lab 몡 연구실, 실험실   cell 몡 세포   remove 통 떼어내다, 제거하다
nutrient 몡 영양분, 영양소   process 통 가공하다, 처리하다 몡 과정   regular 혱 보통의; 규칙적인   livestock 몡 가축
raise 통 사육하다, 키우다; ~을 (들어)올리다   emit 통 배출하다, 내뿜다   greenhouse gas 온실가스   release 통 배출하다, 풀어주다
<문제> have an effect on ~에 영향을 끼치다   positive 혱 긍정적인   lower 통 낮추다   normal 혱 일반적인

Look at these two works of art painted by two different artists. They both look like typical abstract paintings. However, one of the two has a very unusual story behind it. ₃

In 1964, several paintings by ⓐ <u>an artist</u> named Pierre Brassau were exhibited at an art show in Sweden. There were works by other artists from all over the world as well, ₆ but it was Brassau's work that attracted the most attention. Critics praised ⓑ <u>his</u> paintings for being powerful yet delicate. Everyone was curious about who Brassau was and ₉ couldn't wait to meet ⓒ <u>him</u> in person. But surprisingly, he was not a person but a chimpanzee! Pierre Brassau was the _____ of a journalist. The journalist wanted to ₁₂ test whether art critics could tell the difference between true abstract art and fake art. So, ⓓ <u>he</u> let a four-year-old chimpanzee at a nearby zoo play with a brush and some ₁₅ paint.

Which painting do you think was made by ⓔ <u>the chimpanzee</u>? It's the one on the left. ₁₈

1 이 글의 주제로 가장 적절한 것은?

① difficulty in creating abstract art

② a new outstanding abstract artist

③ a chimpanzee that fooled the art world

④ how to distinguish fake art from real art

⑤ a story of two different paintings by an artist

2 이 글의 밑줄 친 ⓐ~ⓔ 중, 가리키는 대상이 나머지 넷과 <u>다른</u> 것은?

① ⓐ   ② ⓑ   ③ ⓒ   ④ ⓓ   ⑤ ⓔ

(심화형)

3 이 글의 빈칸에 들어갈 말로 가장 적절한 것은?

① creation   ② target   ③ pet

④ rival   ⑤ identity

4 이 글의 내용으로 보아, 빈칸 (A), (B), (C)에 들어갈 말로 가장 적절한 것은?

> Some paintings drawn by a(n) _____(A)_____ appeared at a(n) _____(B)_____, and they drew a lot of attention. But they were actually made to test _____(C)_____.

	(A)		(B)		(C)
①	artist	......	zoo	......	other artists
②	journalist	......	zoo	......	art critics
③	journalist	......	exhibition	......	other artists
④	chimpanzee	......	exhibition	......	art critics
⑤	chimpanzee	......	exhibition	......	journalists

Words

abstract ⓗ 추상적인   exhibit ⓢ 전시하다, 보여주다 (exhibition ⓜ 전시회)   attention ⓜ 관심   critic ⓜ 비평가, 평론가
praise A for B B에 대해 A를 칭찬하다   delicate ⓗ 섬세한, 연약한   curious ⓗ 궁금한   in person 직접   chimpanzee ⓜ 침팬지
journalist ⓜ 기자   tell the difference (차이를) 구별하다   fake ⓗ 가짜의   nearby ⓗ 근처의, 인근의   <문제> outstanding ⓗ 뛰어난, 두드러진
fool ⓢ 속이다, 놀리다 ⓜ 바보   distinguish A from B A와 B를 구별하다   target ⓜ 목표(물), 대상   rival ⓜ 경쟁자   identity ⓜ 정체(성), 신원

Did you know that there is an international sports event that only specially qualified people can participate in? It is the Cybathlon, which means "cyborg Olympics." 3

Every team in this competition consists of one athlete and a group of robot developers. The athletes are called "pilots." They have physical disabilities, so they wear and operate 6 robotic parts designed by the developers to help them move. During the competition, pilots have to complete everyday tasks, such as walking up the stairs or hanging the laundry. 9 The team whose pilot carries out the tasks most successfully and quickly wins. The winning team receives two medals: one for the pilot and one for the group of robot developers. 12

The ultimate goal of the Cybathlon is to make robots that move more easily, weigh less, and have a longer battery life. This unique competition will contribute to developing 15 _____ to assist people with disabilities in their daily lives.

1 이 글의 제목으로 가장 적절한 것은?

① Cybathlon: Cyborgs vs. Humans

② How Cyborgs Assist with Daily Tasks

③ An International Event for All Athletes

④ Technology to Cure People with Disabilities

⑤ A Competition Helping to Overcome Disabilities

2 이 글에서 Cybathlon에 관해 언급되지 <u>않은</u> 것을 고르시오.

① 참가 대상　　　② 개최 기간　　　③ 수행 과제

④ 우승 조건　　　⑤ 최종 목표

3 이 글의 빈칸에 들어갈 말로 가장 적절한 것은?

① sports activities　　　② volunteer services

③ wearable robots　　　④ medical devices

⑤ physical training programs

4 Cybathlon에 관한 이 글의 내용과 일치하지 <u>않는</u> 것은?

① Each pilot participates with a group of robot developers.

② Pilots use robotic devices during the competition.

③ People with a lot of knowledge about robots can become pilots.

④ Athletes compete against each other doing daily activities.

⑤ A medal is awarded to the winning athlete and robot developers.

Words

international 휑국제의　qualified 휑자격을 갖춘, 자질이 있는　cyborg 뗑사이보그, (기계) 인조인간　consist of ~으로 구성되다, 이루어지다
pilot 뗑조종사　disability 뗑장애　operate 동조종하다　everyday 휑일상적인, 매일의　task 뗑과제, 일　stair 뗑계단
laundry 뗑빨래, 세탁물　carry out 수행하다, 실행하다　ultimate 휑궁극적인, 최종의　goal 뗑목표, 목적　weigh 동무게가 나가다, 무게를 재다
battery life 배터리 수명　contribute 동기여하다, 공헌하다　assist 동돕다　daily life 일상생활　<문제> volunteer service 자원봉사 활동
wearable 휑착용할 수 있는, 웨어러블　medical 휑의료의, 의학의　device 뗑기기, 장치　compete against ~와 경쟁하다
award 동수여하다 뗑상

▲ 웹사이트에 업로드된 Barbra Streisand의 저택 사진

In just one month, more than 420,000 people looked at a picture on the Internet. It was just a picture of a house on a beach. Then why did such an ordinary photo get so much attention?

In 2003, one website had a collection of over 120,000 *aerial pictures. They had been taken to record the geological changes of the California coastline. (A) Streisand asked the photographer to remove the picture from the website because she did not want the public to see her home. (B) One of the photos was Hollywood entertainer Barbra Streisand's house. (C) But the photographer repeatedly refused. Eventually, she filed a 50-million-dollar lawsuit against him for invading her privacy. This incident was on the news. Soon, millions of people heard about the picture and looked it up on the Internet.

This phenomenon became known as the Streisand effect. It refers to a situation where an attempt to hide information ironically helps spread it instead.

*aerial 항공의; 항공기에 의한

• 심화형

1 What was Streisand's intention and its result?

<Intention>   <Result>

① to delete the picture   ·····   She won a lawsuit.

② to delete the picture   ·····   Many people viewed the image.

③ to meet the photographer   ·····   She visited the website to see the image.

④ to meet the photographer   ·····   The photographer accepted her proposal.

⑤ to keep records of her home ·····   A picture of her home was uploaded.

2 What is the best order for sentences (A)~(C)?

① (A) – (C) – (B)   ② (B) – (A) – (C)

③ (B) – (C) – (A)   ④ (C) – (A) – (B)

⑤ (C) – (B) – (A)

3 Write T if the statement is true or F if it is false.

(1) A collection of pictures was taken for an exhibition.   _____

(2) Streisand's house was located on the California coastline.   _____

(3) Streisand sued the photographer for invasion of her privacy.   _____

4 Complete the sentence with the following words.

| privacy | hide | spread | see | attention |

The Streisand effect occurs when the act of trying to _____ information attracts even more _____ from people.

Words

ordinary 휑 평범한   collection 명 모음(집)   geological 휑 지질학적인   coastline 명 해안선   public 명 대중, 국민
entertainer 명 연예인   repeatedly 휑 여러 차례, 되풀이하여   file 동 소송을 제기하다; 정리하다 명 파일, 서류   lawsuit 명 소송
invade 동 침해하다, 침입하다 (invasion 명 침해, 침입)   privacy 명 사생활, 개인정보   incident 명 사건, 사태   look up 찾아보다; 올려다보다
attempt 명 시도, 노력   ironically 휑 얄궂게도, 아이러니하게도   instead 휑 오히려, 대신에 <문제> delete 동 삭제하다   proposal 명 제안, 제의
keep a record 기록해 두다   exhibition 명 전시회   sue 동 고소하다

Review Test

정답 및 해설 p.84

1 단어의 성격이 나머지와 다른 것은?

① important   ② convenient   ③ silent   ④ journalist   ⑤ efficient

2 다음 밑줄 친 단어와 가장 반대되는 의미의 단어는?

> The movie was an <u>ordinary</u> action film with no special features.

① expensive   ② surrounding   ③ international   ④ familiar   ⑤ outstanding

[3-4] 다음 영영 풀이에 해당하는 단어를 보기 에서 골라 뜻과 함께 쓰시오.

보기	assist	invade	laundry	identity	process

단어   뜻

3 to negatively affect someone's personal space or privacy   _____   _____

4 the characteristics that make you who you are   _____   _____

[5-8] 다음 빈칸에 들어갈 단어나 표현을 보기 에서 골라 쓰시오.

보기	look up	collection	incident	carry out	proposal	emit

5 The government rejected the company's _____ to build a factory in Denver.

6 Martin has a large _____ of old stamps that is quite valuable.

7 The librarian has to _____ the cost of buying new books on the Internet.

8 The scientists will _____ the experiment until they find a solution.

[9-10] 다음 밑줄 친 단어나 표현에 유의하여 각 문장의 해석을 쓰시오.

9 In addition, it <u>has a</u> positive <u>effect on</u> the environment by reducing the number of animals that are raised on farms.

→ _____

10 Everyone was curious about who Brassau was and couldn't wait to meet him <u>in person</u>.

→ _____

초간단요리

들어는 봤나? 노오븐 계란빵! 핫케이크 가루와 계란만 있으면 OK!

준비물: 핫케이크 가루, 계란, 소금, 치즈, 햄, 식용유, 그릇, 종이컵
소요 시간: 약 10분

Step 1 핫케이크 가루와 물을 2:1 비율로 그릇에 넣고 잘 저어줘요.

Step 2 종이컵 안쪽에 식용유를 얇게 바르고, 반죽을 종이컵의 1/3만큼 넣어요.

Step 3 반죽 위에 계란을 깨서 넣어주고 소금을 살짝 뿌려주세요.
노른자는 꼭 터트려주세요. 안 그러면 펑! 하고 터져버려요.

Step 4 치즈를 찢고 햄을 잘게 썰어서 넣어주세요.

Step 5 전자레인지에 2분 30초~3분 정도 돌려요.
계란빵이 점점 부풀어 오른다면 완성!

**패밀리 레스토랑 느낌의 메뉴를 전자레인지로 뚝딱!
진~한 달콤함에 풍덩! 고구마의 영양은 덤이요~**

준비물: 고구마, 버터, 꿀, 바닐라 아이스크림, 견과류 약간, 그릇
소요 시간: 약 30분

Step 1 깨끗이 씻은 고구마를 전자레인지에 15~20분 정도 돌려서 익혀요.

Step 2 고구마를 익히는 동안 버터와 꿀을 1:1 비율로 그릇에 넣고 잘 섞어줘요.

Step 3 잘 익은 고구마 가운데에 칼집을 내고 양옆으로 벌린 후, 그 속에
버터와 꿀을 섞은 것을 채워 넣어요.

Step 4 버터가 살짝 녹게끔 전자레인지에 1분 정도 돌려요.
그 위에 바닐라 아이스크림 한 스쿱과 견과류를 올리면 완성!

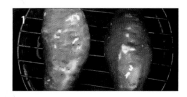  

HackersBook.com

UNIT 04

Each year, over 1.5 billion phones are sold worldwide. This means that about the same number of old phones are discarded. But unfortunately, only 10 percent of these phones get recycled.

Phones contain many precious metals, including gold. If they are recycled, 400 grams of gold can be extracted from one ton of them. <u>This is a great amount</u>, considering only five grams of gold are extracted from the same weight of rocks. Recycling phones also has ecological benefits. When phones are discarded, they usually end up in *landfills and contaminate the surrounding soil and water with toxic materials.

So, how can you recycle your old phones? You can donate them to a charity organization. That way, the precious metals from the old phones can be recycled, and the profits can be used to help those who are in need.

*landfill 쓰레기 매립지

Read & Learn

폐휴대폰, 어디로 보내면 될까?

전 세계적으로 보통 자선 단체에서 폐휴대폰을 수거하고 있지만, 우리나라에서는 KERC(한국전자제품자원순환공제조합)라는 곳에서 수거해서 재활용하고 있어요. 재활용을 통해 발생한 수익금은 모두 이웃 돕기에 사용된다고 하니, 쓰지 않는 휴대폰이 있다면 아래 주소로 보내보면 어떨까요? 더 자세한 내용은 홈페이지(https://나눔폰.kr/)에서 확인해보세요.

| 주소 / 전화번호 | 경기도 용인시 처인구 이동읍 덕성산단1로 68번길 19 (17130) ☎ 031-323-5740 |

1 이 글의 밑줄 친 This is a great amount의 이유를 우리말로 쓰시오.

_____

_____

2 이 글에서 언급되지 <u>않은</u> 것은?

① the number of phones abandoned yearly

② the percentage of recycled phones

③ how metals are extracted from phones

④ the results of discarding phones

⑤ how to recycle phones

3 다음 질문에 대한 답이 되도록 빈칸에 들어갈 말을 글에서 찾아 쓰시오.

Q. What are some positive effects that come from recycling old phones?

A. (1) There are _____ _____ by preventing them from contaminating environment.

   (2) You can help people _____ _____ with profits from the _____ metals.

4 다음 대화의 빈칸에 들어갈 단어를 글에서 찾아 쓰시오.

A: I plan to _____ some money to the children's hospital.
B: That's a good idea. It will help many patients.

Words

billion 명10억 **discard** 통버리다, 폐기하다 **recycle** 통재활용하다 **precious** 형값비싼 **extract** 통추출하다 **weight** 명무게
ecological 형환경 보호의, 생태(학)적인 **benefit** 명이익, 이득 **end up** 결국 ~에 가다, ~하게 되다 **contaminate** 통오염시키다
surrounding 형주변의, 둘러싸는 **toxic** 형독성의 **material** 명물질 **donate** 통기부하다 **charity** 명자선, 기부 **organization** 명단체, 조직
profit 명수익 **in need** 도움이 필요한, 어려움에 처한 <문제> **abandon** 통버리다

▲ 지문 음성 바로 듣기

Rembrandt, one of history's greatest artists, died in 1669. However, a brand-new painting of his was recently released. How could a dead painter create something new? ³

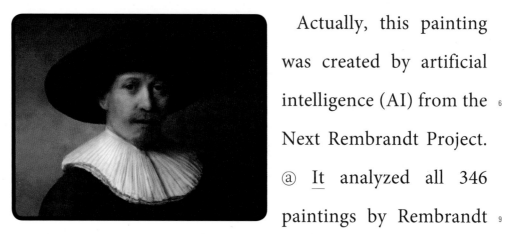

Actually, this painting was created by artificial intelligence (AI) from the ⁶ Next Rembrandt Project. ⓐ It analyzed all 346 paintings by Rembrandt ⁹ using 3D scans and facial recognition technology. Based on that data, ⓑ it learned how Rembrandt painted human faces and bodies in his portraits. Then, (A) the researchers ¹² decided to put the AI to the test. They asked ⓒ it to produce a portrait of a man in his thirties wearing black clothes and a black hat. They didn't give ⓓ it any other details. When the ¹⁵ portrait was completed, it was then printed by a 3D printer. The printer used 13 layers of paint to imitate the texture of Rembrandt's paintings. Surprisingly, the portrait looked as ¹⁸ though ⓔ it had been done by Rembrandt himself!

Read & Learn

넥스트 렘브란트 프로젝트의 숨은 공신, '딥러닝'

넥스트 렘브란트 프로젝트에서 인공지능을 학습시키기 위해 사용한 기술이 바로 '딥러닝'이에요. 딥러닝 기술은 사람의 뇌가 정보를 처리하는 것처럼 기계가 스스로 학습하고 사고할 수 있도록 만드는 기술이에요. 이를 통해 기계는 개발자의 명령 없이도 수많은 데이터 속에서 패턴을 파악하여 스스로 판단을 내릴 수 있어요. 이러한 기술은 현재 사진의 화질 복원, 흑백사진의 컬러화, 지진 예측, 자율주행 자동차 등 다양한 분야에 쓰이고 있답니다.

● 심화형

1 이 글의 제목으로 가장 적절한 것은?

① AI Brings Rembrandt Back to Life

② Artificial Intelligence: Then and Now

③ Restoring Great Artists' Masterpieces

④ Can AI Create Art Better Than Humans?

⑤ Rembrandt's Hidden Painting Is Revealed

2 이 글의 밑줄 친 @~@ 중, 가리키는 대상이 나머지 넷과 다른 것은?

① @   ② ⓑ   ③ ⓒ   ④ ⓓ   ⑤ ⓔ

3 이 글의 밑줄 친 (A)의 목적으로 가장 적절한 것은?

① 인공지능이 초상화를 그리는 속도를 측정하기 위해

② 인공지능이 화가의 화풍을 재현할 수 있는지 확인하기 위해

③ 인공지능이 주어진 명령을 정확하게 이해했는지 판단하기 위해

④ 인공지능이 화가의 위작과 진품을 구분할 수 있는지 시험하기 위해

⑤ 인공지능이 여러 화가의 작품을 조합하여 그릴 수 있는지 파악하기 위해

4 이 글의 내용으로 보아, 다음 빈칸에 들어갈 말을 보기 에서 골라 쓰시오.

| 보기 | analyzed | printed | portrait | texture | imitated |

The Next Rembrandt Project

AI (1) _____ all of Rembrandt's artwork.

▼

AI produced a (2) _____ with the information it had collected.

▼

The work was (3) _____ with 13 layers of paint.

Words

brand-new ⑱ (완전히) 새로운   release ⑧ 공개하다; 풀어주다   artificial intelligence 인공지능   analyze ⑧ 분석하다   facial ⑱ 얼굴의
recognition ⑲ 인식, 인정   portrait ⑲ 초상화   detail ⑲ 세부 사항   layer ⑲ 겹, 층   imitate ⑧ 따라 하다, 모방하다   texture ⑲ 질감, 감촉
<문제> bring ~ back to life ~를 되살리다   restore ⑧ 복원하다   masterpiece ⑲ 걸작, 명작   reveal ⑧ (비밀 등을) 드러내다, 밝히다

Even if you don't know what a "meme" is, you have probably come across one on the Internet. A meme is a popular image with text that is spread widely online for fun. "Keep Calm and Carry On" is a well-known example of this.

It was originally a poster produced in 1939, just a few days before World War II. British people were terrified that a war would begin at any minute. So, the government designed a poster _____. It had a crown on a red background with the saying "Keep Calm and Carry On." (①) However, it was never officially released to the public. (②) Then, in 2000, a bookstore owner found <u>the poster</u> in an old box and hung it in his store. (③) People made parodies of it by changing the words and design, and it quickly became famous worldwide. (④) Eventually, it became a meme! (⑤)

● 심화형

1 이 글의 빈칸에 들어갈 말로 가장 적절한 것은?

① to raise money ② to encourage people to join the army

③ to ease the public's anxiety ④ to spread national pride among citizens

⑤ to announce its victory in the war

2 이 글의 흐름으로 보아, 다음 문장이 들어가기에 가장 적절한 곳은?

Soon, customers began showing an interest in the print.

① ② ③ ④ ⑤

3 이 글의 밑줄 친 the poster에 관해 답할 수 있는 질문을 모두 고른 것은?

(A) Why didn't the government release it?
(B) What did it look like?
(C) Why was it found in a bookstore?
(D) What was written on it?

① (A), (B) ② (A), (C) ③ (A), (D)
④ (B), (C) ⑤ (B), (D)

▲ 영국 Barter Books 서점에 걸렸던 실제 포스터

4 이 글의 내용으로 보아, 다음 빈칸에 들어갈 말을 보기에서 골라 쓰시오.

보기 war meme government stores parodies

The History of "Keep Calm and Carry On"

In 1939		In 2000
It was a poster designed by the British (1) _____ before a (2) _____ .	→	It soon became a well-known (3) _____ after it was made into several (4) _____ .

Words

come across 우연히 발견하다, 만나다 carry on (일을) 계속하다 well-known 휑 잘 알려진 terrified 휑 두려워하는
at any minute 금방이라도 crown 명 왕관 background 명 바탕, 배경 officially 분 공식적으로 public 명 대중, 국민 owner 명 주인, 소유주
hang 동 걸다 (hang-hung-hung) parody 명 패러디 <문제> join 동 (군에) 입대하다; 참가하다 ease 동 완화하다 명 쉬움
national 휑 국민적인, 국가의 pride 명 자부심, 긍지 announce 동 알리다, 발표하다 victory 명 승리

While on vacation, my wife and I were having a lovely outdoor breakfast at a hotel near the beach. The beach was full of tourists. Suddenly, a waiter pointed to the sea. The water was pulling back very fast. The fascinating sight drove many tourists to take pictures and videos with their phones. But not my wife. She held my hand and shouted urgently. "Run!" We ran toward a high hill. Soon after, a giant wave crashed into the shore, destroying everything in its path. We had nearly been swept away by a monster tsunami!

When we returned to the hotel, we saw many people badly injured. I asked my wife how she knew that a tsunami was coming. She explained that tsunamis are enormous waves created by earthquakes under the sea. The seawater pulls back very quickly before a tsunami occurs, and the larger the tsunami is, the faster the sea moves backwards. That's how she knew that something wasn't right. If we hadn't fled, we might not be alive now.

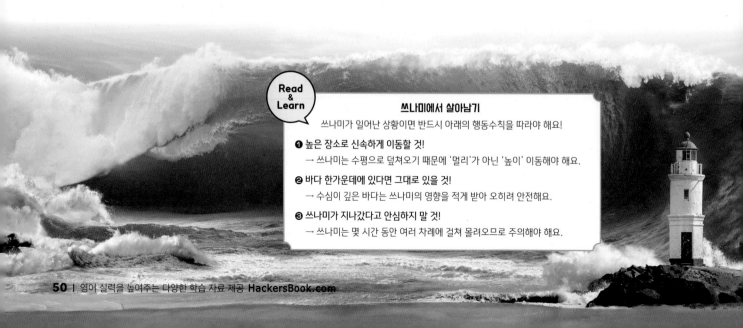

Read & Learn

쓰나미에서 살아남기
쓰나미가 일어난 상황이면 반드시 아래의 행동수칙을 따라야 해요!

❶ 높은 장소로 신속하게 이동할 것!
→ 쓰나미는 수평으로 덮쳐오기 때문에 '멀리'가 아닌 '높이' 이동해야 해요.

❷ 바다 한가운데에 있다면 그대로 있을 것!
→ 수심이 깊은 바다는 쓰나미의 영향을 적게 받아 오히려 안전해요.

❸ 쓰나미가 지나갔다고 안심하지 말 것!
→ 쓰나미는 몇 시간 동안 여러 차례에 걸쳐 몰려오므로 주의해야 해요.

1 What is the best title for the passage?

① Enjoying the Beauty of Nature

② What to Do during an Earthquake

③ Tips for Staying Safe While Traveling

④ The Experience of Surviving a Tsunami

⑤ The Difference between Earthquakes and Tsunamis

2 How did the writer's mood change?

① curious → sad
② hopeful → disappointed

③ bored → excited
④ pleasant → scared

⑤ worried → embarrassed

 서술형

3 How could the writer's wife predict the tsunami? Write the answer in Korean.

4 Which is NOT true about the writer's experience?

① He had breakfast with his wife near the beach.

② His wife took some pictures of a large wave in the sea.

③ He and his wife ran to a hill holding hands.

④ He saw that a wave had destroyed everything.

⑤ He had a talk with his wife after they returned to the hotel.

Words

tourist 몡관광객 point to ~을 가리키다 pull back 뒤로 빠지다, 물러나다 fascinating 혱매력적인 sight 몡광경 urgently 쀠다급하게
crash into ~에 부딪치다 sweep away 휩쓸다 monster 혱거대한 몡괴물 tsunami 몡쓰나미, 지진 해일 injure 됨다치게 하다, 부상을 입히다
enormous 혱거대한 earthquake 몡지진 flee 됨도망가다, 달아나다 (flee-fled-fled) alive 혱살아 있는 <문제> curious 혱궁금한
disappointed 혱실망한 embarrassed 혱당황스러운

Review Test

정답 및 해설 p.85

1 다음 중, 단어의 영영 풀이가 올바르지 않은 것은?

① texture - how a material feels when touched
② public - the general group of people who live in a country
③ sight - beating someone or something in a competition
④ detail - a specific piece of information about someone or something
⑤ portrait - a painting or picture that mainly shows someone's face

[2-3] 다음 밑줄 친 단어와 가장 비슷한 의미의 단어는?

2 The news warned local residents that an <u>enormous</u> storm was approaching.

① alive   ② energetic   ③ huge   ④ tough   ⑤ fast

3 Thanks to the alarm, everyone could <u>flee</u> from the burning building.

① float   ② escape   ③ reach   ④ draw   ⑤ hang

[4-6] 다음 괄호 안에서 알맞은 단어를 골라 표시하시오.

4 Children often watch their parents and (annoy / imitate) their behavior.

5 The smoke from the factories could (contaminate / fascinate) the environment.

6 Take a deep breath, and it will (ease / promise) your anxiety.

[7-8] 다음 빈칸에 들어갈 단어를 보기에서 골라 쓰시오.

보기	recognition discard organization exhibit

7 Smartphones can use voice _____ software to understand what you say.

8 Many people _____ plastic bags after using them only once.

[9-10] 다음 밑줄 친 단어나 표현에 유의하여 각 문장의 해석을 쓰시오.

9 British people were terrified that a war would begin <u>at any minute</u>.

→ _____

10 We had nearly been <u>swept away</u> by a monster tsunami!

→ _____

지구를 지키는 착한 번거로움 Zero-waste

제로 웨이스트
일일 도전기

한 주의 마무리는 역시 치킨! 닭 다리를 신나게 뜯고 난 뒤 쌓여 있는 일회용 용기를 보고 있자니 어딘가 마음이 안 좋아졌다. 해마다 늘어나는 쓰레기로 온 지구가 몸살을 앓고, 플라스틱 쓰레기 때문에 야생동물들도 위험에 처해있다고 하는데… 그래 좋아, 내일 하루는 쓰레기 배출 제로를 실천하는 **제로 웨이스트(Zero-waste) 운동**에 참여하는 거야!

09:00 AM

♡ ◯ ◁   🔖

텀블러 챙기기

앗, 하마터면 잊어버릴 뻔했다! 오늘 하루 종이컵이나 테이크아웃 플라스틱 컵을 쓰지 않기 위해 텀블러를 챙겨야지! 플라스틱병에 담긴 생수를 사 먹지 않도록 텀블러에는 물을 가득 담아 챙겼다. 가방은 무겁지만 마음은 한결 가볍군~ #zerowaste

---

01:00 PM

♡ ◯ ◁   🔖

포장은 여기에 해주세요!

오늘은 친구와 공원에서 작은 소풍을 즐기기로 했다. 소풍엔 역시 김밥이지~
평소 자주 가던 분식집에서 참치김밥을 포장해 왔다. 달라진 것이 있다면 오늘은 챙겨 간 밀폐용기에 담아달라고 요청한 것. 일회용품 사용을 한 번 더 줄였다! #zerowaste

---

03:00 PM

♡ ◯ ◁   🔖

중고거래 쏠쏠하네

유독 손이 안 가지만 멀쩡해서 버리기는 아까운 티셔츠… 중고거래 앱인 오이마켓에 올려보았다. 1분이 1시간 같이 느껴지는 기다림 끝에 구매자님 등장! 티셔츠는 새 주인을 얻고 난 약간의 용돈을 얻었네. 안 쓰는 물건을 버리기보다는 새 주인을 찾아주는 것도 제로 웨이스트를 실천하는 방법이군~ #zerowaste

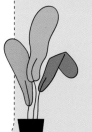

11:00 PM

♡ ◯ ◁   🔖

칫솔도 플라스틱이었어…!

자기 전 이를 열심히 닦다가 문득 든 생각. '칫솔도 플라스틱이었어…!' 생각보다 우리 생활 곳곳에 플라스틱이 침투해 있구나. 다음에는 나무나 생분해성 플라스틱으로 된 친환경 칫솔을 사용해야겠다고 다짐해본다. 번거롭긴 했지만, 생각보다 해볼 만했던 제로 웨이스트 일상, 이 정도면 매일 실천할 수 있겠어! #zerowaste

HackersBook.com

UNIT 05

Is there an issue that you'd like to change? One person's voice may not be enough to influence a government or a society, but online *petitions can be. By sharing an issue with people and collecting their signatures, you can _____. In the U.K., all of the people printed on money were men, except for Queen Elizabeth II. One woman wanted to change this, so she started an online petition. Soon, over 35,000 people signed it. As a result, the Bank of England decided to print the face of Jane Austen on the ten-pound bill, replacing Charles Darwin.

Governments around the world, including Korea, offer petition websites where citizens can directly express their opinions. Although leaders may not be able to reply to every opinion, petitions draw attention to important issues that may be overlooked. As more people participate in a petition, it becomes easier to inspire change for a better society.

*petition 청원

Read & Learn

청원, 그리고
그 후엔 어떻게 되었을까?

영국이 2018 월드컵에서 우승한다면
결승전 다음 날을 공휴일로 만들어주세요!

해당 청원은 2주 만에 20만 명 이상이 서명하는 신기록을 세웠지만, 안타깝게도 영국은 우승컵을 따내지 못했어요. 이 청원은 경기 결과에 따라 무산되었답니다.

스타벅스가 100퍼센트 재활용이 가능한 컵만
사용하게 해주세요!

11살 소녀 두 명이 위와 같은 청원을 하자 35만 명이 넘는 사람들이 서명했고, 스타벅스는 곧바로 재활용 컵 개발에 착수했어요. 현재 뉴욕, 시애틀을 포함한 5개 도시에서 시범 사용 중이랍니다.

1 이 글의 요지로 가장 적절한 것은?

① 자신과 다른 의견을 존중하는 태도가 중요하다.

② 정부는 최대한 많은 시민들의 의견을 들어야 한다.

③ 온라인 청원은 긍정적인 사회 변화를 이끌 수 있다.

④ 무분별한 온라인 청원을 막기 위해 공식적인 절차가 필요하다.

⑤ 온라인 청원 제도가 도입되려면 시민들의 적극적인 참여가 요구된다.

2 이 글의 빈칸에 들어갈 말로 가장 적절한 것은?

① make a place famous　　② create an online website

③ easily socialize with them　　④ turn your ideas into action

⑤ learn the causes of social issues

● 서술형

3 청원을 통해 영국 화폐 속 인물이 어떻게 변했는지 우리말로 쓰시오.

(1) 청원 전: _____

(2) 청원 후: _____

● 심화형

4 이 글의 내용과 가장 잘 어울리는 속담은?

① Look before you leap.

② Bad news travels quickly.

③ The early bird catches the worm.

④ A little knowledge is a dangerous thing.

⑤ Little drops of water make the mighty ocean.

Words

influence 통 ~에 영향을 주다　signature 명 서명 (sign 통 서명하다 명 기호, 신호)　except for ~을 제외하고　bill 명 지폐
replace 통 ~을 대신하다, 대체하다　directly 부 직접적으로　leader 명 지도자　reply 통 답(변)하다　draw attention to ~에 관심을 끌어내다
overlook 통 간과하다, 못 보고 넘어가다　inspire 통 ~을 (불러) 일으키다, 영감을 주다　<문제> socialize 통 (사람들과) 어울리다, 사귀다
leap 통 뛰다, 도약하다　worm 명 벌레　mighty 형 거대한, 강력한

You've probably seen chicken breasts or slices of beef at the supermarket. They are both pieces of meat, but one is white and the other is red. What makes them different? 3

The reason red meat is red is not because of blood, as many people think. It's actually caused by *myoglobin, which is a reddish-colored protein in muscles. Myoglobin stores and 6 distributes oxygen to muscles when they need it.

Some animals have lots of myoglobin in their muscles and others have less. It depends on how long and how much they 9 move. Cows usually spend long periods of time standing or walking. (a) This continuous activity requires them to use all of their body muscles. (b) Therefore, their muscles 12 contain more myoglobin. (c) This makes beef look very red. (d) Pork is pink when raw but turns white when cooked. (e) In contrast, chickens don't move around as much. They 15 only occasionally run or jump. As a result, the meat from their legs is slightly pink, but everywhere else, including the wings and breast, is white. 18

*myoglobin 미오글로빈 (근육 세포 안에 있는 색소 단백질)

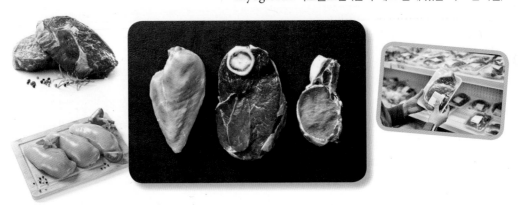

1 이 글의 주제로 가장 적절한 것은?

① how the color of meat affects its taste

② different roles of myoglobin in muscles

③ animals that have different blood colors

④ why myoglobin is important for animals

⑤ what causes meat to have different colors

2 이 글의 (a)~(e) 중, 전체 흐름과 관계없는 문장은?

① (a)　　② (b)　　③ (c)　　④ (d)　　⑤ (e)

(심화형)

3 미오글로빈에 관한 이 글의 내용과 일치하면 T, 그렇지 않으면 F를 쓰시오.

(1) It is a protein that stores or carries oxygen to muscles. _____

(2) Its color varies in different animals. _____

(3) Chickens have more of it in their wings than in their legs. _____

4 다음 대화의 빈칸에 들어갈 단어를 글에서 찾아 쓰시오.

A: Tom, your _____ loud music has been bothering me all day. Could you turn it down?

B: Oh, sorry. I thought everyone was out today.

5 이 글의 내용으로 보아, 괄호 안에서 알맞은 말을 골라 표시하시오.

The amount of myoglobin in animal (1) (blood / muscles) determines the color of meat. Red meat like beef contains (2) (more / less) myoglobin, while white meat like chicken breast contains (3) (more / less) myoglobin.

Words

breast 몡 가슴살　slice 몡 조각　beef 몡 소고기　reddish-colored 혱 불그스름한 색깔의　protein 몡 단백질　store 동 저장하다 몡 가게
distribute 동 분배하다, 나누어주다　oxygen 몡 산소　depend on ~에 달려있다, ~에 의존하다　continuous 혱 지속적인　pork 몡 돼지고기
raw 혱 날것의, 익히지 않은　in contrast 그에 반해　occasionally 閉 가끔씩　slightly 閉 약간, 조금　<문제> turn down (소리 등을) 줄이다, 낮추다

▲ 지문 음성 바로 듣기

On the fourth Friday of November, stores and malls in the U.S. are full of chaos. It is Black Friday, the biggest shopping day of the year. On this day, many companies offer discounts 3 of up to 90% on products such as electronics, clothes, and toys.

Recently, people have begun waiting for another event 6 called Cyber Monday. It's an online event that takes place on the Monday after Black Friday. Consumers can easily shop on the Internet without having to visit a crowded store. And 9 on Cyber Monday, goods that were not sold on Black Friday are sold at an even lower price.

These discount events are beneficial for companies as well 12 as consumers. (A) When there are unsold items, companies have to send them to their other branches or to discount outlets. (B) Therefore, many companies choose to sell the 15 products to customers, even if it is at a lower price. (C) This results in an extra shipping cost, which is usually high in the U.S. due to its vast size. 18

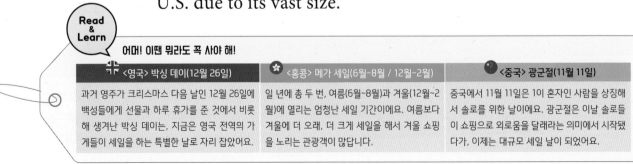

Read & Learn

어머! 이땐 뭐라도 꼭 사야 해!

〈영국〉 박싱 데이(12월 26일)	〈홍콩〉 메가 세일(6월~8월 / 12월~2월)	〈중국〉 광군절(11월 11일)
과거 영주가 크리스마스 다음 날인 12월 26일에 백성들에게 선물과 하루 휴가를 준 것에서 비롯해 생겨난 박싱 데이는, 지금은 영국 전역의 가게들이 세일을 하는 특별한 날로 자리 잡았어요.	일 년에 총 두 번, 여름(6월~8월)과 겨울(12월~2월)에 열리는 엄청난 세일 기간이에요. 여름보다 겨울에 더 오래, 더 크게 세일을 해서 겨울 쇼핑을 노리는 관광객이 많답니다.	중국에서 11월 11일은 1이 혼자인 사람을 상징해서 솔로를 위한 날이에요. 광군절은 이날 솔로들이 쇼핑으로 외로움을 달래라는 의미에서 시작됐다가, 이제는 대규모 세일 날이 되었어요.

1 이 글의 제목으로 가장 적절한 것은?

① Ways to Shop without Shipping Costs

② Consumers Who Enjoy Shopping Online

③ What to Buy on Black Friday and Cyber Monday

④ Consumer and Company Benefits of Shopping Events

⑤ Monday vs. Friday: Which Day is Better for Shopping?

2 이 글의 문장 (A)~(C)를 순서에 맞게 배열한 것으로 가장 적절한 것은?

① (A) – (B) – (C) ② (A) – (C) – (B) ③ (B) – (A) – (C)

④ (C) – (A) – (B) ⑤ (C) – (B) – (A)

● 서술형

3 다음 질문에 대한 답을 우리말로 쓰시오.

> Q. Why do companies participate in discount events such as Black Friday or Cyber Monday?

A. _____

_____

4 이 글의 내용으로 보아, 다음 빈칸에 들어갈 말을 글에서 찾아 쓰시오.

Many companies provide big _____ on Black Friday and Cyber Monday, but I prefer Cyber Monday. I don't have to _____ a store, and I can sometimes get a product at a much _____ _____ .

Words

be full of ~으로 가득 차다 **chaos** 뎽 혼란, 혼돈 **discount** 뎽 할인 (**discount outlet** 할인 매장) **electronics** 뎽 전자 기기
take place 열리다, 일어나다 **consumer** 뎽 소비자 **crowded** 혱 (사람들이) 붐비는 **beneficial** 혱 이익이 되는, 유익한 (**benefit** 뎽 이익)
unsold 혱 팔리지 않은 **branch** 뎽 지점; 가지 **result in** (결과적으로) ~을 야기하다 **extra** 혱 추가적인 **shipping cost** 운송 비용
due to ~ 때문에 **vast** 혱 광대한, 막대한 <문제> **prefer** 뎽 선호하다

▲ 지문 음성 바로 듣기

My friend Edward makes a sound like "oh" quite often. He makes the noise when other people are quiet and even during class. However, he _____. In ₃ fact, he can't stop himself from doing it.

Edward and others like him have a condition known as a *tic disorder. Those who suffer from it may experience a ₆ wide range of symptoms, such as blinking their eyes, shaking their heads, clearing their throats, or saying a particular word repeatedly. ₉

Tic disorders are much more common than we think. Between 10 to 20 percent of children worldwide have tics. It's not usually a serious matter, as the symptoms naturally ₁₂ disappear when they get older. But if you force people with tics to stop, they can get stressed, and this can make the symptoms worse. Thus, the best thing to do is ignore the ₁₅ tics and just treat them as you would treat anyone else.

*tic disorder 틱 장애

1 Which is the best choice for the blank?

① likes to keep doing it

② does it when he gets bored

③ doesn't do it on purpose

④ doesn't think it bothers other people

⑤ doesn't want to go to school

2 Choose ALL that are mentioned about a tic disorder in the passage.

① the cause of it   ② its symptoms

③ the origin of its name   ④ medications used to treat it

⑤ the percentage of children with it

(서술형)

3 What is the best attitude toward people with tics? Write the answer in Korean.

_____

4 Which is the best choice for blanks (A) and (B)?

People with tics cannot _____(A)_____ their movements or sounds, and they shouldn't be forced to _____(B)_____ .

(A)	(B)		(A)	(B)
① control	...... repeat		② control	...... stop
③ realize	...... say		④ repeat	...... say
⑤ repeat	...... stop			

Words

quite 閉 꽤, 상당히   condition 圐 질환; 상태   disorder 圐 장애   suffer from ~을 앓다, ~으로 고통받다   a wide range of 다양한, 넓은 범위의
symptom 圐 증상   blink 통 (눈을) 깜빡이다   clear one's throat 헛기침을 하다   particular 톙 특정한   disappear 통 사라지다
force 통 강요하다   ignore 통 무시하다   treat 통 ~을 대하다, 취급하다; 치료하다   <문제> on purpose 고의로, 일부러
bother 통 성가시게 하다, 괴롭히다   medication 圐 약(품)   percentage 圐 비율

[1-2] 다음 영영 풀이에 해당하는 단어는?

1 to ignore something without knowing its importance

① inspire   ② announce   ③ treat   ④ operate   ⑤ overlook

2 very great in size, amount, or range

① raw   ② extra   ③ regular   ④ toxic   ⑤ vast

[3-5] 다음 괄호 안에서 알맞은 단어를 골라 표시하시오.

3 Squirrels (store / restore) nuts to survive the cold winter.

4 Ms. Gloria (contributed / distributed) test papers to all of her students.

5 Brad will (replace / reply) his computer monitor with a larger one.

[6-8] 다음 빈칸에 들어갈 단어나 표현을 보기 에서 골라 쓰시오. (단, 필요시 알맞은 형태로 고쳐 쓰시오.)

보기   be full of   socialize   draw attention to   force   pull back

6 Because all the seats were sold out, the concert hall _____ people last weekend.

7 The school prepared many activities to help students _____ with each other.

8 The director made a documentary about whales to _____ sea pollution.

[9-10] 다음 밑줄 친 단어나 표현에 유의하여 각 문장의 해석을 쓰시오.

9 In the U.K., all of the people printed on money were men, <u>except for</u> Queen Elizabeth II.

→ _____

10 It <u>depends on</u> how long and how much they move.

→ _____

상식을 깨는 예술의 세계

현대 미술 속
웃지 못할 해프닝

캔버스에 그려진 그림만이 미술 작품일까요? 현대 예술가들은 공간을 캔버스로 쓰기도 하고, 미술 작품에 행위 예술을 접목하기도 하면서 자유롭게 그 경계를 허물고 있어요. 이렇다 보니 예상치 못한 사건이 일어나기도 하는데요.
어디로 튈지 모르는 예술의 세계! 과연 어떤 해프닝들이 있었을까요?

1억 4천만 원짜리 바나나를 먹어 치우다

2019년 미국 플로리다주에서 현대 예술 작품을 전시·판매하는 행사인 '아트 바젤 마이애미'가 열렸어요. 행사장 벽 한 편에는 바나나 한 개가 회색 박스 테이프로 붙여져 있었는데요. 바로 이탈리아의 예술가 마우리치오 카텔란의 '코미디언(Comedian)'이라는 작품이었답니다. 이 작품은 약 1억 4천만 원에 팔렸는데요, 전시 중 황당한 일이 벌어졌어요. 행위예술가 데이비드 다투나가 "배가 고프다"며 벽에 붙은 바나나를 먹어버린 거예요! 행사장 측에서는 어떻게 반응했느냐고요? "바나나는 작품의 발상"이라며 몇 분 만에 새 바나나를 붙여 놓았어요!

얼굴 없는 괴짜 화가 뱅크시의 파쇄 이벤트

2018년 영국 '소더비' 경매장에 나온 한 미술 작품. 15억 원에 낙찰된 순간, 그림이 액자 아래로 내려오면서 긴 조각들로 갈기갈기 잘리기 시작합니다. 영국의 거리 예술가 뱅크시의 그림 '풍선과 소녀(Girl with Balloon)'는 순식간에 절반만 남게 되었어요. 경매장은 일순간 충격에 휩싸였죠. 이게 어찌 된 일일까요? 뱅크시는 몇 년 전에 작품의 액자 안에 몰래 파쇄기를 설치했다고 밝혔어요. 심지어 기계가 중간에 멈추는 바람에 절반만 잘려 나간 것에 대해 아쉬워했죠. 모든 것이 다 그의 계획이었던 거예요! 이 작품은 어떻게 됐냐고요? '쓰레기통 속의 사랑(Love is in the Bin)'이라는 새로운 작품명을 얻고 원래 낙찰받았던 사람에게 돌아갔답니다.

HackersBook.com

UNIT 06

"Free for one month" is a marketing trick often used online.

(A) Moreover, some of them even make it hard to cancel subscriptions. For instance, you might have to call the customer service center only during office hours. And it could take a long time just to speak to an employee. 6

(B) However, problems occur when the free trial period is over and you don't want the service anymore. People who forget to cancel their subscriptions are automatically charged for another term. And few companies remind their users of when their free trial ends. 12

(C) A number of movie and music streaming services offer free usage for a certain period of time. This seems like a great way to try out a new service without paying for it. 15

Thus, it's important to check the *terms and conditions of free trials before you sign up for a subscription. Also, 18 mark your calendar so that _____ in time.

*terms and conditions 이용 약관, 계약 조건

Read & Learn

다크넛지, 이건 몰랐지?

넛지(nudge)란 '팔꿈치로 쿡 찌르다'라는 뜻으로, 소비자가 은연중에 특정 행동을 하도록 유도하는 것을 말해요. 이때 소비자가 비합리적인 구매를 하도록 유도하는 상술을 다크 넛지(dark nudge)라고 해요. 대표적으로 무료 이벤트가 일정 기간 이후 곧바로 유료 자동결제 서비스로 이어지도록 하는 상술이 있는데요. 온라인 동영상 서비스(OTT)의 사용자가 늘면서 이러한 다크 넛지의 피해 사례도 증가하고 있어요.

1 이 글의 목적으로 가장 적절한 것은?

① to explain the best type of online services

② to suggest solutions for illegal online services

③ to introduce some online services available for free

④ to warn of issues when subscribing to online services

⑤ to compare subscription fees of various online services

2 이 글의 단락 (A)~(C)를 순서에 맞게 배열한 것으로 가장 적절한 것은?

① (A) – (C) – (B) ② (B) – (A) – (C)

③ (B) – (C) – (A) ④ (C) – (A) – (B)

⑤ (C) – (B) – (A)

(심화형)

3 이 글의 빈칸에 들어갈 말로 가장 적절한 것은?

① you can get a discount

② you can extend the free trial period

③ you can cancel the unwanted service

④ you can compare streaming services

⑤ you can purchase additional subscriptions

4 다음 대화의 빈칸에 들어갈 단어를 글에서 찾아 쓰시오.

> A: Can you _____ me of the event? I'm worried I might forget it.
> B: Sure. I'll call you next Monday.

Words

trick 몡 수법, 묘기 동 속이다 subscription 몡 구독(권) (subscribe 동 구독하다) for instance 예를 들어 office hour 영업시간
employee 몡 직원, 고용인 occur 동 생기다, 일어나다 trial 몡 체험, 실험; 재판 automatically 閉 자동적으로
charge 동 (요금을) 부과하다, 청구하다 term 몡 기간; 용어 remind 동 다시 한번 알려주다, 상기시키다 usage 몡 이용(량)
try out 시도[시험]해 보다 sign up for ~을 신청하다 in time 제시간에, 늦지 않게 <문제> illegal 뼹 불법의 available 뼹 이용할 수 있는
warn 동 주의를 주다, 경고하다 compare 동 비교하다 fee 몡 요금 extend 동 연장하다, 확장하다 purchase 동 구입하다 몡 구입, 구매
additional 뼹 추가의

Here's a simple test you can do right now. Put the backs of your hands together with your fingers pointing down. Then, stay still for one minute. If you feel pain in the palm and first three fingers, you may have *carpal tunnel syndrome.

In the wrist, there is a narrow space like a tunnel, which nerves pass through. Carpal tunnel syndrome occurs when this tunnel gets squeezed and puts pressure on the nerves. In the beginning, you might lose some feeling in your palm and fingers. However, later on, you can experience severe pain in the entire wrist. This causes some problems in everyday life. You may often drop things or have difficulty in using chopsticks.

These days, the number of people with this condition is increasing. This is because people use smartphones or type on keyboards for too long today. These tasks cause repetitive hand movements and increase the risk.

*carpal tunnel syndrome 손목 터널 증후군

Read & Learn

손목 터널 증후군 예방 방법

여러분도 한번 따라 해보세요!

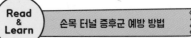

1 작은 공을 손에 쥐고, 공을 쥐어짜듯이 힘을 준 상태를 5초 동안 유지해요. 이후 천천히 힘을 빼주세요. 이 동작을 양손 각각 10회씩 반복하세요.

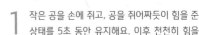

2 양팔을 옆으로 펴고 두 손목에 힘을 뺀 상태에서 좌우로 5초간 흔들어 주세요. 너무 강하게 흔들면 손목에 오히려 무리가 갈 수 있으니 최대한 힘을 빼고 살살 흔들어 주세요.

1 이 글의 제목으로 가장 적절한 것은?

① Your Hands Show Your Health

② How to Test Your Hand Strength

③ Exercises to Treat Carpal Tunnel Syndrome

④ A Condition That Causes Hand and Wrist Pain

⑤ Common Illnesses Resulting from Bad Posture

2 이 글의 밑줄 친 a simple test의 동작으로 가장 적절한 것은?

①   ②   ③   ④   ⑤

3 다음 질문에 대한 답이 되도록 빈칸에 들어갈 말을 글에서 찾아 쓰시오.

> Q. What increases the risk of carpal tunnel syndrome?

A. The risk increases because of _____ hand movements caused
by using smartphones or _____ for long periods of time.

4 이 글을 읽고 손목 터널 증후군에 관해 답할 수 없는 질문은?

① How is it tested?

② Why does it occur?

③ What are its symptoms?

④ How is it cured?

⑤ What problems does it cause?

Words

point 통 가리키다 **stay still** 가만히 있다 **palm** 명 손바닥 **wrist** 명 손목 **narrow** 형 좁은 **tunnel** 명 터널, 굴 **nerve** 명 신경
pass through ~을 통과해 지나가다 **squeeze** 통 조이다, 짜내다 **put pressure on** ~에 압박을 가하다 (**pressure** 명 압박, 압력)
severe 형 극심한 **chopsticks** 명 젓가락 **type** 통 타자를 치다 **task** 명 일, 과제 **repetitive** 형 반복적인 **risk** 명 위험(성)
<문제> **result from** ~에서 비롯되다, 기인하다 **posture** 명 자세

Can a car drive by itself completely without a driver? In other words, are self-driving cars really possible? Not just yet. This is because they cannot make difficult decisions yet, like in the following examples.

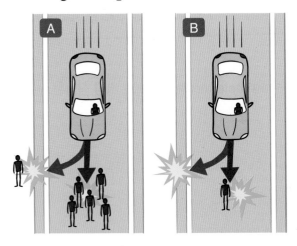

A. If your car goes straight, five people will be injured. But, if it makes a turn, only one person will be killed.

B. If your car goes straight, one person will be killed. But, if it makes a turn, you will get seriously injured.

Which decision should be made in each situation? Of course, there is no right answer.   (A)   , self-driving cars must know what to do in advance because they drive according to a program. Every situation needs to be considered and programmed into them.   (B)   , if an accident does occur, another problem arises. Who is ultimately responsible—the software, the car company, or the human driver? In order to use self-driving cars successfully, we need to think deeply about these issues.

1 이 글의 요지로 가장 적절한 것은?

① Self-driving cars can cause more death in accidents.

② There is some debate over the need for self-driving cars.

③ Self-driving cars are able to anticipate various traffic conditions.

④ Self-driving cars put the most importance on the safety of drivers.

⑤ There are some problems to solve to make self-driving cars a reality.

2 이 글의 빈칸 (A)와 (B)에 들어갈 말로 가장 적절한 것은?

	(A)		(B)
①	However	……	Besides
②	However	……	Therefore
③	For example	……	Besides
④	For example	……	Therefore
⑤	In short	……	Besides

3 다음 질문에 대한 답이 되도록 빈칸에 들어갈 말을 글에서 찾아 쓰시오.

Q. What problem could arise if a self-driving car had an accident?

A. It would be hard to determine who is _____ for the accident.

4 이 글의 내용으로 보아, 다음 빈칸에 들어갈 말을 보기 에서 골라 쓰시오.

보기   turns   programmed   injured   decisions   situation

Fully self-driving cars are not possible now because they cannot make complex _____ yet. They need to be _____ to drive considering every _____ on the road.

Words

by itself 스스로, 홀로 **self-driving** 형 자율 주행의 **make a turn** 방향을 바꾸다 **seriously** 부 심각하게 **in advance** 사전에
according to ~에 따라 **consider** 동 고려하다 **program** 동 프로그램을 짜다 **arise** 동 발생하다, 일어나다 **ultimately** 부 궁극적으로, 결국
responsible 형 책임이 있는 (**be responsible for** ~에 책임이 있다) <문제> **anticipate** 동 예측하다 **besides** 부 게다가 **complex** 형 복잡한

How do you get rid of medicine you no longer need? You might probably throw it in the trash can or flush it down the toilet. However, you shouldn't do either!

Medicine disposed of this way eventually enters the environment. Unfortunately, the chemicals in the drugs don't decompose easily. So, they remain in the ground and water for a long time, damaging the surrounding ecosystem. For example, a small amount of *estrogen in hormone drugs can change male fish into females! Also, medicine that isn't filtered out can flow into our drinking water. If we keep drinking this contaminated water, it may harm our health.

So, how should we dispose of old medicine? You can bring it to local pharmacies. They usually have boxes where you can discard drugs safely.

*estrogen 에스트로겐 (여성 호르몬)

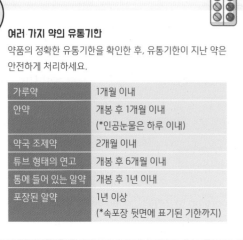

Read & Learn

여러 가지 약의 유통기한
약품의 정확한 유통기한을 확인한 후, 유통기한이 지난 약은 안전하게 처리하세요.

가루약	1개월 이내
안약	개봉 후 1개월 이내 (*인공눈물은 하루 이내)
약국 조제약	2개월 이내
튜브 형태의 연고	개봉 후 6개월 이내
통에 들어 있는 알약	개봉 후 1년 이내
포장된 알약	1년 이상 (*속포장 뒷면에 표기된 기한까지)

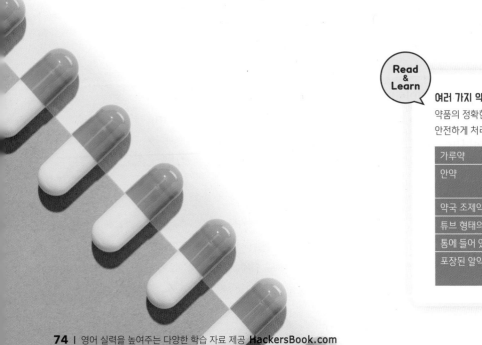

1 What is the best title for the passage?

① Helpful Tips for Taking Medicine

② Medicine That You Should Avoid

③ Don't Store Medicine for Too Long

④ Drugs That Control Fish Hormones

⑤ Be Cautious When Throwing Away Medicine

(서술형)

2 What should you avoid when you get rid of medicine? Write two answers in Korean.

(1) _____

(2) _____

3 Write T if the statement is true or F if it is false.

(1) Medicine can affect the gender of some animals. _____

(2) Some drugs can get into the water we drink. _____

(3) You can discard old medicine safely at your home. _____

4 Complete the table with words from the passage.

Problem	Solution
If you (1) _____ _____ drugs improperly, they can threaten the ecosystem and human (2) _____.	Return unnecessary drugs to (3) _____ in your neighborhood.

Words

get rid of ~을 버리다, 제거하다   flush ~ down the toilet ~을 변기에 내려버리다   dispose of ~을 처리하다, 없애다   chemical 몡화학 물질
drug 몡약(물)   decompose 동분해되다   surrounding 혱주변의   ecosystem 몡생태계   hormone 몡호르몬
filter out ~을 여과하다, 걸러내다   flow into ~으로 흘러들어오다, 흘러가다   contaminated 혱오염된   local 혱동네의, 지역의   pharmacy 몡약국
discard 동버리다, 폐기하다   <문제> cautious 혱조심하는, 신중한   gender 몡성별   improperly 몜부적절하게   threaten 동위협하다, 협박하다
unnecessary 혱불필요한   neighborhood 몡인근, 동네

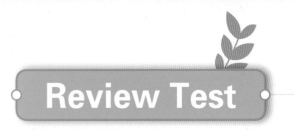

Review Test

1 짝지어진 단어의 관계가 나머지와 <u>다른</u> 것은?

① consider – think   ② risk – safety   ③ buy – purchase

④ drug – medicine   ⑤ increase – extend

[2-4] 단어와 영영 풀이를 알맞게 연결하시오.

2 posture •   • ⓐ the way that a person is standing, sitting, or moving

3 point •   • ⓑ to predict or expect something to happen in the future

4 anticipate •   • ⓒ to indicate someone or something with a finger

5 다음 밑줄 친 단어와 가장 비슷한 의미의 단어는?

> New challenges can <u>arise</u> once you enter high school.

① compare   ② warn   ③ refuse   ④ occur   ⑤ threaten

[6-8] 다음 빈칸에 들어갈 표현을 보기 에서 골라 쓰시오.

> 보기   dispose of   stay still   according to   sign up for   flow into

6 The Columbia and Yukon Rivers _____ the Pacific Ocean.

7 You have to _____ a membership if you want to receive many discounts.

8 It costs a lot to _____ toxic waste.

[9-10] 다음 밑줄 친 단어나 표현에 유의하여 각 문장의 해석을 쓰시오.

9 Also, mark your calendar so that you can cancel the unwanted service <u>in time</u>.

→ _____

10 In the wrist, there is a narrow space like a tunnel, which nerves <u>pass through</u>.

→ _____

뭉친 근육을 요가로 쭈욱~

HOME YOGA

잘못된 자세, 무거운 책가방 때문에 몸이 뻐근하다면?
하루 15분만 투자하면 뭉친 근육을 풀어줄 수 있다는 사실!
네 가지 요가 동작으로 몸을 가볍게 만들어봐요!

변형 바람 빼기 자세

1 양손을 깍지 껴 한쪽 발목에 가깝게 잡아요.
2 숨을 들이마시고 내쉬는 호흡에 다리를
  상체쪽으로 끌어당겨요.
3 2~3분 동안 자세를 유지해요.

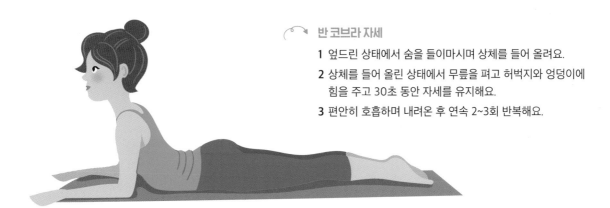

반 코브라 자세

1 엎드린 상태에서 숨을 들이마시며 상체를 들어 올려요.
2 상체를 들어 올린 상태에서 무릎을 펴고 허벅지와 엉덩이에
  힘을 주고 30초 동안 자세를 유지해요.
3 편안히 호흡하며 내려온 후 연속 2~3회 반복해요.

골반 수정 자세

1 바른 자세로 앉아서, 왼쪽 다리를 몸 앞으로 접고 오른쪽 다리는
  바깥쪽으로 접어 앉아요. 이때, 오른쪽 손은 오른쪽 발목에, 왼쪽
  손은 왼쪽 무릎에 놓아요.
2 무릎에 놓은 왼쪽 손을 밀고 당기면서 왼쪽 고관절을
  스트레칭해요. 이 동작을 무릎에 무리가 가지 않는 강도로 20회
  씩 반복해요.

현 자세

1 골반 수정 자세에서 두 손을 깍지 껴 머리 뒤에 놓고,
  호흡을 들이마시고 내쉬는 호흡에 바깥 쪽으로 접은
  오른쪽 다리를 향해 기울여요.
2 호흡과 함께 연속 2~3회 반복해요.
  * 골반 수정 자세와 현 자세는 연결해서 진행하고,
    반대편 다리도 똑같이 스트레칭해주세요.

HackersBook.com

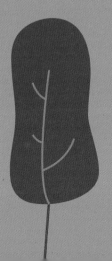

UNIT 07

Dr. John Mew was surprised to find that many problems with facial structure resulted from bad habits during childhood. For example, placing the tongue on the bottom of the mouth could result in a short chin or an uneven face. He believed that such problems could be corrected without surgery. Thus, he developed a tongue exercise called mewing, named after himself.

The practice of mewing is simple: Place the entire tongue against the roof of the mouth. Make sure it doesn't touch the upper teeth. Then, close the lips while keeping the upper and lower teeth apart. For the best results, you should do this whenever your mouth is closed.

During mewing, you use the muscles on your tongue, lips and cheeks. This can strengthen facial muscles, help keep your teeth even, and change the shape of your face. Mewing is especially effective on young children whose bones are still growing. But even some adults say that mewing works well on them, too!

▲ mewing을 하기 전(왼쪽)과 후(오른쪽)의 변화

1 이 글의 주제로 가장 적절한 것은?

① how facial structures change with age

② how to break bad habits for your teeth

③ a doctor who studied the muscles of the face

④ importance of dental health during childhood

⑤ a method to change your face shape without surgery

2 다음 질문에 대한 답이 되도록 빈칸에 들어갈 말을 글에서 찾아 쓰시오.

> Q. According to Dr. John Mew, what causes many problems with facial structure?

A. Bad habits such as _____ _____ _____

wrongly during _____

3 다음 중, mewing을 할 때 혀의 위치로 가장 적절한 것은?

① ② ③  ④ ⑤

4 mewing에 관한 이 글의 내용과 일치하지 <u>않는</u> 것은?

① It is intended to help issues related to facial structure.

② It is named after the doctor who invented it.

③ It uses the muscles in your cheeks.

④ It can help your teeth stay even.

⑤ It works better for adults than children.

Words

structure 명 구조 result from ~에서 비롯되다 bottom 명 바닥, 맨 아래 result in ~을 야기하다 chin 명 턱
uneven 형 비대칭인, 고르지 않은 (even 형 고른, 평평한) correct 동 교정하다, 바로잡다 surgery 명 수술
named after ~의 이름을 따서 이름 지어진 practice 명 실천, 연습 against 전 ~에 갖다 대어; ~에 반대하여 roof 명 천장, 지붕
make sure 반드시[확실히] ~하다 upper 형 위쪽의 lip 명 입술 apart 부 떨어뜨려, 따로 cheek 명 볼, 뺨 <문제> break a habit 습관을 고치다
dental 형 치아의 related to ~과 관련된

Nate was supposed to be a freshman football player at Cornell University. However, before the semester began, he received some shocking news. He was removed from ₃ the football team because of his social media account! Nate and his friend had posted a video with racist content on a social media site. Although he was a good player, it made ₆ Cornell worry about his personality, and he had to leave the university.

Social media has become a way _____ ₉ in the U.S. In fact, 70% of employers use social media to review job applicants during their hiring process. They search the applicants' accounts for things like photos ₁₂ with inappropriate behavior and negative posts about race, gender, or religion. Such content can take away job opportunities. In addition, socially unacceptable posts ₁₅ can be obstacles to visiting the country. Nowadays, when a person applies for a U.S. visa, the government collects social media information. It then uses this to determine ₁₈ whether the applicant is a threat to the country. Therefore, be careful about what you post on social ₂₁ media!

You're ugly

1 이 글의 요지로 가장 적절한 것은?

① 소셜 미디어 중독은 사회생활에 지장을 준다.

② 소셜 미디어를 통해 잘못된 정보가 퍼질 수 있다.

③ 소셜 미디어에 대한 부정적 인식이 증가하고 있다.

④ 소셜 미디어에 게시글을 올릴 때는 신중해야 한다.

⑤ 소셜 미디어를 통한 개인 정보 유출에 조심해야 한다.

●서술형

2 이 글의 밑줄 친 it이 의미하는 내용을 우리말로 쓰시오.

_____

3 이 글의 빈칸에 들어갈 말로 가장 적절한 것은?

① to gain work experience

② to judge who a person is

③ to learn online etiquette

④ to search for better job opportunities

⑤ to apply for admission to a university

4 이 글의 내용으로 보아, 다음 빈칸에 들어갈 말을 글에서 찾아 쓰시오.

> Today, people who make inappropriate posts on _____
> _____ sites may have trouble going to a university, getting a
> _____ at a company, or _____ a country.

Words

be supposed to ~하기로 되어 있다 freshman 몡신입생, 1학년(생) semester 몡학기 remove 동제외하다, 제거하다
account 몡계정; 회계 racist 혱인종차별적인 몡인종차별주의자 (race 몡인종) personality 몡인성, 성격 review 동심사하다
applicant 몡지원자 (job applicant 구직자) hire 동채용하다, 고용하다 inappropriate 혱부적절한 gender 몡성별 religion 몡종교
take away 없애다, 가져가다 unacceptable 혱받아들일 수 없는 apply for ~을 신청하다 threat 몡위협적인 존재; 협박
<문제> judge 동판단하다 몡판사, 심판 admission 몡입학; 인정

Some people are extremely afraid of _____. It isn't easy to treat this *phobia, but a very effective solution has been found.

Recently, researchers at Oxford University have developed a program to treat the fear of heights using virtual reality (VR). ⓐ They tested their program on volunteers who had been suffering from it for decades. During the treatment, the participants put on a VR headset and completed ⓑ several tasks in a virtual 10-story shopping mall. The tasks were designed to be fun to help people overcome their fear more easily. For example, ⓒ they involved rescuing a cat from a tree, walking across a rope bridge, or even riding a flying whale! Once the participants succeeded in one task, they would go up to a higher floor and start another. In this way, ⓓ they went through 30-minute VR treatment sessions over two weeks. After the final session, about 70% of ⓔ them said that they were much less afraid!

*phobia 공포증

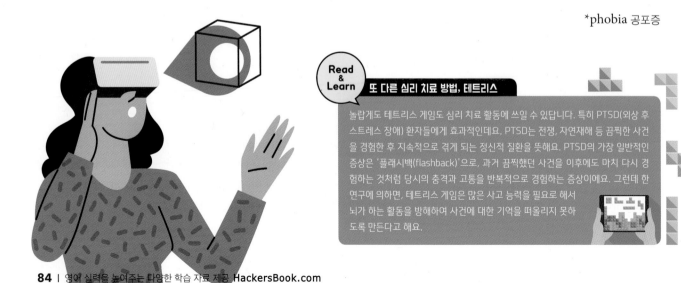

Read & Learn

또 다른 심리 치료 방법, 테트리스

놀랍게도 테트리스 게임도 심리 치료 활동에 쓰일 수 있답니다. 특히 PTSD(외상 후 스트레스 장애) 환자들에게 효과적인데요. PTSD는 전쟁, 자연재해 등 끔찍한 사건을 경험한 후 지속적으로 겪게 되는 정신적 질환을 뜻해요. PTSD의 가장 일반적인 증상은 '플래시백(flashback)'으로, 과거 끔찍했던 사건을 이후에도 마치 다시 경험하는 것처럼 당시의 충격과 고통을 반복적으로 경험하는 증상이에요. 그런데 한 연구에 의하면, 테트리스 게임은 많은 사고 능력을 필요로 해서 뇌가 하는 활동을 방해하여 사건에 대한 기억을 떠올리지 못하도록 만든다고 해요.

1 이 글의 빈칸에 들어갈 말로 가장 적절한 것은?

① failure
② darkness
③ crowded places
④ deep water
⑤ high places

2 이 글의 밑줄 친 ⓐ~ⓔ 중, 가리키는 대상이 같은 것끼리 짝지어진 것은?

① ⓐ, ⓑ
② ⓑ, ⓓ
③ ⓑ, ⓔ
④ ⓒ, ⓓ
⑤ ⓓ, ⓔ

●심화형

3 다음 중, VR 치료의 원리를 가장 바르게 이해한 사람은?

① 은별: 자신의 두려움을 다양한 방법으로 표현하도록 해.
② 석훈: 두려움을 느끼는 원인을 파악할 수 있도록 해.
③ 서진: 두려워하는 대상에 대해 사람들과 함께 얘기하도록 해.
④ 민혁: 두려움을 이겨낼 때마다 특별한 보상을 제공해.
⑤ 윤희: 두려움을 단계별로 극복해서 점차 익숙해지도록 해.

4 VR 치료에 관한 이 글의 내용과 일치하지 <u>않는</u> 것은?

① People who have a specific phobia participated.
② One of the tasks involved riding a virtual whale.
③ Participants went down to a lower floor after completing each task.
④ Each session of the treatment took half an hour.
⑤ More than half of participants felt less fear after the treatment.

Words

solution 명 해결책   fear of heights 고소공포증 (height 명 높이)   virtual 형 가상의; 사실상의 (virtual reality 가상현실)
volunteer 명 지원자, 자원봉사자   suffer from ~을 앓다   decade 명 10년   put on 착용하다; 공연하다   headset 명 헤드셋, 헤드폰
story 명 (건물의) 층; 이야기   overcome 동 이겨내다, 극복하다   involve 동 포함하다; 관련되다   rescue 동 구출하다, 구조하다   bridge 명 다리, 교량
whale 명 고래   go through ~을 끝마치다, 겪다   session 명 활동, 세션, 회기 <문제> failure 명 실패   crowded 형 (사람들이) 붐비는, 혼잡한
deep water 심해   specific 형 특정한, 구체적인

Imagine yourself with one billion dollars. You might think about buying a (a) <u>luxurious</u> sports car or perhaps a private jet to travel around the world! But, what if you couldn't even buy an egg because three eggs (b) <u>cost</u> 100 billion dollars?

(A) The first of these reasons is that severe droughts sharply reduced crop production. Furthermore, economic policy failures and political corruption increased the national debt. As a result, the country became (c) <u>short</u> of money.

(B) In 2008, this actually happened in Zimbabwe. Zimbabwe was once one of the richest countries in Africa. But its economy began to (d) <u>grow</u> in the late 1990s for <u>several reasons</u>.

(C) The government tried to solve the problem by printing (e) <u>more</u> money and creating larger bills. Unfortunately, this only made matters worse, as the money became less valuable. So, the price of goods rose sharply, which resulted in *hyperinflation.

In the end, people used one-billion-dollar bills as firewood, wallpaper, and even toilet paper.

*hyperinflation 하이퍼인플레이션 (극심한 물가 상승)

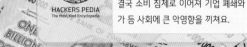

Read & Learn

하이퍼인플레이션이란?

물가가 한 달 안에 50% 이상 급상승해 화폐의 가치가 급격히 하락하는 경제 현상을 뜻해요. 이는 결국 소비 침체로 이어져 기업 폐쇄와 실업률 증가 등 사회에 큰 악영향을 끼쳐요.

HACKERS PEDIA
The Most Kind Encyclopedia

하이퍼인플레이션은 왜 발생하나요?

전쟁, 자연재해 등에 의한 국가적 경제 위기 상황에서 잘못된 경제 정책이 시행되면 발생해요. 그 예로 1차 세계 대전 이후 경제 위기가 온 독일의 무분별한 화폐 발행 사례가 있어요.

1 What is the best order for paragraphs (A)~(C)?

    ① (A) – (C) – (B)   ② (B) – (A) – (C)

    ③ (B) – (C) – (A)   ④ (C) – (A) – (B)

    ⑤ (C) – (B) – (A)

UNIT 07

4

2 Among (a)~(e), which one is NOT correctly used?

    ① (a)   ② (b)   ③ (c)   ④ (d)   ⑤ (e)

• 서술형

3 What does the underlined several reasons refer to? Write two answers in Korean.

    (1) _____

    (2) _____

• 심화형

4 Choose the correct one based on the passage.

Cause	Effect
A country faced a shortage of (1) (money / products), so the government produced more and more of it.	It (2) (increased / decreased) the value of money and (3) (increased / decreased) the prices of products.

Words

billion 휑10억 luxurious 휑값비싼 perhaps 円어쩌면, 아마도 private jet 전용기(개인 제트기) severe 휑극심한, 심각한 drought 휑가뭄
sharply 円급격히 crop 휑작물 economic 휑경제의 policy 휑정책, 방침 political 휑정치적인 corruption 휑부패, 비리 debt 휑부채, 빚
short of ~이 부족한 (shortage 휑부족, 결핍) print 튕발행하다, 인쇄하다 bill 휑지폐; 청구서 matter 휑문제; 물질 튕중요하다
valuable 휑가치 있는 (value 휑가치) goods 휑상품, 물건; (단수형) 선, 좋은 것 firewood 휑장작 wallpaper 휑벽지
<문제> face 튕~에 직면하다, ~쪽을 향하다

[1-2] 보기의 관계와 같도록 빈칸에 들어갈 단어를 쓰시오.

> 보기   economic : economy

1   _____ : value

2   religious : _____

[3-5] 다음 영영 풀이에 해당하는 단어를 보기에서 골라 뜻과 함께 쓰시오.

> 보기   account   judge   correct   threat   structure   solution

	단어	뜻
3 to decide something's value after considering the facts	_____	_____
4 to fix a problem and make things right	_____	_____
5 someone or something that may harm others	_____	_____

[6-8] 다음 빈칸에 들어갈 단어나 표현을 보기에서 골라 쓰시오.

> 보기   admission   suffer from   policy   take away   surgery

6   The waiter will _____ your plates when you finish eating.

7   The school _____ about uniforms used to be very strict.

8   People who _____ heart disease should have less meat.

[9-10] 다음 밑줄 친 단어나 표현에 유의하여 각 문장의 해석을 쓰시오.

9   In this way, they <u>went through</u> 30-minute VR treatment sessions over two weeks.

→ _____

10   As a result, the country became <u>short of</u> money.

→ _____

SNS를 타고 퍼진 감동 스토리

SNS상에서 정보가 퍼지는 속도는 어마어마하게 빨라요. 화젯거리가 될만한 뉴스나 영상들은 '공유' 기능을 통해 순식간에 전 세계로 퍼지죠. 이렇게 SNS에서 빠르게 공유되어 '캡틴 아메리카'까지 감동시킨 한 소년의 이야기가 있습니다.

맹견의 공격으로부터 여동생을 구해낸 소년 브리저

이야기의 주인공은 미국에 살고 있는 브리저 워커(Bridger Walker)라는 소년이에요. 어느 날, 여동생과 함께 친구 집에 놀러 가던 브리저는 사나운 셰퍼드와 마주쳤어요. 개는 순식간에 여동생에게 달려들었고, 브리저는 동생을 지켜야 한다는 생각으로 동생을 꺼안고 맹견의 공격에 온몸으로 맞섰어요. 브리저는 개에게 얼굴을 크게 물렸고, 90바늘이 넘게 상처를 꿰매는 큰 수술을 받아야 했죠. 이렇게 동생을 향한 사랑과 용기를 보여준 브리저의 나이는 불과 6살.
이것이 6살의 용기라니, 믿어지시나요?

이 방패의 주인공은 너야

브리저의 고모는 조카의 용기 있는 행동을 자신의 SNS에 올렸어요. 브리저가 좋아하는 영화 <어벤져스>의 배우들이 이 이야기를 알게 되었으면 좋겠다는 이야기와 함께요. 이 이야기는 삽시간에 SNS를 통해 공유되었고, '좋아요' 개수는 34만 개를 돌파했죠. 마침내 <어벤져스>의 배우들이 이 이야기를 알게 되었고, 그들은 SNS를 통해 브리저에게 응원의 메시지를 보냈어요. 특히, '캡틴 아메리카'역의 배우 크리스 에반스는 영상 편지로 이렇게 전했어요.
"캡틴 아메리카의 진짜 방패를 선물할게. 너는 받을 자격이 있어."
이 꼬마 영웅의 이야기는 이렇게 SNS를 타고 많은 사람들에게 감동을 주었답니다. 앞으로도 가슴을 찡~하게 만드는 미담 공유가 SNS상에서 계속되었으면 좋겠네요!

HackersBook.com

UNIT 08

John wants to buy a pair of running shoes. He searches for them on an online shopping mall but decides not to buy them. A few minutes later, he goes on another website, where he sees an advertisement for those shoes. He visits several others and notices the same advertisement again and again. Eventually, John clicks the advertisement and buys the shoes.

Have you ever had the same experience as John? If so, you might have wondered why you see the same advertisement on different websites. It's a marketing method called programmatic advertising. It uses an automatic program to match advertisements to customers. Every time you search something online, Internet cookies are created and stored on your device. By using these cookies, the program analyzes your interests and preferences. Then it shows the best advertisements for you. Since advertisements are selectively shown to those who are more likely _____, the results are quite effective.

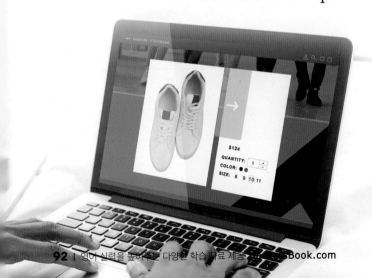

Read & Learn 떨어진 쿠키 조각으로 길을 찾아요!

'인터넷 쿠키(Internet cookies)'란 인터넷 사용자가 웹사이트를 방문할 때마다 저장되는 방문 기록 정보를 의미하는데, 동화 <헨젤과 그레텔>에 등장한 쿠키에서 그 이름을 따왔다고 해요. 헨젤과 그레텔이 숲으로 떠나면서 길을 잃지 않기 위해 쿠키로 흔적을 남겼듯, 사용자의 웹사이트 방문 기록이 남아 인터넷 활동을 추적할 수 있다는 의미에서 이름이 유래되었어요.

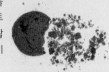

1 이 글의 제목으로 가장 적절한 것은?

① How to Avoid Online Advertisements

② The Best Way to Find Products on the Internet

③ Programmatic Advertising: It Knows What You Want

④ Internet Cookies: Why You Should Be Careful with Them

⑤ Programmatic Advertisements vs. Traditional Advertisements

2 다음 중, John이 겪은 일과 비슷한 사례로 가장 적절한 것은?

① "소셜 미디어에서 광고하는 제품을 구매한다."

② "사고 싶은 제품의 가격을 여러 쇼핑몰에서 비교한다."

③ "검색했던 제품의 광고를 다른 사이트에서도 본다."

④ "좋아하는 연예인이 광고하는 제품을 산다."

⑤ "최근 가장 많이 광고를 하고 있는 제품을 검색한다."

3 이 글의 빈칸에 들어갈 말로 가장 적절한 것은?

① to use the Internet　　　　② to buy the goods

③ to show the products to others　　④ to read online reviews

⑤ to share personal information

4 이 글의 내용으로 보아, 다음 빈칸에 들어갈 말을 글에서 찾아 쓰시오.

> Programmatic advertising displays the perfect advertisements based on an analysis of customers' _____ and _____. This happens as the program gathers information from what they search on the Internet.

Words

advertisement 명 광고 (advertising 명 광고(하기); 광고업)　wonder 통 궁금하다, 의아해하다　automatic 형 자동의, 자동적인
match 통 (관련이 있거나 비슷한 것과) 연결시키다, 맞추다　device 명 기기, 장치　analyze 통 분석하다 (analysis 명 분석)　preference 명 선호(도)
selectively 부 선택적으로　be likely to ~할 가능성이 있다, ~할 것 같다　<문제> display 통 보여주다, 전시하다　gather 통 모으다, 모이다

Believe it or not, what makes strawberry milk look pink is a dead bug! It is a tiny insect called the *cochineal, which lives on cactus in Central and South America. These insects 3 are collected, dried, and crushed into a powder that is then used as a bright red dye.

Cochineals have been used as a natural dye for a long 6 time. Ancient Mayans and Aztecs used them to color cloth and pottery. Aztec women also colored their teeth red with crushed cochineals to make themselves look more attractive. 9 Today, cochineal dye is widely used in products from food and drinks to cosmetics, including lipsticks.

However, there are concerns over its use. The protein in 12 cochineal dye can cause an allergic reaction in some people. Furthermore, too many cochineals are being sacrificed—it takes more than 100,000 cochineals to get a single kilogram 15 of dye! Therefore, companies _____.

*cochineal 코치닐[연지벌레]

1 이 글에서 언급되지 <u>않은</u> 것은?

① where cochineals live

② how cochineals are made into a dye

③ how the Aztec people used cochineal dye

④ what kind of products include cochineal dye

⑤ how much protein cochineal dye contains

(•서술형)

2 코치닐 염료의 문제점 두 가지를 우리말로 쓰시오.

(1) _____

(2) _____

3 이 글의 빈칸에 들어갈 말로 가장 적절한 것은?

① are conducting research on food allergies

② need more cochineals than before

③ are trying to use less cochineal dye

④ develop products in different colors

⑤ mark cochineal dye on their product labels

4 코치닐 염료의 용도를 다음과 같이 나타낼 때, 빈칸에 들어갈 말을 보기 에서 골라 쓰시오.

| 보기 | products | present | concern | ancient | appearances |

In (1) _____ times	**Today**
• To color cloth and pottery • To enhance people's (2) _____	→	To dye (3) _____ such as food, drinks, and cosmetics

Words

live on ~을 먹고 살다   cactus 몡 선인장 (복수형: cacti/cactuses)   crush 동 으깨다 (crush into 으깨어 ~으로 만들다)
bright 휑 선명한, 밝은   dye 몡 염료 동 염색하다   Mayan 몡 마야인 휑 마야의   Aztec 몡 아즈텍인 휑 아즈텍의   pottery 몡 도자기
color 동 염색하다, 색칠하다 몡 색깔   cosmetics 몡 화장품   concern 몡 우려, 걱정   allergic 휑 알레르기(성)의 (allergy 몡 알레르기)
reaction 몡 반응   sacrifice 동 희생하다 몡 희생, 제물 <문제> conduct 동 실시하다, 수행하다   mark 동 표기하다, 표시하다   label 몡 상표
enhance 동 향상시키다, 높이다

African Americans typically have curly hair. They can *braid it or let it grow naturally into an **Afro. But until recently, these styles were (A) accepted / rejected in some workplaces and schools. That's because they were considered messy and unprofessional. So, many African Americans, especially women, straightened their hair with harsh chemicals or cut their hair short. Others wore wigs to hide their natural curls.

However, Michelle Obama, the former First Lady, proudly revealed her naturally (B) straight / curly hair on the cover of a magazine in 2018. That same year, congresswoman Ayanna Pressley gave important speeches with her curly hair braided.

Now, their actions have (C) encouraged / discouraged many African Americans to show their natural hair. It is not just a matter of style and appearance. It is a sign of overcoming prejudice and building confidence.

*braid (머리를) 땋다 **Afro 아프로(흑인들의 둥근 곱슬머리 모양)

1 이 글의 주제로 가장 적절한 것은?

① ways to change natural hairstyles

② the popularity of the Afro hairstyle

③ historical trends in women's hairstyles

④ prejudice against a specific type of hair

⑤ job difficulties that African Americans have

2 다음 질문에 대한 답이 되도록 빈칸에 들어갈 말을 글에서 찾아 쓰시오.

> Q. How did African Americans hide their natural hair in the past?

A. They usually straightened their hair using _____ _____, _____ their hair _____, or put on _____.

3 (A), (B), (C)의 각 네모 안에서 문맥에 알맞은 말로 가장 적절한 것은?

(A)	(B)	(C)
① accepted	straight	encouraged
② accepted	curly	discouraged
③ rejected	curly	encouraged
④ rejected	curly	discouraged
⑤ rejected	straight	encouraged

4 이 글의 내용으로 보아, 다음 빈칸에 들어갈 말을 글에서 찾아 쓰시오.

> Now, _____ _____ are challenging the idea that their natural hairstyles are _____ and _____. They are gaining the confidence to show their natural hair.

Vilfredo Pareto was an Italian economist in the early 1900s. (①) One day, he made an interesting observation while harvesting peas in his garden. (②) It turned out that 80% of the peas came from 20% of his pea plants. (③) For example, 80% of Italy's land was owned by 20% of its population. (④) He concluded that 80% of effects come from 20% of causes. (⑤) This 80/20 pattern became known as the Pareto Principle or the 80/20 Rule.

The Pareto Principle is commonly seen in nature. Let's take the example of ants. If you observe a group of ants, you will see that just 20% of the ants work hard to get food for the remaining 80% of the ants. You might think that if you separated these active ants from the others, the new group would be composed of only hard-working ants. But interestingly, the rule would apply to this group as well. _____, only 20% of the members would be productive!

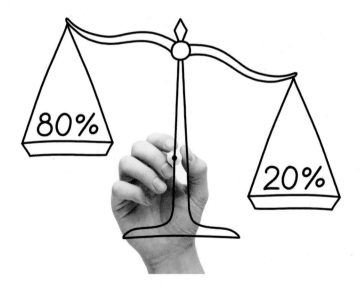

1 Where is the best place for the sentence?

> More surprisingly, he noticed that the same pattern existed in the economy!

①   ②   ③   ④   ⑤

2 Which is the best choice for the blank?

① Otherwise   ② However   ③ Nevertheless

④ In other words   ⑤ Furthermore

• 심화형

3 Choose ALL of the people who are explaining the correct examples of the Pareto Principle.

> Jiwoo: Two of my 10 apps use 80% of my phone battery.
>
> Daniel: I listen to 20 of the top 100 songs on the chart every day.
>
> Haeun: I have a hundred books on my shelves, but I don't read 20% of them.
>
> Risa: About 80% of the game company's profit comes from 20% of its users.

① Jiwoo, Daniel   ② Jiwoo, Risa   ③ Daniel, Haeun

④ Daniel, Risa   ⑤ Haeun, Risa

4 Complete the table with words from the passage.

Causes	Effects
20% of (1) _____ _____	80% of peas
20% of Italy's (2) _____	ownership of 80% of Italy's (3) _____
20% of the ants	(4) _____ for the remaining ants

Words

economist 몡 경제학자 (economy 몡 경제)   observation 몡 관찰 (observe 동 관찰하다)   harvest 동 수확하다   pea 몡 완두콩

turn out ~으로 드러나다, 판명되다   population 몡 인구   conclude 동 결론을 내리다   principle 몡 법칙, 원칙   remaining 형 남아 있는

separate 동 분리하다   be composed of ~으로 구성되다   apply to ~에 적용되다   productive 형 생산적인   <문제> exist 동 존재하다

app 몡 앱, 애플리케이션   chart 몡 (인기) 순위표, 도표   profit 몡 수익   ownership 몡 소유(권)

1 짝지어진 단어의 관계가 나머지와 <u>다른</u> 것은?

① concern – worry   ② show – display   ③ rule – principle

④ tidy – messy   ⑤ dye – color

[2-3] 보기의 관계와 같도록 빈칸에 들어갈 단어를 쓰시오.

> 보기   preference : prefer

2 _____ : observe

3 analysis : _____

[4-5] 다음 괄호 안에서 알맞은 단어를 골라 표시하시오.

4 (Confidence / Depression) encourages people to believe in themselves.

5 Many people moved to Sejong, so its (reaction / population) has increased.

[6-8] 다음 빈칸에 들어갈 단어나 표현을 보기에서 골라 쓰시오. (단, 필요시 알맞은 형태로 고쳐 쓰시오.)

> 보기   harsh   apply to   be composed of   productive   harvest

6 The movie discount will _____ all students under the age of 18.

7 Only a few people can survive the _____ weather of Siberia.

8 Currently, the European Union (EU) _____ 27 countries located in Europe.

[9-10] 다음 밑줄 친 단어나 표현에 유의하여 각 문장의 해석을 쓰시오.

9 It is a tiny insect called the cochineal, which <u>lives on</u> cactus in Central and South America.

→ _____

10 It <u>turned out</u> that 80% of the peas came from 20% of his pea plants.

→ _____

WELCOME TO THE ASMR WORLD!

장작불이 타닥타닥 타는 소리, 빗물이 창가를 두드리는 소리를 떠올리면 마음이 평온해지고 기분이 좋아지지 않나요? 머리가 간질거리는 느낌인 팅글(tingle)도 느껴지고요. 이런 소리를 모아서 들려주는 ASMR 콘텐츠는 심리적인 안정을 찾거나 쉽게 잠을 이루지 못하는 사람들에게 많은 사랑을 받고 있어요. 그럼 힐링을 부르는 ASMR 콘텐츠에 어떤 장르가 있는지 함께 알아볼까요?

스크래치(Scratching)

거친 소리를 좋아한다면 스크래치 소리도 안성맞춤일 거예요. 스크래치 소리는 특수 마이크, 물건 등을 손으로 긁어서 만드는데요. 소리를 듣다 보면 머리를 강하게 마사지해 주는 느낌이 들어 스트레스 해소에 제격이에요. 왠지 피곤하고 집중이 잘 안 된다면 스크래치 ASMR을 들어보세요!

단어 반복(Word Repeat)

유난히 듣기 좋은 단어 소리가 있나요? 'ㅇ' 발음이 많이 들어간 부드러운 단어 소리를 좋아하는 사람들도 있고, 'ㅅ', 'ㅊ' 같은 마찰음이 많이 나는 단어 소리를 유독 좋아하는 사람들도 있죠. 입으로 '스크스크' 소리를 반복해보세요. 이 소리를 듣고 기분이 좋아졌다면 당신의 취향을 저격할 ASMR 장르는 바로 단어 반복!

백색 소음(White Noise)

카페에서 공부해본 적이 있나요? 아주 조용한 독서실에서보다 사람들이 적당히 떠드는 소리, 커피를 내리는 소리가 들리는 카페에서 집중이 더 잘 된다고 느끼는 분들이 있을 거예요. 이렇게 적당한 크기의 생활 소음은 오히려 집중력을 향상시키는 데 도움을 준답니다. 외국의 도서관에서 공부하는 듯한 느낌을 주는 소음이나 빗소리, 장작 타는 소리 등 백색 소음 콘텐츠의 종류는 점점 더 다양해지고 있어요. 오늘 공부할 때 백색 소음을 한 번 틀어보는 것은 어떨까요?

두드리기(Tapping)

조용한 아침, 부엌에서 들리는 달그락달그락 소리를 상상해보세요. 그릇이 부딪치며 나는 맑은 소리가 떠오르기도 하고, 나무 도마 위에서 채소를 썰 때의 둔탁한 소리도 생각날 거예요. 이렇게 달그락거리며 물건을 부딪치거나 손으로 톡톡 두드리는 소리도 ASMR 콘텐츠의 한 장르예요. 물건의 종류와 두드리는 속도에 따라서 느낌이 달라지는 게 매력이랍니다.

HackersBook.com

UNIT 09

You are about to buy lotion. Company A's product is tested on animals. Company B, on the other hand, doesn't do animal testing, and it regularly donates to animal shelters. If you love animals, you would avoid Company A's lotion and buy B's lotion instead. In this case, the former is called a ____(A)____ and the latter is called a ____(B)____.

Both of them are active behaviors of consumers to express protest or support. (a) During boycott, people refuse to buy products from certain companies that have environmental, political, or moral issues. (b) Meanwhile, a buycott is the act of buying companies' goods to support them. (c) This usually occurs when people agree with a company's policies. (d) A company tries to develop new goods to attract more customers. (e) A buycott can also be the act of helping out sellers in need, such as those selling fruit damaged by a typhoon.

Whether it's a boycott or a buycott, it gives consumers the power to make a decision to create change.

1 이 글의 제목으로 가장 적절한 것은?

① Don't Boycott; Buycott Instead!

② Efforts to Protect Consumer Rights

③ How Consumers Support Companies

④ Two Different Active Choices of Consumers

⑤ The Power of Boycotts Compared to Buycotts

2 이 글의 빈칸 (A)와 (B)에 들어갈 말을 글에서 찾아 쓰시오.

(A): _____ (B): _____

3 이 글의 (a)~(e) 중, 전체 흐름과 관계<u>없는</u> 문장은?

① (a) ② (b) ③ (c) ④ (d) ⑤ (e)

4 다음 중, buycott에 해당하는 사례를 말한 사람을 <u>모두</u> 고르시오.

① 혜리: 친구들이 좋다고 추천해준 상품을 샀어.

② 태민: 오래전부터 사용해와서 익숙한 상품을 재구매했어.

③ 기범: 지난달 홍수로 상황이 어려워진 농가를 돕고 싶어서 이 상품을 선택했어.

④ 지수: 사고 싶었던 상품을 대폭 할인된 가격으로 판매하고 있어서 샀어.

⑤ 민호: 환경에 관심이 많아서 재활용품을 사용하는 회사의 상품을 구매했어.

5 다음 영영 풀이에 해당하는 단어를 글에서 찾아 쓰시오.

relating to the principles of right or wrong

_____

Words

be about to 막 ~하려고 하는 참이다 **lotion** 몡 로션 **shelter** 몡 보호소 **the former** 전자 **the latter** 후자 **active** 톙 적극적인, 활동적인 **protest** 몡 항의, 시위 통 항의하다, 반대하다 **support** 몡 지지, 지원 통 지지하다 **refuse** 통 거부하다 **political** 톙 정치적인 **moral** 톙 도덕적인 **meanwhile** 튄 한편, 그동안에 **agree with** ~에 동의하다 **policy** 몡 정책, 방침 **help out** ~를 도와주다 **in need** 도움이 필요한, 어려움에 처한 <문제> **right** 몡 권리, 인권 톙 옳은 **compared to** ~과 비교하여

Have you ever seen a bladeless fan? ⓐ <u>It</u> has many advantages over a regular fan with blades. Not only does a bladeless fan cool you off better, but ⓑ <u>it</u> also uses less electricity. In addition, it's _____. You don't have to worry about getting hurt by the rotating blades.

But how does a bladeless fan create a cool breeze without blades? ⓒ <u>The fan</u> consists of two main parts: a base and an upper ring. The base contains an electric motor with hidden blades. When the motor is activated, the blades spin, and ⓓ <u>it</u> sucks in the surrounding air through holes. Then, the base pushes the air out through the ring. This creates a very strong airflow. In fact, the volume of air that comes out is 15 times higher than the amount taken in at the base! So, ⓔ <u>a bladeless fan</u> can be a good alternative on a hot summer day.

3

6

9

12

15

Read & Learn

고정관념을 깬 또 다른 발명품

'날개' 없는 선풍기가 있다면, '바람'이 없는 에어컨도 있어요! 일명 '무풍 에어컨'은 바람 없이 공기를 시원하게 만드는데, 이는 석빙고의 원리에서 착안했다고 해요. 석빙고는 우리 선조들이 얼음을 저장하기 위해 만든 창고였어요. 겨울에 찬 바람이 불면 석빙고 내부에 차가운 공기가 모이게 되는데, 이렇게 모인 찬 공기는 여름이 되어 더운 공기가 내부에 들어와도 이를 위로 밀어내어 바깥으로 빠져나가게 했어요. 이러한 현상을 '대류 현상'이라고 하는데, 무풍 에어컨 또한 이 현상을 이용한답니다. 강한 바람 대신 미세한 냉기만을 내보내도 찬 공기가 더운 공기를 위로 밀어내어 실내를 시원하게 유지할 수 있는 것이죠.

1 이 글의 밑줄 친 ⓐ~ⓔ 중, 가리키는 대상이 나머지 넷과 <u>다른</u> 것은?

① ⓐ   ② ⓑ   ③ ⓒ   ④ ⓓ   ⑤ ⓔ

2 이 글의 빈칸에 들어갈 말로 가장 적절한 것은?

① safer   ② stronger   ③ lighter

④ faster   ⑤ cheaper

3 날개 없는 선풍기에 관한 이 글의 내용과 일치하면 T, 그렇지 않으면 F를 쓰시오.

(1) It saves less electricity than a fan with blades. _____

(2) It has blades in its base, which are not noticeable from the outside. _____

4 이 글의 내용으로 보아, 다음 빈칸에 들어갈 말을 글에서 찾아 쓰시오.

How a Bladeless Fan Works

The electric (1) _____ in the base is turned on.

⌄

The (2) _____ start to rotate, and the air is taken in at the base.

⌄

The fan creates a strong (3) _____ through its (4) _____.

Words

bladeless 휑 날개 없는 (**blade** 몡 날개; (칼 등의) 날)   **fan** 몡 선풍기; 팬   **advantage** 몡 장점   **cool off** (열기를) 식히다   **rotate** 툉 회전하다, 돌다
breeze 몡 (산들)바람   **consist of** ~으로 구성되다   **base** 몡 받침대, 기반   **electric motor** 전기 모터   **activate** 툉 작동시키다, 활성화하다
spin 툉 돌다, 회전하다   **suck in** 빨아들이다, 흡수하다   **push out** ~을 밀어내다   **airflow** 몡 기류   **volume** 몡 양, 부피
take in (공기 등을) 빨아들이다; (음식을) 섭취하다   **alternative** 몡 대안 휑 대신하는, 대체의 <문제> **noticeable** 휑 눈에 잘 띄는

Around 66 million years ago, a giant asteroid hit the Earth. The (a) <u>impact</u> created a massive *crater beneath the Gulf of Mexico. Many believed that this caused the extinction of the dinosaurs, but it was (b) <u>unclear</u> exactly how it happened. However, recently, scientists uncovered new information that might solve the mystery.

They first collected and analyzed rock samples from the crater. Then, they found out that there was no **sulfur in them,

while the area surrounding the crater was rich in sulfur. This led them to assume the impact caused a (c) <u>small</u> amount of sulfur from the crater to evaporate into the atmosphere. A large cloud of sulfur would have blocked the sun, and the average temperature of the planet may have decreased by about 15°C. This global (d) <u>winter</u> would have lasted for decades. During this period, plants would have (e) <u>died,</u> and the food chain would have broken down. The scientists assume this event killed off not only the dinosaurs but also about 75% of all life on the planet!

*crater 분화구   **sulfur 황, 유황

•심화형

1 이 글의 요지로 가장 적절한 것은?

① What killed dinosaurs still remains a mystery.

② The analysis of rock samples predicts the weather.

③ Sulfur clouds may have led to the extinction of the dinosaurs.

④ Global climate change is the greatest threat to life on the Earth.

⑤ An asteroid impact did not cause dinosaurs to become extinct.

2 과학자들의 발견과 이에 따른 가설을 다음과 같이 나타낼 때, 빈칸에 들어갈 말을 글에서 찾아 쓰시오.
(단, 필요시 알맞은 형태로 고쳐 쓰시오.)

Discovery	Rock samples from the crater didn't contain (1) _____, unlike the samples from the area (2) _____ it.
Assumption	The sulfur in the crater might have (3) _____ into the atmosphere.

3 이 글의 밑줄 친 (a)~(e) 중, 단어의 쓰임이 적절하지 않은 것은?

① (a)   ② (b)   ③ (c)   ④ (d)   ⑤ (e)

4 이 글의 내용과 일치하도록 (A)~(D)를 알맞은 순서대로 배열하시오.

(A) A huge cloud blocked the sun.

(B) Global temperature dropped and living things died.

(C) A crater was made after an asteroid struck the Earth.

(D) Sulfur was released into the atmosphere.

_____ ➡ _____ ➡ _____ ➡ _____

Words

asteroid 명소행성 impact 명충돌, 충격 massive 형거대한, 대규모의 beneath 전~의 아래에, 밑에 gulf 명만(바다가 육지로 파고든 곳)
extinction 명멸종 (extinct 형멸종된) dinosaur 명공룡 uncover 동알아내다; 뚜껑을 열다 sample 명표본, 견본품 surround 동둘러싸다
rich 형많은, 풍부한; 부유한 lead 동~하게 하다, 이끌다 (lead–led–led) assume 동추정하다, 가정하다 (assumption 명가설, 가정)
evaporate 동증발하다, 사라지다 atmosphere 명대기; 분위기 food chain 먹이사슬 break down 붕괴하다, 무너지다
kill off ~을 몰살시키다, 전멸시키다 <문제> predict 동예측하다 climate 명기후 strike 동부딪치다 (strike-struck-struck)

Chef Jordi Roca had a friend who could no longer taste food after cancer treatment. Roca decided to do something for people like his friend and began a special project that had one clear goal: _____!

To achieve this goal, Roca tried to find a food that most people have strong and happy memories about. He finally chose chocolate and asked people what memories they had of it. Then, he made chocolate that was specifically created for each person. One participant named Javier shared his childhood memories of eating chocolate while camping in the mountains. So, Roca decorated the chocolate with cacao leaves and added the scent of rain on dry soil. When Javier took a bite of the chocolate, it reminded him of those memories. This stimulated his nerve cells to feel what he had tasted back then. He was thrilled and said, "Eating chocolate used to feel like chewing metal. But now I can finally taste it again!"

▲ 작업 중인 Jordi Roca 셰프

▲ Javier를 위한 초콜릿

1   What is the best title for the passage?

① Chocolate Can Improve Your Memory

② A Great Chef Who Overcame an Illness

③ The Importance of Childhood Memories

④ A Project on How Decoration Affects Taste

⑤ Recovering a Lost Sense through Memories

2   Which is the best choice for the blank?

① helping people taste again

② sharing memories with others

③ making the best dessert for his friend

④ finding foods that increase memory

⑤ treating cancer patients with foods

(서술형)

3   Why did Roca choose chocolate for the project? Write the answer in Korean.

_____

(심화형)

4   Which is NOT true about the Roca's project?

① A friend inspired Roca to start it.

② Participants were asked what memories they had about chocolate.

③ Each participant was given a different chocolate dish.

④ Javier's experience was used as inspiration for Roca's food.

⑤ Javier tasted chocolate for the first time in Roca's food.

Words

taste 图 ~의 맛을 느끼다, 맛이 ~하다 cancer 图 암 achieve 图 달성하다 specifically 图 특별히, 분명히 participant 图 참가자
camp 图 캠핑하다, 야영하다 decorate 图 장식하다 (decoration 图 장식) cacao 图 카카오(초콜릿의 원료) add 图 첨가하다, 더하다
scent 图 냄새, 향 soil 图 땅, 흙 take a bite of ~을 한 입 베어 물다 remind 图 ~이 생각나게 하다, 상기시키다 stimulate 图 자극하다
nerve cell 신경 세포 back then 그 당시에, (과거) 그때에 thrilled 图 감격한, 흥분한 chew 图 씹다 metal 图 금속
<문제> recover 图 회복하다, 회복되다 inspire 图 영감을 주다 (inspiration 图 영감)

Review Test

정답 및 해설 p.90

1 다음 빈칸에 공통으로 들어갈 단어로 가장 적절한 것은?

> • The _____ of the Earth contains about 21% oxygen.
> • Tourists enjoy the local market's exciting _____.

① advantage ② breeze ③ airflow ④ atmosphere ⑤ shelter

[2-4] 다음 밑줄 친 단어와 가장 비슷한 의미의 단어를 알맞게 연결하시오.

2 The propeller of an airplane spins very fast. • • ⓐ large

3 The city provided support to those who lost homes in the storm. • • ⓑ assistance

4 There will be a massive protest against the new law. • • ⓒ rotate

[5-6] 다음 영영 풀이에 해당하는 단어를 보기에서 골라 뜻과 함께 쓰시오.

| 보기 | alternative | climate | volume | impact | shelter |

	단어	뜻
5 the power or action of an object hitting another	_____	_____
6 an option that you can choose instead of something else	_____	_____

[7-8] 다음 빈칸에 들어갈 단어를 보기에서 골라 쓰시오.

| 보기 | conclude | stimulate | decorate | evaporate | delete |

7 It is common in many countries to _____ a Christmas tree.

8 Eating spicy foods can _____ the production of endorphins.

[9-10] 다음 밑줄 친 단어나 표현에 유의하여 각 문장의 해석을 쓰시오.

9 This usually occurs when people agree with a company's policies.

→ _____

10 The scientists assume this event killed off not only the dinosaurs but also about 75% of all life on the planet!

→ _____

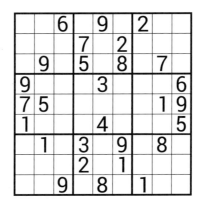

Fun Fun 한 Break

도전! 스도쿠 퍼즐

재미 만점 최고의 두뇌 게임 스도쿠! 다음 조건에 맞게 빈칸을 채워 퍼즐을 완성해봐요.
초급부터 고급까지 단계별로 하나씩 도전해 볼까요?

조건

- 각각의 가로줄과 세로줄에 1부터 9까지의 숫자가 중복 없이 한 번씩 들어가요.
- 굵은 선으로 표시된 각 상자 안에도 1부터 9까지의 숫자가 중복 없이 한 번씩 들어가요.

EASY   MEDIUM   HARD

ANSWER

HackersBook.com

UNIT 10

Have you ever cheered for a team that was losing badly in a match? Then you've experienced the underdog effect.

A team or person that is likely to win in a match is called a top dog. _____(A)_____, the one that is likely to lose is called an underdog. Interestingly, we usually cheer for the underdog when the two compete against each other. While the top dog winning is not that exciting, the underdog winning is far more surprising and pleasing. This is because our brains react more sensitively to unexpected events than to expected ones. _____(B)_____, when only the strong win, we think it unfair. It feels just for the underdog to overcome obstacles and achieve success. For these reasons, we tend to support the underdog and relate to their joy whenever they win.

1 이 글의 제목으로 가장 적절한 것은?

① Why We Cheer for the Weak

② Underdogs: Why They Always Lose

③ How to Predict the Top Dog in a Match

④ People's Support Can Change Who Wins

⑤ Losing Is Sometimes More Important than Winning

2 이 글의 밑줄 친 the underdog effect를 다음과 같이 나타낼 때, 빈칸에 들어갈 말을 글에서 찾아 쓰시오.

> The phenomenon in which people hope a team or person that is likely to _____ will _____.

3 이 글의 빈칸 (A)와 (B)에 들어갈 말로 가장 적절한 것은?

	(A)		(B)
①	Instead	......	Nevertheless
②	As a result	......	For example
③	As a result	......	Nevertheless
④	On the other hand	......	Moreover
⑤	On the other hand	......	Therefore

4 이 글의 내용으로 보아, top dog과 underdog 중 다음 빈칸에 들어갈 말을 골라 쓰시오.

(1) What is more likely to happen: _____ winning

(2) What excites you more: _____ winning

(3) What seems to be fairer: _____ winning

Words

cheer for 응원하다 **badly** 〔부〕심각하게, 나쁘게 **underdog** 〔명〕약자, 약체 **be likely to** ~할 것 같다, ~할 가능성이 있다 **top dog** 강자, 승자
pleasing 〔형〕만족스러운, 즐거운 **react** 〔동〕반응하다 **sensitively** 〔부〕민감하게 **unexpected** 〔형〕예상치 못한 (**expected** 〔형〕예상된)
unfair 〔형〕불공평한 (**fair** 〔형〕공평한) **just** 〔형〕공정한, 올바른 〔부〕단지; 잠깐 **obstacle** 〔명〕장애(물) **tend to** ~하는 경향이 있다 **relate to** ~에 공감하다
<문제> **nevertheless** 〔부〕그럼에도 불구하고

Honey bees are (A) appearing / disappearing all over the world. Tens of thousands of worker bees leave their hive to search for flowers but never return. The remaining bees, including the queen and the young bees, starve to death. Eventually, the entire honey bee *colony collapses.

When this phenomenon was first reported in 2006, over 800,000 colonies had already died out. This can cause a serious problem because honey bees play a vital role in helping plants (B) reduce / reproduce. As a matter of fact, honey bees **pollinate 70% of our main food crops, including most fruits and vegetables. Without them, we wouldn't be able to grow fruits and vegetables!

There are numerous theories about why such a phenomenon is occurring. Many of them suggest that environmental pollution, diseases, or exposure to harmful agricultural chemicals could be the main causes. Some researchers also blame electronic signals from mobile phones. They disrupt the bees' sense of direction, so the bees have (C) ease / difficulty finding their way home.

*colony (벌·개미의) 군집 **pollinate 식물을 수분[수정]시키다

1 이 글의 주제로 가장 적절한 것은?

① the short lifespan of honey bees

② the problem of dying honey bees

③ how honey bees live and move in groups

④ impacts of plant extinctions on honey bees

⑤ why honey bees have trouble making honey

2 이 글의 내용과 일치하면 T, 그렇지 않으면 F를 쓰시오.

(1) Honey bee colonies are collapsing because queens are leaving their hives. _____

(2) The decline of honey bees was identified for the first time in 2006. _____

(3) Honey bees help produce about one-third of the crops we eat. _____

3 이 글의 밑줄 친 a phenomenon의 원인 네 가지를 우리말로 쓰시오.

_____

4 (A), (B), (C)의 각 네모 안에서 문맥에 알맞은 말로 가장 적절한 것은?

(A)	(B)	(C)
① appearing	reproduce	ease
② appearing	reduce	difficulty
③ disappearing	reproduce	ease
④ disappearing	reduce	difficulty
⑤ disappearing	reproduce	difficulty

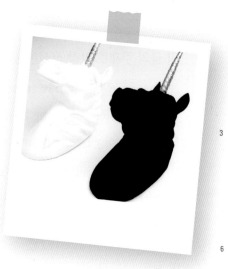

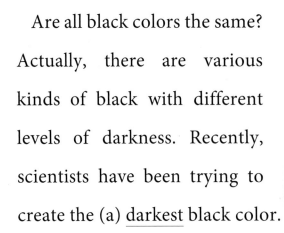

Are all black colors the same? Actually, there are various kinds of black with different levels of darkness. Recently, scientists have been trying to create the (a) darkest black color.

The darkness of a color depends on how much visible light is absorbed by it. Normal black paint takes in about 90% of light. But newly developed black materials can take in (b) more light, so they look darker. For example, a color called Vantablack absorbs up to 99.965% of light. In 2019, *MIT engineers created a black material that can capture 99.995% of light. (①) It is 10 times (c) brighter than Vantablack. (②) When a sparkling diamond was coated with this material, it seemed to become (d) invisible! (③)

These new black colors can be used for (e) different purposes. (④) When applied to a space telescope, they can absorb any unwanted light. (⑤) Also, they can be used on sculptures to create wonderful pieces of art and on clothes to make unique designs.

*MIT (Massachusetts Institute of Technology) 매사추세츠 공과 대학

Read & Learn

모두를 위한 블랙 3.0, 한 사람만 빼고!

'반타 블랙'이 처음 공개되었을 때 전 세계가 블랙홀처럼 어두운 검은색에 감탄과 놀라움을 금치 못했어요. 그러나 예술가 Anish Kapoor가 천문학적인 비용을 지불하고 반타 블랙에 대한 독점권을 구매하는 바람에 그를 제외한 다른 예술가들은 반타 블랙을 사용할 수 없게 되었답니다. 얼마 뒤, 한 예술가와 과학자들은 힘을 합쳐 '블랙 3.0'을 개발했어요. 이 색은 모든 사람이 자유롭게 쓸 수 있지만, 단 한 사람, Kapoor만큼은 사용할 수 없도록 제외되었어요!

- 심화형

1 이 글의 밑줄 친 (a)~(e) 중, 단어의 쓰임이 적절하지 <u>않은</u> 것은?

① (a)　　　② (b)　　　③ (c)　　　④ (d)　　　⑤ (e)

2 이 글의 흐름으로 보아, 다음 문장이 들어가기에 가장 적절한 곳은?

> This makes it easier to observe stars.

①　　　　②　　　　③　　　　④　　　　⑤

3 이 글의 내용과 일치하지 <u>않는</u> 것은?

① Black colors vary according to the level of darkness.

② Ordinary black paint can absorb 90% of visible light.

③ Vantablack is the darkest material that has ever been created.

④ MIT engineers invented a material that can absorb 99.995% of light.

⑤ Newly created black substances can be applied to artwork and clothing.

4 이 글의 내용으로 보아, 다음 빈칸에 들어갈 말을 보기 에서 골라 쓰시오.

| 보기 | uses | sparkling | absorb | darkest | create |

> Researchers are working to develop the ＿＿＿＿＿＿ black. They have created blacks that ＿＿＿＿＿＿ more than 99.9% of visible light. These darker blacks have several ＿＿＿＿＿＿, such as improving telescopes and creating art.

Words

darkness 명 어두움, 색이 짙음　depend on ~에 달려있다　visible light 가시광선(사람의 눈으로 볼 수 있는 빛)　absorb 동 흡수하다
material 명 물질　take in 흡수하다, 빨아들이다　engineer 명 공학자　capture 동 담다, 포착하다　sparkling 형 반짝이는
be coated with ~으로 칠해지다, 덮이다　invisible 형 (눈에) 보이지 않는　purpose 명 용도, 목적　apply 동 바르다, 칠하다; 적용하다
telescope 명 망원경　unwanted 형 원치 않는　sculpture 명 조각상　<문제> vary 동 각기 다르다, 달라지다　substance 명 물질

Erick and his classmates are big fans of K-pop. (A) But, after gym class, he discovered that his Redpink album was missing! (B) One day, Erick brought to school his favorite ₃ possessions, which were signed albums by Redpink and Black Velvet. (C) He showed off the albums to his friends and then put them in his locker. Erick was suspicious of ₆ three classmates—Spencer, Tate, and James—who were all late to gym class. He said, "One of my albums is missing. Why were you guys late?" These were their responses: ₉

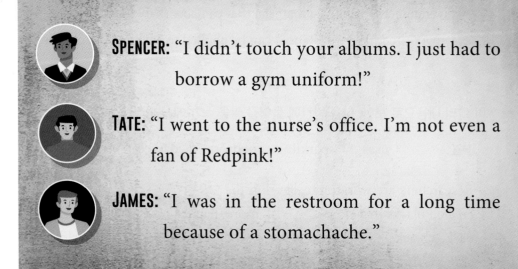

SPENCER: "I didn't touch your albums. I just had to borrow a gym uniform!"

TATE: "I went to the nurse's office. I'm not even a ₁₂ fan of Redpink!"

JAMES: "I was in the restroom for a long time because of a stomachache." ₁₅

Erick figured out who had taken his album from their statements. It seemed one of them knew something that Erick hadn't told them. Finally, he got the album back, along ₁₈ with an apology from <u>him</u>.

1 What is the best order for sentences (A)~(C)?

① (A) – (C) – (B) ② (B) – (A) – (C) ③ (B) – (C) – (A)

④ (C) – (A) – (B) ⑤ (C) – (B) – (A)

2 Which is NOT true about the passage?

① Erick had a signed album from the K-pop group Redpink.

② One of Erick's classmates didn't bring a gym uniform.

③ Erick suspected that a student who was late to class had taken his album.

④ One classmate was absent from gym class because he was sick.

⑤ The student who stole the album apologized to Erick.

3 Who does the underlined him refer to? Write the answer in English.

_____

4 Which saying best describes the passage?

① Walls have ears.

② Even a worm will turn.

③ The guilty dog barks first.

④ Actions speak louder than words.

⑤ The best defense is a good offense.

Words

gym 몡 체육(관) (gym uniform 체육복) missing 혱 사라진, 실종된 favorite 혱 가장 좋아하는 possession 몡 소장품, 소유물, 재산
show off 자랑하다 locker 몡 사물함 suspicious 혱 의심스러운, 수상한 response 몡 답변, 반응 borrow 동 빌리다 nurse's office 보건실
restroom 몡 화장실, 휴게실 stomachache 몡 복통, 배탈 figure out 알아내다, 이해하다 statement 몡 진술, 말, 발표 along with ~과 함께
apology 몡 사과 (apologize 동 사과하다) <문제> suspect 동 의심하다 steal 동 훔치다 (steal-stole-stolen) guilty 혱 죄가 있는
bark 동 짖다 defense 몡 방어 (offense 몡 공격)

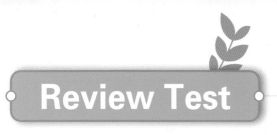

Review Test

정답 및 해설 p.91

1 다음 영영 풀이에 해당하는 단어는?

> not trusting someone or something

① precious   ② suspicious   ③ fair   ④ thrilled   ⑤ numerous

[2-4] 다음 괄호 안에서 알맞은 단어를 골라 표시하시오.

2 The gold medal from the Olympics is one of his proudest (possessions / expressions).

3 Flowers need help from bees and butterflies to (reproduce / represent).

4 David overcame many (miracles / obstacles) to start his own business.

[5-6] 다음 빈칸에 들어갈 단어를 보기 에서 골라 쓰시오. (단, 필요시 알맞은 형태로 고쳐 쓰시오.)

보기	disrupt	vary	capture	activate	wonder

5 The sound of the barking dog _____ my sleep last night.

6 The Hubble Telescope is used to _____ images of space.

[7-8] 자연스러운 대화가 되도록 빈칸에 들어갈 표현을 보기 에서 골라 쓰시오.

보기	show off	figure out	die out	relate to

7 A: Did you _____ the correct answer for this question? I need some help.
B: It's simple. Let me show you how to solve it.

8 A: Foxes will _____ in our country if we don't stop hunting them.
B: I agree. We should protect them.

[9-10] 다음 밑줄 친 단어나 표현에 유의하여 각 문장의 해석을 쓰시오.

9 A team or person that <u>is likely to</u> win in a match is called a top dog.

→ _____

10 When a sparkling diamond <u>was coated with</u> this material, it seemed to become invisible!

→ _____

인생샷 건지기 어렵지 않지!

네 컷 사진 포즈 추천

친구들과 찍기로 한 네 컷 사진.
하지만 카메라 앞에 서서
어떤 포즈를 취해야 할지 모르겠다고요?
카메라 앞에서 **뚝딱대는 여러분을 위해** 준비했어요.
인생샷 건질 수 있는 포즈 추천해줄게요!

무럭무럭 자라라
새싹 포즈

1. 작은 싹 하나가 빼꼼

2. 쑥쑥 자라기 시작

3. 성장하는 중

4. 꽃이 되었네!

혼자 찍을 때도 좋고,
같이 해도 재미있는
새싹 포즈!

들쑥날쑥
파도 타는 포즈!

웨이브~
파도타기 컷

1. 내려가는 중

2. 올라가는 중

3. 산이 되었다가

4. V자로 마무리

Photo Credits

p.8	Jo millington / Shutterstock.com
p.10	yukipon / Shutterstock.com
p.10	KaterinaF / Shutterstock.com
p.14	Nerthuz / Shutterstock.com
p.20	prof196702 / PIXTA
p.32	Mosa Meat
p.34	"Art by Pierre Brassau (1964)" by Åke Axelsson / Public Domain (via Hoaxes.org)
p.38	"Streisand Estate" by 2002 Kenneth & Gabrielle Adelman, California Coastal / CC BY-SA 3.0
p.44	Phoenixns / Shutterstock.com
p.46	The Next Rembrandt (https://miro.medium.com/max/2400/1*A8FIYecYJDKAYy_Qt1QAwQ.jpeg)
p.49	"Keep Calm and Carry On" by Martin Burns / CC BY 2.0
p.60	TierneyMJ / Shutterstock.com
p.68	Kir_S / Shutterstock.com
p.82	Tero Vesalainen / Shutterstock.com
p.86	swisshippo / Depositphotos.com
p.92	Prostock-studio / Shutterstock.com
p.92	Theerapol Pongkangsananan / Shutterstock.com
p.94	Ursula_A_Castillo_Gomez / Shutterstock.com
p.94	Nitr / Shutterstock.com
p.96	mimagephotography / Shutterstock.com
p.106	topic_w5 / PIXTA
p.106	zhudifeng / Depositphotos.com
p.108	Andreus / PIXTA
p.110	BBVA (https://www.bbva.com/en/elsentidodelcacao/assets/img/02_ESC_Elreto.jpg)
p.110	BBVA (https://www.bbva.com/en/elsentidodelcacao/assets/img/07_ESC_3Plato_Javier.jpg)
p.120	Stuart Semple (CultureHustle.com)

MEMO

MEMO

HACKERS
READING SMART 4

LEVEL

해설집

HACKERS

HACKERS
READING SMART
LEVEL 4

해설집

HACKERS

본문 해석

❶ 우리는 음식에 관해서라면 모두 다른 기호를 가지고 있다. ❷ 영국에서, 사람들은 홍차를 만드는 최상의 방법에 대해 논쟁해왔다. ❸ 우유 또는 홍차 중 어떤 것이 컵에 먼저 부어져야 하는가?

❹ 그 논쟁은 매우 긴 역사를 가지고 있다. ❺ 1700년대에, 홍차가 처음으로 영국에서 인기를 얻었을 때, 대부분의 찻잔은 연약했다. ❻ 끓듯이 뜨거운 홍차가 찻잔 안에 부어졌을 때, 그것들은 갑작스러운 온도 변화 때문에 금이 갔다. ❼ 따라서, 많은 사람들이 더 차가운 우유를 먼저 붓기 시작했다. ❽ 이것이 '우유 먼저(MIF)' 방법이 흔해졌던 이유이다. ❾ 반면에, 부유한 사람들은 '홍차 먼저(TIF)'를 선호했다. ❿ 그들은 쉽게 부서지지 않는 비싼 찻잔을 살 여유가 있어서, 홍차를 먼저 부었다. ⓫ 이 방법으로, 그들은 우유를 더하기 전에 홍차의 색, 향, 그리고 맛을 즐길 수 있었다.

⓬ 삼백 년 후에도, MIF 대 TIF에 대한 논쟁은 여전히 계속되고 있는 중이다!

---

❶ We all have different preferences / when it comes to food. / ❷ In
우리는 모두 다른 기호를 가지고 있다   음식에 관해서라면

the U.K., / people have been arguing / about the best way to make tea. /
영국에서   사람들은 논쟁해왔다   홍차를 만드는 최상의 방법에 대해

❸ Which should be put in the cup first / —the milk or the tea? /
어떤 것이 컵에 먼저 부어져야 하는가   우유 또는 홍차

❹ The debate has a very long history. / ❺ In the 1700s, / when tea first
그 논쟁은 매우 긴 역사를 가지고 있다   1700년대에   홍차가 처음으로

became popular in the U.K., / most teacups were delicate. / ❻ When the
영국에서 인기를 얻었을 때   대부분의 찻잔은 연약했다   끓듯이 뜨거운

boiling hot tea was poured into them, / they cracked / due to the sudden
홍차가 그것들(찻잔) 안에 부어졌을 때   그것들은 금이 갔다   갑작스러운 온도의

change in temperature. / ❼ (A) Therefore, / many people began to pour
변화 때문에   따라서   많은 사람들이 더 차가운 우유를

the cooler milk in / first. / ❽ This is why / the Milk in First (MIF) method
안에 붓기 시작했다   먼저   이것이 ~한 이유이다 '우유 먼저(MIF)' 방법이 흔해졌던

became common. / ❾ (B) On the other hand, / the rich preferred Tea in
흔해졌던   반면에   부유한 사람들은 '홍차 먼저(TIF)'를

First (TIF). / ❿ They could afford expensive teacups / that didn't break
선호했다   그들은 비싼 찻잔을 살 여유가 있었다   쉽게 부서지지 않는

easily, / so they poured the tea in / first. / ⓫ This way, / they could enjoy
쉽게   그래서 그들은 홍차를 안에 부었다   먼저   이 방법으로   그들은 홍차의 색, 향,

the color, smell, and taste of the tea / before adding the milk. /
그리고 맛을 즐길 수 있었다   우유를 더하기 전에

⓬ Three hundred years later, / the debate over MIF versus TIF / is still
삼백 년 후에도   MIF 대 TIF에 대한 그 논쟁은   여전히

going on! /
계속되고 있는 중이다

구문 해설

❷ In the U.K., people **have been arguing** about the best way *to make tea*.
→ 「have/has been + v-ing」는 현재완료진행 시제로, 과거에 시작된 일이 현재까지도 계속 진행 중임을 강조하여 나타낸다. 이 문장에서는 영국인들이 과거부터 지금까지 계속해서 홍차를 만드는 최상의 방법에 대해 논쟁해오고 있다는 의미이다.
→ to make tea는 '홍차를 만드는'이라는 의미로, to부정사의 형용사적 용법으로 쓰여 the best way를 수식하고 있다. 형용사적 용법의 to부정사는 앞에 온 명사 또는 대명사를 수식한다.

❸ **Which** *should be put* in the cup first—**the milk or the tea**?
→ 「Which ~ A or B?」는 A와 B 중에서 상대방의 선택을 묻는 선택의문문이다. 이 문장에서는 의문사 which(어떤 것)가 선택의문문의 주어 역할을 하고 있다.
→ should be put은 '부어져야 한다'라는 의미이다. 조동사 뒤에는 동사원형이 오므로, 조동사가 있는 수동태는 「조동사 + be p.p.」가 된다.

❻ due to는 '~ 때문에'라는 의미의 전치사이다.

1 이 글의 주제로 가장 적절한 것은?

① how milk affects the taste of tea 우유가 어떻게 홍차의 맛에 영향을 끼치는지
② two different ways to prepare tea 홍차를 만들기 위한 두 가지 다른 방법
③ why British people prefer tea to milk 영국 사람들이 왜 홍차를 우유보다 선호하는지
④ the development of the British teacup 영국식 찻잔의 발달
⑤ proper etiquette for drinking tea in the U.K. 영국에서 홍차를 마시는 올바른 예절

2 이 글의 빈칸 (A)와 (B)에 들어갈 말로 가장 적절한 것은?

(A)	(B)
① However	As a result 하지만 … 결과적으로
② However	On the other hand 하지만 … 반면에
③ Therefore	Likewise 따라서 … 마찬가지로
④ Therefore	On the other hand 따라서 … 반면에
⑤ For example	As a result 예를 들어 … 결과적으로

3 다음 대화의 빈칸에 들어갈 단어를 글에서 찾아 쓰시오.

> A: Where did you get the money to buy a new computer?
> 넌 어디서 새 컴퓨터를 살 돈을 구했니?
> B: I got a part-time job and saved money until I could ____afford____ it.
> 나는 아르바이트를 해서 그것을 살 여유가 될 때까지 돈을 저축했어.

4 이 글의 내용으로 보아, 다음 빈칸에 들어갈 말을 보기 에서 골라 쓰시오.

보기	rich	weak	before	after	prevented	allowed
	부유한	약한	전에	후에	막았다	허락했다

MIF	TIF
• People used (1) ____weak____ teacups. 사람들이 (1) 약한 찻잔을 사용했다. • This method (2) ____prevented____ teacups from breaking. 이 방법은 찻잔이 부서지는 것을 (2) 막았다.	• The (3) ____rich____ used strong teacups. (3) 부유한 사람들은 튼튼한 찻잔을 사용했다. • This method let them enjoy the tea itself (4) ____before____ pouring the milk in it. 이 방법은 그들이 우유를 붓기 (4) 전에 홍차 그 자체를 즐기도록 해주었다.

정답 1 ② 2 ④ 3 afford 4 (1) weak (2) prevented (3) rich (4) before

---

1 영국에서 홍차를 만드는 두 가지 방법과 이에 대한 계속되는 논쟁을 설명하는 글이므로, 주제로 ② '홍차를 만들기 위한 두 가지 다른 방법'이 가장 적절하다.

2 (A) 빈칸 앞에서 뜨거운 홍차를 먼저 부었을 때 찻잔에 금이 갔다고 했고, 이것은 빈칸이 있는 문장에서 (뜨거운 홍차보다) 차가운 우유를 먼저 부었다고 한 이유에 해당하므로, 빈칸 (A)에는 '따라서'가 가장 적절하다.
(B) 빈칸 앞에서 연약한 찻잔 때문에 MIF 방법이 흔해졌다고 한 이후, 빈칸이 있는 문장에서 부유한 사람들은 TIF 방법을 선호했다는 대조되는 내용이 이어지고 있다. 따라서 빈칸 (B)에는 '반면에'가 가장 적절하다.

3 새 컴퓨터를 살 돈을 어떻게 구했는지에 대한 대답으로, 아르바이트를 해서 그것을 살 여유가 될 때까지 돈을 저축했다고 해야 흐름이 자연스럽다. 따라서 대화의 빈칸에는 문장 ⑩의 'afford(~을 살 여유가 되다)'가 가장 적절하다.

4 문제 해석 참고

---

⑦ began to pour는 '붓기 시작했다'라고 해석한다. begin은 목적어로 to부정사와 동명사 모두 쓸 수 있다.

⑧ This is why는 '이것이 ~한 이유이다'라는 의미로, why 뒤에 오는 내용이 앞 문장에 대한 결과가 된다.

⑨ 「the + 형용사」는 '~한 사람들'이라는 의미이다. = 「형용사 + people」 *ex.* **rich people** preferred Tea in First

⑩ They could afford expensive teacups [that didn't break easily], so they poured the tea in first.
→ [ ]는 앞에 온 선행사 expensive teacups를 수식하는 주격 관계대명사절이다.

⑪ This way, they could enjoy **the color, smell, and taste** of the tea [*before adding* the milk].
→ 세 가지 이상의 단어를 나열할 때는 콤마와 함께 마지막 단어 앞에 and[or]를 써서 「A, B, and[or] C」로 나타낸다.
→ [ ]는 '우유를 더하기 전에'라는 의미로, [시간]을 나타내는 분사구문이다. 분사구문의 의미를 분명하게 하기 위해 접속사 before가 생략되지 않았다. = 「접속사 + 주어 + 동사」 *ex.* they could enjoy ~ the tea **before they added** the milk

⑫ versus는 '~ 대, ~에 대한'이라는 의미의 전치사이다.

본문 해석

❶ Alex는 밤늦게 시험공부를 하는 중이었다. ❷ 그는 눈을 계속 뜨고 있을 수 없어서, 에너지 음료를 마셨다. ❸ 그는 즉시 더 깨어 있는 기분을 느꼈고 더 잘 집중할 수 있었다. ❹ 하지만, 이것은 오래 지속되지 않았다. ❺ 그는 곧 전보다 훨씬 더 피곤해졌고 결국 잠이 들었다! ❻ 왜 이런 일이 일어났을까?

❼ 에너지 음료에는 보통 많은 양의 카페인과 설탕이 들어 있다. ❽ 그것을 마시면, 설탕과 카페인은 빠르게 당신의 심박수, 혈압, 그리고 에너지 수치를 높인다. ❾ 이것은 당신이 더 잘 집중하도록 돕는다. ❿ 그러나 약 45분 후에, 카페인이 몸에 완전히 흡수됨에 따라 그 효과는 사라지기 시작한다. ⓫ 게다가, 많은 양의 설탕을 섭취하면, 당신의 몸은 일정한 혈당 수치를 유지하기 위해 인슐린을 분비한다. ⓬ 결과적으로, 증가된 혈당 수치는 급속히 낮아지기 시작하고, 당신의 에너지도 그렇다. ⓭ 이것이 슈거 크래시라고 알려진 현상이다.

⓮ 따라서, 에너지 음료는 짧은 기간 동안 집중해야 할 경우에만 유용하다.

❶ Alex was studying late at night / for an exam. / ❷ He couldn't keep
　Alex는 밤늦게 공부를 하는 중이었다　　시험을 위해　　　그는 그의 눈을 계속 뜨고

his eyes open, / so he had an energy drink. / ❸ He immediately felt more
있을 수 없었다　　그래서 그는 에너지 음료를 마셨다　　그는 즉시 더 깨어 있는 기분을 느꼈다

awake / and could focus better. / ❹ However, this didn't last long. / ❺ He
그리고 더 잘 집중할 수 있었다　　하지만 이것은 오래 지속되지 않았다　　　그는

soon became even more tired than before / and eventually fell asleep! /
곧 전보다 훨씬 더 피곤해졌다　　　　　그리고 결국 잠이 들었다

❻ Why did this happen? /
왜 이런 일이 일어났을까

❼ Energy drinks commonly contain lots of caffeine and sugar. /
에너지 음료에는 보통 많은 양의 카페인과 설탕이 들어 있다

❽ When you drink them, / the sugar and caffeine quickly raise / your
당신이 그것들을 마시면　　　설탕과 카페인은 빠르게 높인다　　　당신의

heart rate, blood pressure, and energy level. / ❾ This helps you
심박 수, 혈압, 그리고 에너지 수치를　　　　　이것은 당신이 더 잘

concentrate better. / ❿ But after about 45 minutes, / the effect starts to
집중하도록 돕는다　　　그러나 약 45분 후에　　　그 효과는 사라지기 시작한다

go away / as the caffeine is completely absorbed in your body. / ⓫ In
카페인이 당신의 몸에 완전히 흡수됨에 따라

addition, / when you take in a lot of sugar, / your body produces insulin /
게다가　　당신이 많은 양의 설탕을 섭취하면　　　당신의 몸은 인슐린을 분비한다

to maintain a steady blood sugar level. / ⓬ As a result, / the increased
일정한 혈당 수치를 유지하기 위해　　　　결과적으로　　증가된 혈당 수치는

blood sugar level / starts to go down rapidly, / and so does your energy. /
　　　　　　급속히 낮아지기 시작한다　　　그리고 당신의 에너지도 그렇다

⓭ This is a phenomenon / known as a sugar crash. /
이것이 현상이다　　　슈거 크래시라고 알려진

⓮ Thus, / energy drinks are only useful / if you need to concentrate /
따라서　에너지 음료는 오직 유용하다　　　만약 당신이 집중해야 한다면

for a brief period. /
짧은 기간 동안

구문 해설

❶ was studying은 「be동사의 과거형 + v-ing」의 과거진행 시제이다. 과거진행 시제는 '~하는 중이었다, ~하고 있었다'라고 해석한다.

❷ 「keep + 목적어 + 형용사」는 '~을 계속 …하고 있다, ~을 …한 상태로 유지하다'라는 의미로, 여기서는 '눈을 계속 뜨고 있다'라고 해석한다.

❺ 부사 even은 '훨씬'이라는 의미로 비교급을 강조할 수 있다. 이 문장에서는 형용사의 비교급 more tired를 강조하고 있다.
　　cf. 비교급 강조 부사: even, much, still, far, a lot　ex. The sky is **a lot** clearer than before. (하늘이 전보다 훨씬 더 맑다.)

❾ 「help + 목적어 + 동사원형」은 '~가 …하도록 돕다'라는 의미이다.
　　= 「help + 목적어 + to-v」　ex. This **helps you to concentrate** better.

❿ as는 부사절을 이끄는 접속사로, '~함에 따라, ~할수록'이라는 의미이다.
　　cf. 접속사 as의 다양한 의미: ① ~함에 따라, ~할수록 ② ~할 때, ~하면서 ③ ~하듯이, ~하는 대로 ④ ~하기 때문에

⓫ to maintain 이하는 '일정한 혈당 수치를 유지하기 위해'라는 의미로, [목적]을 나타내는 to부정사의 부사적 용법으로 쓰였다.

1 이 글의 제목으로 가장 적절한 것은?

① How to Avoid a Sugar Crash 슈거 크래시를 피하는 방법
②✓ The Truth about Energy Drinks 에너지 음료에 관한 진실
③ The Long-term Effects of Caffeine 카페인의 장기적인 효과
④ Why Is It Hard to Focus on Studying? 공부에 집중하는 것은 왜 힘든가?
⑤ Sugar Crash: A Physical Reaction to Staying Up Late
슈거 크래시: 늦게까지 깨어 있는 것에 대한 신체적 반응

2 이 글의 밑줄 친 this가 의미하는 내용을 우리말로 쓰시오.

더 깨어 있는 기분을 느끼고 더 잘 집중할 수 있는 것

3 이 글을 읽고 답할 수 <u>없는</u> 질문은?

① What is in energy drinks? 에너지 음료에는 무엇이 들어 있는가?
② What causes your body to produce insulin? 무엇이 몸이 인슐린을 분비하게 만드는가?
③✓ How long does sugar stay in your body? 설탕은 얼마나 오래 몸 안에 남아 있는가?
④ How does your body maintain its blood sugar level?
당신의 몸은 어떻게 혈당 수치를 유지하는가?
⑤ What is a sugar crash? 슈거 크래시란 무엇인가?

4 이 글의 내용으로 보아, 괄호 안에서 알맞은 말을 골라 표시하시오.

Energy drinks increase your concentration for a (1) (short / long)
time. This is because the effect of caffeine (2) (appears / disappears)
after around 45 minutes. In addition, a sugar crash occurs as your blood sugar
level and energy suddenly (3) (increase / decrease).

에너지 음료는 당신의 집중력을 (1) 짧은 시간 동안 증가시킨다. 이것은 카페인의 효과가 약 45분 후에 (2) 사라지기 때문이다.
게다가, 혈당 수치와 에너지가 갑자기 (3) 감소함에 따라 슈거 크래시가 일어난다.

정답 **1** ② **2** 더 깨어 있는 기분을 느끼고 더 잘 집중할 수 있는 것 **3** ③
4 (1) short (2) disappears (3) decrease

---

1 잠을 깨기 위해 마시는 에너지 음료가 사실은 짧은 시간 동안만 효과가 있음을 설명하는 글이므로, 제목으로 ② '에너지 음료에 관한 진실'이 가장 적절하다.

2 문장 ❸에 언급된 내용을 의미한다. 더 깨어 있는 기분을 느끼고 더 잘 집중할 수 있는 것(= this)이 오래 지속되지 않았다는 의미이다.

3 ③: 문장 ❿에서 에너지 음료를 마시고 약 45분 후면 카페인이 완전히 몸에 흡수된다고는 했지만, 설탕이 몸 안에 머무는 시간에 대한 언급은 없다.
①: 문장 ❼에서 에너지 음료에는 많은 양의 카페인과 설탕이 들어 있다고 했다.
②, ④: 문장 ⓫을 통해 많은 양의 설탕을 섭취하는 것이 몸에서 인슐린이 분비되게 하고 이것이 일정한 혈당 수치를 유지시킨다는 것을 알 수 있다.
⑤: 문장 ⓫-⓭을 통해 슈거 크래시는 설탕을 많이 섭취했을 때 인슐린에 의해 혈당 수치와 에너지가 급속히 낮아지는 현상임을 알 수 있다.

4 문제 해석 참고

⓬ As a result, the increased blood sugar level **starts to go down** rapidly, and *so does your energy*.
→ start는 목적어로 to부정사와 동명사 모두 쓸 수 있다. *ex.* The price of oil **starts going down**. (유가가 내려가기 시작한다.)
→ 주어와 동사가 도치된 「so + 동사 + 주어」는 '~도 그렇다'라는 의미로, 앞의 긍정문에 대한 동의를 나타낸다. 이때 앞에 쓰인 동사에 따라 be
동사, 조동사, do동사가 온다. 이 문장에서는 일반동사 starts가 쓰였으므로 does가 쓰였다.
ex. Jim is hungry, and **so am I**. (Jim은 배가 고프고, 나도 그렇다.)
cf. 「neither + 동사 + 주어」: ~도 아니다 [부정 동의]
ex. I don't like math, and **neither does Lucy**. (나는 수학을 좋아하지 않고, Lucy도 안 그렇다.)

⓭ This is a phenomenon [(which is) **known as** a sugar crash].
→ [ ]는 앞에 온 a phenomenon을 수식하는 과거분사구로, known as는 '~이라고 알려진'이라고 해석한다. 과거분사 앞에 「주격 관계대명
사 + be동사」가 생략되어 있다.

⓮ 「need + to-v」는 '~해야 한다'라는 의미이다. need는 목적어로 to부정사로 쓴다.

본문 해석

❶ 볼리비아에 위치한 우유니 소금사막은, 세계에서 가장 큰 소금사막이다. ❷ 그것은 한때 그곳에 있었던 호수가 수천 년 전에 말라붙은 후에 형성되었다.

❸ 우유니 소금사막은 당신이 언제 방문하더라도 독특한 경험을 제공한다. ❹ 우기 동안에, 그 사막은 세계의 가장 큰 천연 거울이 된다. ❺ 전체 표면이 빗물 층으로 덮이고, 그것은 하늘을 완벽하게 비춘다. ❻ 땅이 어디에서 끝나는지 그리고 하늘이 어디에서 시작하는지 구별하기가 어렵다. ❼ 이것은 당신이 마치 구름 속을 걷고 있는 것처럼 느끼게 만든다! ❽ 한편, 건기 동안에, 그것은 완전히 다른 경험을 제공한다. ❾ 빗물이 마르면서, 그것은 소금을 흥미로운 육각형 무늬로 남겨 둔다. ❿ 그 사막은 거대한 흰 벌집처럼 보인다.

⓫ 우유니 소금사막은 관광객들뿐 아니라 수천 마리의 홍학들에게도 인기 있는 장소이다. ⓬ 만약 당신이 충분히 운이 좋다면, 아마 그것들이 사막 주위를 우아하게 걷고 있는 것을 볼 수도 있다!

❶ Salar de Uyuni, / located in Bolivia, / is the largest salt desert in the
우유니 소금사막은   볼리비아에 위치한   세계에서 가장 큰 소금사막이다

world. / ❷ It was formed / after lakes that once had been there dried up /
그것은 형성되었다   한때 그곳에 있었던 호수들이 말라붙은 후에

thousands of years ago. /
수천 년 전에

❸ Salar de Uyuni offers a unique experience / no matter when you
우유니 소금사막은 독특한 경험을 제공한다   당신이 언제 방문하더라도

visit. / ❹ During the rainy season, / the desert becomes the world's
우기 동안에   그 사막은 세계의 가장 큰 천연 거울이 된다

biggest natural mirror. / ❺ The entire surface is covered with a layer of
전체 표면이 빗물 층으로 덮인다

rainwater, / and it reflects the sky perfectly. / ❻ It is hard to tell / where
그리고 그것은 하늘을 완벽하게 비춘다   구별하기가 어렵다   땅이

the land stops / and where the sky starts. / ❼ This makes you feel / as if
어디에서 끝나는지   그리고 하늘이 어디에서 시작하는지   이것은 당신이 느끼게 만든다   마치

you're walking in the clouds! / (④ ❽ Meanwhile, / during the dry
당신이 구름 속을 걷고 있는 것처럼   한편   건기 동안에

season, / it offers a totally different experience. /) ❾ As the rainwater dries
그것은 완전히 다른 경험을 제공한다   빗물이 마르면서

up, / it leaves behind salt / in an interesting hexagon pattern. / ❿ The
그것은 소금을 남겨 둔다   흥미로운 육각형 무늬로

desert looks like a giant white honeycomb. /
그 사막은 거대한 흰 벌집처럼 보인다

⓫ Salar de Uyuni is a popular place / not only for travelers / but also for
우유니 소금사막은 인기 있는 장소이다   관광객들에게뿐만 아니라   수천 마리의

thousands of flamingos. / ⓬ If you're lucky enough, / you may see them
홍학들에게도   만약 당신이 충분히 운이 좋다면   당신은 아마 그것들이

walking gracefully / around the desert! /
우아하게 걷고 있는 것을 볼 수도 있다   사막 주위를

구문 해설

❶ Salar de Uyuni[, (which is) **located** in Bolivia], is the largest salt desert in the world.
　→ [ ]는 앞에 온 Salar de Uyuni를 선행사로 가지는 계속적 용법의 관계대명사절로, 선행사에 대한 부연 설명을 하기 위해 문장 중간에 삽입되었다. 과거분사 앞에 「주격 관계대명사 + be동사」가 생략되어 있다.

❷ It was formed **after** lakes [that once *had been* there] dried up thousands of years ago.
　→ after는 '~ 후에'라는 의미로, 부사절을 이끄는 접속사로 쓰여 뒤에 「주어 + 동사」의 절이 왔다.
　→ [ ]는 앞에 온 선행사 lakes를 수식하는 주격 관계대명사절이다.
　→ had been은 과거완료 시제(had p.p.)로, 이 문장에서는 과거의 특정 시점보다 더 이전에 발생한 일, 즉 [대과거]를 나타낸다. 수천 년 전에 호수가 말라붙었던 시점보다 더 이전에는 한때 그곳에 있었다는 의미이다.

❸ no matter when은 '언제 ~하더라도'라는 의미로, whenever로 바꿔 쓸 수 있다.
　= Salar de Uyuni offers a unique experience **whenever** you visit.

문제 해설

1 이 글의 흐름으로 보아, 다음 문장이 들어가기에 가장 적절한 곳은?

> Meanwhile, during the dry season, it offers a totally different experience.
> 한편, 건기 동안에, 그것은 완전히 다른 경험을 제공한다.

①   ②   ③   ✓④   ⑤

2 우기와 건기 동안의 우유니 소금사막의 모습을 비유하는 단어를 글에서 찾아 쓰시오.

- 우기: ___mirror___ 거울
- 건기: ___honeycomb___ 벌집

3 우유니 소금사막에 관한 이 글의 내용과 일치하지 <u>않는</u> 것을 <u>모두</u> 고르시오.

① It is the biggest salt desert on the Earth. 그것은 지구에서 가장 큰 소금사막이다.
② It was originally covered with water long ago. 그것은 원래 오래전에는 물로 덮여 있었다.
✓③ During the rainy season, it absorbs rainwater. 우기 동안에, 그것은 빗물을 흡수한다.
④ When the land is dry, a pattern can be observed. 땅이 건조할 때, 무늬가 관찰될 수 있다.
✓⑤ No wildlife can stay around in its conditions. 어떠한 야생동물도 그것의 환경에서 머무를 수 없다.

4 다음 빈칸에 공통으로 들어갈 단어를 글에서 찾아 쓰시오. (단, 필요시 알맞은 형태로 고쳐 쓰시오.)

- I looked at my face ___reflected___ in the shop window.
  나는 가게 창문에 비춰진 내 얼굴을 바라보았다.
- In the square, there was a metal sculpture that ___reflected___ the sunlight.
  광장에는, 햇빛을 반사하는 금속 조각상이 있었다.

5 다음 질문에 대한 답이 되도록 빈칸에 들어갈 말을 글에서 찾아 쓰시오.

> Q. With luck, what could you observe in Salar de Uyuni?
> 운이 좋으면, 우유니 소금사막에서 무엇을 볼 수 있는가?

A. You can watch ___thousands___ ___of___ ___flamingos___
walking gracefully. 수천 마리의 홍학들이 우아하게 걷고 있는 것을 볼 수 있다.

정답   **1** ④   **2** mirror, honeycomb   **3** ③, ⑤   **4** reflected   **5** thousands of flamingos

---

1 주어진 문장은 우유니 소금사막이 우기 동안 제공하는 경험에 대해 설명하는 문장 ❼과 빗물이 마를 때 그 사막이 제공하는 또 다른 경험을 설명하는 문장 ❾ 사이에 오는 것이 자연스러우므로, ④가 가장 적절하다.

2 문장 ❹에서 우유니 소금사막은 우기에 세계의 가장 큰 거울이 된다고 했고, 문장 ❾-❿에서 빗물이 마르면 거대한 벌집처럼 보인다고 했다.

3 ③: 문장 ❹-❺에서 우기 동안에 전체 표면이 빗물로 덮인다고 했다.
⑤: 문장 ⓬에서 홍학이 사막 주위를 걷는 모습을 볼 수 있다고 했다.
①: 문장 ❶에 언급되어 있다.
②: 문장 ❷에서 호수가 수천 년 전에 말라붙어서 사막이 형성되었다고 했다.
④: 문장 ❾에 언급되어 있다.

4 빈칸에 공통으로 들어갈 알맞은 단어는 '비추다; 반사하다'라는 뜻을 가진 **reflect**이다. (이때 첫 번째 문장에서는 얼굴이 창문에 비춰진 것이므로, 수동을 나타내는 과거분사 **reflected**로, 두 번째 문장에서는 과거 시제의 **reflected**로 고쳐 써야 한다.)

5 문장 ⓫-⓬에서 운이 좋다면 수천 마리의 홍학들이 사막 주위를 우아하게 걷고 있는 것을 볼 수 있다고 했다.

---

❻ **It** is hard **to tell** [where the land stops] and {where the sky starts}.
→ It은 가주어이고, to tell 이하가 진주어이다. to부정사, that절 등이 와서 주어가 긴 경우 이를 문장의 뒤로 옮기고 원래 주어 자리에는 가주어 it을 쓴다. 이때 가주어 it은 따로 해석하지 않는다.
→ [ ]와 { }는 「의문사 + 주어 + 동사」의 간접의문문으로, to tell의 목적어 역할을 하고 있다.

⓫ 「not only A but also B」는 'A뿐만 아니라 B도'라는 의미이다. 이 문장에서는 for travelers가 A에, for thousands of flamingos가 B에 해당한다.
= 「B as well as A」 *ex.* Salar de Uyuni is a popular place for thousands of flamingos **as well as** for travelers.

⓬ If you're **lucky enough**, you may *see them walking* gracefully around the desert!
→ 「형용사/부사 + enough」는 '충분히 ~한/하게'라는 의미이다. *cf.* 「enough + 명사」: 충분한 ~
→ 「see + 목적어 + 현재분사」는 '~가 …하고 있는 것을 보다'라는 의미이다. 진행의 의미를 강조하기 위해 동사원형 대신 현재분사가 쓰였다.

본문 해석

❶ 이집트의 미라는 역사박물관에서 가장 인기 있는 볼거리 중 일부이다. ❷ 그것들은 무섭지만, 우리가 고대 이집트 문화를 더 잘 이해하도록 돕는다. ❸ 하지만, 몇 세기 전에, 유럽인들은 다른 이유로 미라에 매료되었다.

❹ 16세기와 17세기에, 유럽인들은 미라를 다양한 질병의 치료제로써 먹었다. ❺ 그들은 죽은 사람의 몸에 치유하는 힘이 있다고 믿었다. ❻ 구체적으로, 미라의 각 부위는 몸의 같은 부위를 치료한다고 여겨졌다. ❼ 예를 들어, 미라의 두개골을 먹는 것은 두통에 대한 치료법이었다. ❽ 그러면, 그들은 어떻게 미라를 먹었을까? ❾ 미라는 가루로 갈아졌고 꿀이나 초콜릿과 섞였다. ❿ 의사들은 그 후 그들의 환자에게 이 혼합물을 먹으라고 말했다. ⓫ 하지만, 18세기 즈음, 이 이상한 치료법이 사실은 효과적이지 않다는 것이 분명해졌다. ⓬ 그 결과, 그것은 인기를 잃어버렸다.

❶ Egyptian mummies are some of the most popular attractions / at
이집트의 미라들은 가장 인기 있는 볼거리 중 일부이다

history museums. / ❷ They are scary, / but they help / us understand
역사박물관에서　　　　　 그것들은 무섭다　 그러나 그것들은 돕는다　 우리가 고대 이집트

ancient Egyptian culture better. / ❸ However, / a few centuries ago, /
문화를 더 잘 이해하도록　　　　　 하지만　　 몇 세기 전에

Europeans were (A) fascinated with mummies / for a different reason. /
유럽인들은 미라에 매료되었다　　　　　　　 다른 이유로

❹ In the 16th and 17th century, / Europeans ate mummies / as a
16세기와 17세기에　　　　　 유럽인들은 미라를 먹었다

treatment for various illnesses. / ❺ They believed / that dead human
다양한 질병의 치료제로써　　　　　 그들은 믿었다　 죽은 사람의 몸이

bodies possessed (B) healing powers. / ❻ Specifically, / each part of
치유하는 힘을 지녔다고　　　　　 구체적으로　　 미라의 각 부위는

the mummy / was thought to cure the same part of the body. / ❼ For
몸의 같은 부위를 치료한다고 여겨졌다

example, / eating a mummy skull / was the treatment for a headache. /
예를 들어　 미라의 두개골을 먹는 것은　　 두통에 대한 치료법이었다

❽ Then, / how did they (C) consume mummies? / ❾ Mummies were
그러면　 그들은 어떻게 미라를 먹었을까　　　　　 미라는

ground into powder / and mixed with honey or chocolate. / ❿ Doctors
가루로 갈아졌고　　　　 꿀이나 초콜릿과 섞였다　　　　　　 의사들은

then told their patients / to eat this mixture. / ⓫ However, / by the 18th
그 후 그들의 환자들에게 말했다　 이 혼합물을 먹으라고　　 하지만　　 18세기 즈음

century, / it became clear / that this strange remedy was not actually
분명해졌다　　 이 이상한 치료법이 사실은 효과적이지 않다는 것이

effective. / ⓬ As a result, / it fell out of favor. /
그 결과　　 그것은 인기를 잃어버렸다

구문 해설

❶ 「one of the + 최상급 + 복수명사」는 '가장 ~한 … 중 하나'라는 의미이다. 이 문장에서는 주어 Egyptian mummies가 복수명사이므로 one 대신 some(일부)이 쓰였다.

❷ 「help + 목적어 + 동사원형」은 '~가 …하도록 돕다'라는 의미이다. = 「help + 목적어 + to-v」

❺ They believed [that dead human bodies possessed healing powers].
→ [ ]는 believed의 목적어 역할을 하는 명사절이다. 이때 명사절 접속사 that은 생략할 수 있다.

❻ Specifically, **each part** of the mummy *was thought to cure* the same part of the body.
→ each(각각의) 뒤에는 반드시 단수명사(part)가 와야 하며, 「each + 단수명사」는 단수 취급하므로 뒤에 단수동사 was가 쓰였다.
→ 「주어 + be thought + to-v」는 '~가 …한다고 여겨지다'라는 의미의 수동태 표현이다.
　cf. 「People think that + 주어 + 동사」: 사람들이 ~가 …한다고 여기다 [능동]
　ex. Specifically, **people thought that each part of the mummy cured** the same part of the body.

1 What is the main topic of the passage? 이 글의 주제로 가장 적절한 것은?

① the origin of modern medical practices 현대 의술의 기원
② why Europeans were afraid of mummies 유럽인들이 왜 미라를 두려워했는지
③ the cultural value of Egyptian mummies 이집트 미라의 문화적 가치
④ the historical use of mummies by Europeans 유럽인들에 의한 미라의 역사적 이용
⑤ how ancient Egyptians preserved dead bodies 고대 이집트인들이 어떻게 시체를 보존했는지

2 Choose and write the correct one for (A), (B), and (C).
(A), (B), (C)에 들어갈 말로 알맞은 것을 골라 쓰시오.
(A): _____fascinated_____ 매료된
(B): _____healing_____ 치유하는
(C): _____consume_____ 먹다

3 Write T if the statement is true or F if it is false. 이 글의 내용과 일치하면 T, 그렇지 않으면 F를 쓰시오.

(1) It is possible to learn about the culture of ancient Egypt from mummies. 미라로부터 고대 이집트의 문화에 대해 배우는 것이 가능하다. _____T_____

(2) A mummy skull was used to cure a headache. 미라의 두개골은 두통을 치료하는 데 쓰였다. _____T_____

(3) Egyptians mixed honey or chocolate to make mummies. 이집트인들은 미라를 만들기 위해 꿀이나 초콜릿을 섞었다. _____F_____

4 Complete the sentences with the following words. 다음 중 알맞은 말을 골라 문장을 완성하시오.

popularity	explain	treat	possessions
인기	설명하다	치료하다	소유물

In the 16-17th century 16~17세기에	**By the 18th century** 18세기 즈음
Mummies were widely used to (1) _____treat_____ a variety of illnesses. 미라는 다양한 질병을 (1) 치료하기 위해 널리 쓰였다.	The practice of using mummies lost (2) _____popularity_____. 미라를 이용하는 행위는 (2) 인기를 잃었다.

정답 1 ④   2 (A) fascinated (B) healing (C) consume   3 (1) T (2) T (3) F
4 (1) treat (2) popularity

문제 해설

1 16~17세기에 유럽인들이 질병 치료제로 미라를 먹던 독특한 관행을 설명하는 글이므로, 주제로 ④ '유럽인들에 의한 미라의 역사적 이용'이 가장 적절하다.

2 (A) 네모 뒤의 단락에서 유럽인들이 미라를 질병 치료제라고 믿고 먹었다고 했으므로, 네모 (A)에는 '매료된'이 문맥상 적절하다.
(B) 네모 뒤에서 미라의 각 부위가 같은 몸의 부위를 치료한다고 여겨졌다고 했으므로, 네모 (B)에는 '치유하는'이 문맥상 적절하다.
(C) 네모 뒤에서 미라를 가루로 만들어 꿀이나 초콜릿과 함께 섞어 먹었다고 했으므로, 네모 (C)에는 '먹다'가 문맥상 적절하다.

3 (1) 문장 ❷에서 이집트의 미라는 우리가 고대 이집트 문화를 더 잘 이해하도록 돕는다고 했다.
(2) 문장 ❼에 언급되어 있다.
(3) 문장 ❾-❿에서 유럽인들이 미라 가루를 꿀이나 초콜릿과 섞어서 치료제로 먹었다고는 했지만, 이집트인들이 미라를 만들기 위해 그랬다는 것에 대한 언급은 없다.

4 문제 해석 참고

---

❼ eating a mummy skull은 문장의 주어 역할을 하는 동명사구이다. 동명사구는 단수 취급하므로 뒤에 단수동사 was가 쓰였다.

❾ Mummies **were ground into** powder and (were) *mixed with* honey or chocolate.
→ be ground into는 '~으로 갈아지다, 빻아지다'라는 의미의 수동태 표현이다.
→ be mixed with는 '~과 섞이다'라는 의미의 수동태 표현이다.

❿ 「tell + 목적어 + to-v」는 '~에게 …하라고 말하다'라는 의미이다.

⓫ However, **by** the 18th century, *it* became clear [that this strange remedy was not actually effective].
→ by는 '~ 즈음(에)'라는 의미의 전치사이다.
→ it은 가주어이고, that절이 진주어이다. 이때 가주어 it은 따로 해석하지 않는다.
→ 「become + 형용사」는 '~해지다, ~하게 되다'라는 의미이다.

본문 해석

❶ 다이아몬드만큼 희귀한 일종의 '먼지'가 있다. ❷ 그것은 다이아몬드 더스트라고 불리지만, 사실 구름이다!

❸ 다이아몬드 더스트는 대기 중의 수증기가 얼 때 지면 근처에서 형성된다. ❹ 그것은 반짝거리는 다이아몬드처럼 햇빛을 반사하는 수백만 개의 미세한 얼음 결정들로 이루어진다. ❺ 이 결정들은 자세히 보면 눈송이를 닮았지만, 훨씬 더 작고 가볍다. ❻ 그래서, 그것들은 땅에 떨어지기보다는 공중에 뜬다.

❼ 불행히도, 다이아몬드 더스트를 보는 것이 항상 쉬운 것은 아니다. ❽ 세계에서 오직 몇몇 장소들만이 다이아몬드 더스트가 형성될 필수 조건들을 갖고 있다. ❾ 우선, 맑은 하늘 아래 높은 습도와 함께 영하 16도 이하로 몹시 추워야 한다. ❿ 또한, 바람이 없어야 하는데, 그렇지 않으면, 수증기가 날아갈 것이다. ⓫ 그래서, 만약 이 아름다운 현상을 직접 보고 싶다면, 당신은 알맞은 때에 알맞은 장소에 있어야 할 것이다!

❶ There is a type of "dust" / that is as rare as a diamond. / ❷ It's called
일종의 '먼지'가 있다　　다이아몬드만큼 희귀한　　그것은 다이아몬드

diamond dust, / but it's actually a cloud! /
더스트라고 불린다　　하지만 그것은 사실 구름이다

❸ Diamond dust forms near the ground / when moisture in the air
다이아몬드 더스트는 지면 근처에서 형성된다　　대기 중의 수증기가 얼 때

freezes. / ❹ It consists of millions of tiny ice crystals / that reflect sunlight
그것은 수백만 개의 미세한 얼음 결정들로 이루어진다　　반짝거리는 다이아몬드처럼

like sparkling diamonds. / ❺ These crystals resemble snowflakes / when
햇빛을 반사하는　　이 결정들은 눈송이를 닮았다

you look closely at them, / but they are much smaller and lighter. / ❻ So, /
당신이 그것들을 자세히 보면　　그러나 그것들은 훨씬 더 작고 가볍다　　그래서

they float in the air / rather than fall to the ground. /
그것들은 공중에 뜬다　　땅에 떨어지기보다는

❼ Unfortunately, / it is not always easy / to see diamond dust. / ❽ Only
불행히도　　항상 쉬운 것은 아니다　　다이아몬드 더스트를 보는 것이

a few places in the world / have the necessary conditions / for diamond
세계에서 오직 몇몇 장소들만이　　필수 조건들을 갖고 있다　　다이아몬드

dust to form. / ❾ First of all, / it has to be extremely cold / —below
더스트가 형성될　　우선　　몹시 추워야 한다　　영하

-16°C / with high humidity under clear skies. / ❿ Also, / there should
16도 이하로　　맑은 하늘 아래 높은 습도와 함께　　또한　　바람이 없어야 한다

be no wind, / otherwise, / the water vapor will be blown away. / ⓫ So, /
그렇지 않으면　　수증기가 날아갈 것이다　　그래서

if you'd like to observe this beautiful phenomenon / in person, / you'll
만약 당신이 이 아름다운 현상을 보고 싶다면　　직접　　당신은

have to be in the right place at the right time! /
알맞은 때에 알맞은 곳에 있어야 할 것이다

구문 해설

❶ There is a type of "dust" [that is **as rare as** a diamond].
→ [ ]는 앞에 온 선행사 a type of "dust"를 수식하는 주격 관계대명사절이다.
→ 「as + 형용사/부사 + as」는 '~만큼 …한/하게'라는 의미이다. 이 문장에서는 '다이아몬드만큼 희귀한'이라고 해석한다.

❷ 「A be called B」는 'A는 B라고 불리다'라는 의미로, 「call A B(A를 B라고 부르다)」의 수동태 표현이다.

❹ It consists of millions of tiny ice crystals [that reflect sunlight like sparkling diamonds].
→ [ ]는 앞에 온 선행사 millions of tiny ice crystals를 수식하는 주격 관계대명사절이다.

❺ 부사 much는 '훨씬'이라는 의미로 비교급을 강조할 수 있다. 이 문장에서는 형용사의 비교급 smaller와 lighter를 강조하고 있다.
cf. 비교급 강조 부사: much, even, still, far, a lot　*ex.* Jason arrived **far** earlier than you. (Jason은 너보다 훨씬 일찍 도착했다.)

❼ Unfortunately, **it** is *not always* easy **to see diamond dust**.
→ it은 가주어이고, to see diamond dust가 진주어이다. 이때 가주어 it은 따로 해석하지 않는다.

1 이 글의 제목으로 가장 적절한 것은?

① How Do Snowflakes Form? 눈송이는 어떻게 형성되는가?
② Weather Conditions Necessary for Snow 눈을 위해 필요한 기상 조건들
③ Diamonds vs. Diamond Dust: Which is Rarer?
　다이아몬드 대 다이아몬드 더스트: 어떤 것이 더 희귀한가?
④ A Mysterious Jewel That Has Never Been Found 한 번도 발견된 적 없는 신비한 보석
⑤ Diamond Dust: An Unusual Weather Phenomenon 다이아몬드 더스트: 드문 기상 현상

2 다음 질문에 대한 답이 되도록 빈칸에 들어갈 말을 우리말로 쓰시오.

> Q. How are diamond dust crystals different from snowflakes?
> 다이아몬드 더스트 결정들은 눈송이와 어떻게 다른가?

A. 눈송이보다 ____훨씬 더 작고 가벼워서____, 땅에 떨어지기보다는
____공중에 뜬다____.

3 다이아몬드 더스트에 관한 이 글의 내용과 일치하는 것은?

① It is different from a cloud. 그것은 구름과 다르다.
② It is created far from the ground. 그것은 지면으로부터 먼 곳에서 생성된다.
③ It is composed of reflective ice crystals. 그것은 빛을 반사하는 얼음 결정들로 구성되어 있다.
④ It can be observed all over the world. 그것은 전 세계 곳곳에서 목격될 수 있다.
⑤ It forms when water vapor is blown away. 그것은 수증기가 날아갈 때 형성된다.

4 이 글에서 밑줄 친 the necessary conditions로 언급되지 않은 것은?

① 기온이 낮아야 한다.　　　　② 습도가 높아야 한다.
③ 하늘이 맑아야 한다.　　　　④ 기압이 높아야 한다.
⑤ 바람이 불지 않아야 한다.

문제 해설

1 특정 기상 조건을 지닌 전 세계 일부 장소에서만 볼 수 있는 다이아몬드 더스트를 소개하는 글이므로, 제목으로 ⑤ '다이아몬드 더스트: 드문 기상 현상'이 가장 적절하다.

2 문장 ❺-❻에서 다이아몬드 더스트 결정들은 눈송이보다 훨씬 더 작고 가벼워서 땅에 떨어지기보다는 공중에 뜬다고 했다.

3 ③: 문장 ❹에 언급되어 있다.
①: 문장 ❷에서 다이아몬드 더스트는 구름이라고 했다.
②: 문장 ❸에서 다이아몬드 더스트는 지면 근처에서 형성된다고 했다.
④: 문장 ❽에서 세계의 오직 몇몇 장소들에서만 다이아몬드 더스트가 형성될 수 있다고 했다.
⑤: 문장 ❿에서 다이아몬드 더스트의 형성 조건으로 수증기가 날아가지 않도록 바람이 없어야 한다고 했다.

4 ④: 기압에 대한 언급은 없다.
①, ②, ③은 문장 ❾에, ⑤는 문장 ❿에 언급되어 있다.

정답 1 ⑤　2 훨씬 더 작고 가벼워서, 공중에 뜬다　3 ③　4 ④

→ not always는 '항상 ~한 것은 아니다'라는 의미로, 전체가 아닌 일부를 부정하는 [부분 부정]을 나타낸다.

❽ Only a few places in the world have the necessary conditions **for diamond dust** *to form*.
→ 「for + 목적격」은 to부정사의 의미상 주어로, to부정사(to form)가 나타내는 동작의 주체이다.
→ to form은 '(다이아몬드 더스트가) 형성될'이라는 의미로, to부정사의 형용사적 용법으로 쓰여 the necessary conditions를 수식하고 있다.

❾ have to는 '~해야 한다'라는 의미이다. have/had to는 뒤에 동사원형을 쓴다.

❿ So, if you**'d like to observe** this beautiful phenomenon in person, you*'ll have to* be in the right place at the right time!
→ 「would like + to-v」는 '~하고 싶다'라는 의미이다. would like는 목적어로 to부정사를 쓴다.
→ 'll(=will) have to는 '~해야 할 것이다'라는 의미로, 미래의 의무를 나타낸다. 조동사는 한 번에 하나만 쓰므로, 조동사 뒤에서는 must 대신 have to를, can 대신 be able to를 쓴다.
ex. We **must be able to** speak English. (우리는 영어를 구사할 수 있어야 한다.)

본문 해석

❶ 어렸을 때, 그녀는 다시는 걸을 수 없게 될 것이라는 말을 들었다. ❷ 그러나, 20살 때, 그녀는 세계에서 가장 빠른 여성이 되었다. ❸ 이것이 믿기 어렵게 들리는가? ❹ 사실, 이것은 윌마 루돌프의 이야기이다.

❺ 윌마는 예정보다 일찍 태어나 약했다. ❻ 그녀는 어린 시절 내내 수많은 병들을 앓았다. ❼ 5살 때, 그녀의 왼쪽 다리가 소아마비 때문에 마비되었다. ❽ 이런데도 불구하고, 윌마는 포기하기를 거부했다. ❾ 다리 근육을 강화하기 위해, 그녀는 다리에 무거운 보조기를 착용하기 시작했다. ❿ 몇 년의 치료 후에, 그녀는 마침내 보조기를 벗고 혼자서 걸을 수 있었다. ⓫ 하지만 그녀는 거기에서 멈추지 않았다. ⓬ 그녀는 달리기를 연습하기 시작했고 육상 선수가 되려는 그녀의 꿈을 추구했다. ⓭ 1956년에, 그녀는 첫 올림픽에 나가서 동메달을 땄다. ⓮ 불과 4년 후, 다음 올림픽에서, 그녀는 한 올림픽에서 3개의 금메달을 딴 최초의 미국인 여성이 되었고 심지어 세계 신기록을 세웠다! ⓯ 그녀의 결의는 우리에게 의지가 있다면 불가능한 것은 없다는 것을 가르쳐준다.

❶ As a child, / she was told / that she wouldn't be able to walk again. /
어렸을 때　　　　그녀는 말을 들었다　　그녀가 다시는 걸을 수 없게 될 것이라는

❷ But, / at age 20, / she became the fastest woman in the world. /
그러나　20살 때　　　　그녀는 세계에서 가장 빠른 여성이 되었다

❸ Does this sound hard to believe? / ❹ Actually, / this is the story of
이것이 믿기 어렵게 들리는가　　　　　　사실　　　이것은 Wilma Rudolph

Wilma Rudolph. /
(윌마 루돌프)의 이야기이다

❺ Wilma was born premature and weak. / ❻ She suffered from
윌마는 예정보다 일찍 태어나 약했다　　　　　　　그녀는 수많은 병들을 앓았다

numerous diseases / throughout childhood. / ❼ At age five, / her left leg
　　　　　　　　어린 시절 내내　　　　　　5살 때　　　그녀의 왼쪽 다리가

became paralyzed / due to polio. / ❽ Despite this, / Wilma refused to give
마비되었다　　　소아마비 때문에　　이런데도 불구하고　윌마는 포기하기를 거부했다

up. / ❾ To strengthen her leg muscles, / she began wearing a heavy brace
그녀의 다리 근육을 강화하기 위해　　　　그녀는 그녀의 다리에 무거운 보조기를

on her leg. / ❿ After several years of treatment, / she was finally able to
착용하기 시작했다　몇 년의 치료 후에　　　　　　그녀는 마침내 보조기를 벗을

take the brace off / and walk on her own. / ⓫ But she didn't stop there. /
수 있었다　　　　그리고 혼자서 걸을 수 있었다　　하지만 그녀는 거기에서 멈추지 않았다

⓬ She started to practice running / and pursued her dream of becoming
그녀는 달리기를 연습하기 시작했다　　　　그리고 육상 선수가 되려는 그녀의 꿈을 추구했다

an athlete. / ⓭ In 1956, / she went to her first Olympics / and won a bronze
　　　　1956년에　그녀는 그녀의 첫 올림픽에 나갔다　　　그리고 동메달을 땄다

medal. / ⓮ Just four years later, / at the next Olympics, / she became the
　　　불과 4년 후　　　　　다음 올림픽에서　　　그녀는 최초의 미국인

first American woman / to win three gold medals in one Olympics / and
여성이 되었다　　　　한 올림픽에서 3개의 금메달을 딴　　　　　그리고

even set a new world record! / ⓯ Her determination teaches us / that
심지어 세계 신기록을 세웠다　　　　　그녀의 결의는 우리에게 가르쳐준다

nothing is impossible / if we have the will. /
불가능한 것은 없다는 것을　　만약 우리에게 의지가 있다면

구문 해설

❶ As a child, she **was told** [that she *wouldn't be able to* walk again].
→ 「A be told B」는 'A가 B를 듣다'라는 의미이다. 「tell + 간접목적어(A) + 직접목적어(B)」에서 간접목적어를 주어로 만든 수동태 표현으로, 이 문장에서는 명사절 [ ]가 직접목적어 역할을 하고 있다.
→ 조동사는 한 번에 하나만 쓰므로, 조동사 would 뒤에서 can 대신 be able to(~할 수 있다)가 쓰였다.

❸ Does this **sound hard** *to believe*?
→ 「sound + 형용사」는 '~하게 들리다'라는 의미이다.　*cf.* 「sound like + 명사」: ~처럼 들리다
→ to believe는 '믿기에'라는 의미로, to부정사의 부사적 용법으로 쓰여 형용사 hard를 수식하고 있다.

❼ due to는 '~ 때문에'라는 의미의 전치사이다.

1 이 글의 밑줄 친 this가 의미하는 내용을 우리말로 쓰시오.

5살 때 소아마비 때문에 왼쪽 다리가 마비된 것

2 이 글의 빈칸에 들어갈 말로 가장 적절한 것은?

① every moment of our lives matters 우리 삶의 모든 순간이 중요하다
② we should always be grateful to others 우리는 항상 다른 사람들에게 감사해야 한다
③ nothing is impossible if we have the will 만약 우리에게 의지가 있다면 불가능한 것은 없다
④ we shouldn't be afraid of making mistakes 우리는 실수를 하는 것을 두려워하지 않아야 한다
⑤ experience is a good teacher to help us grow 경험은 우리가 성장하도록 돕는 좋은 스승이다

3 이 글에서 Wilma Rudolph에 관해 언급되지 <u>않은</u> 것은?

① what she did to strengthen her leg muscles 그녀가 다리 근육을 강화하기 위해 무엇을 했는지
② how long she trained as a runner 그녀가 달리기 선수로서 얼마나 오래 훈련을 했는지
③ what she wanted to be after finishing treatment
치료를 끝낸 후에 그녀가 무엇이 되고 싶어 했는지
④ when she first competed in the Olympics 그녀가 언제 처음으로 올림픽에 참가했는지
⑤ how many medals she won in the 1960 Olympics
1960년 올림픽에서 그녀가 얼마나 많은 메달을 땄는지

4 이 글에서 Wilma Rudolph가 겪은 일과 일치하지 않는 것은?

① 어린 시절에 병을 앓아 혼자서는 걷지 못했다.
↓
② 수년간의 치료 끝에 보조기 없이 걸을 수 있게 되었다.
↓
③ 운동선수가 되고자 달리기 훈련을 했다.
↓
④ 처음 출전한 올림픽에서 금메달을 받았다.
↓
⑤ 다음 올림픽에서 세계 신기록을 세웠다.

문제 해설

1 문장 ❼에 언급된 내용을 의미한다. 5살 때 소아마비 때문에 왼쪽 다리가 마비된 것(= this)에도 불구하고, 윌마는 포기하기를 거부했다는 의미이다.

2 빈칸이 있는 단락에서 윌마가 다리가 마비되었음에도 포기하지 않고 치료에 성공하여 뛰어난 육상 선수가 되었다고 했으므로, 빈칸에는 ③ '만약 우리에게 의지가 있다면 불가능한 것은 없다'가 가장 적절하다.

3 ②: 윌마가 달리기 선수로서 훈련을 한 기간에 대한 언급은 없다.
①: 문장 ❾에서 다리 근육을 강화하기 위해 보조기를 착용했다고 했다.
③: 문장 ❿, ⓬에서 치료가 끝난 후에 육상 선수를 꿈꿨다고 했다.
④: 문장 ⓭에서 1956년에 처음으로 올림픽에 나갔다고 했다.
⑤: 문장 ⓮를 통해 1960년 올림픽에서 금메달을 3개 땄음을 알 수 있다.

4 ④: 문장 ⓭에서 윌마가 첫 올림픽에서 동메달을 땄다고 했다.
①: 문장 ❼에서 소아마비로 다리가 마비되었다고 했고, 문장 ❿을 통해 치료 전까지 보조기 없이 그녀 혼자서 걸을 수 없었음을 알 수 있다.
②는 문장 ❿에, ③은 문장 ⓬에, ⑤는 문장 ⓮에 언급되어 있다.

---

❽ **Despite** this, Wilma *refused to give up*.
→ Despite은 '~에도 불구하고'라는 의미의 전치사이다. 같은 의미의 전치사인 in spite of로 바꿔 쓸 수도 있다.
  = **In spite of** this, Wilma refused to give up. *cf.* 「although/though/even if + 주어 + 동사」: ~함에도 불구하고
→ 「refuse + to-v」는 '~하기를 거부하다'라는 의미이다. refuse는 목적어로 to부정사를 쓴다.

❾ To strengthen her leg muscles는 '그녀의 다리 근육을 강화하기 위해'라는 의미로, [목적]을 나타내는 to부정사의 부사적 용법으로 쓰였다.

⓬ She started to **practice running** and pursued *her dream of becoming an athlete*.
→ 「practice + v-ing」는 '~하기를 연습하다'라는 의미이다. practice는 목적어로 동명사를 쓴다.
→ her dream과 becoming an athlete은 전치사 of로 연결된 동격 관계로, 이때 of는 '~하다는, ~이라고 하는, ~인'이라고 해석한다.

⓯ Her determination **teaches us** [that nothing is impossible if we have the will].
→ 「teach + 간접목적어 + 직접목적어」는 '~에게 …을 가르쳐주다'라는 의미이다. 이 문장에서는 명사절 [ ]가 직접목적어 역할을 하고 있다.

본문 해석

❶ 흥미로운 실험을 위해 한 무리의 친구들에게 왼쪽에 있는 그림을 보여주어라. ❷ 그들 각자에게 직선 1, 2, 3 중 어떤 것이 왼쪽의 붉은 직선과 같은 길이인지 물어보아라. ❸ 그러나, 사전에, 한 친구를 제외하고 모두에게 직선 1로 답하라고 말해둬라. ❹ 그 다음, 다른 모든 사람이 틀린 대답을 할 때 무슨 일이 일어나는지 봐라. ❺ 놀랍게도, 당신이 말해주지 않았던 친구 또한, 비록 정답이 직선 3이라는 것을 알고 있더라도 직선 1이라고 답할 수도 있다. ❻ 이것은 동조 때문이다. ❼ 동조는 집단과 어울리기 위해 우리의 의견이나 행동을 바꾸려는 성향이다. ❽ 우리들 중 대부분은 눈에 띄는 것을 좋아하지 않아서, 다수가 하는 것을 종종 따른다. ❾ 우리가 집단에 느끼는 정서적 유대가 클수록, 우리는 더 강하게 동조한다. ❿ 다른 요인들 또한 동조에 영향을 준다. ⓫ 결정을 내리기 어려울 때, 우리는 다수에 동조하는 경향이 있다. ⓬ 또한, 우리는 아마 더 높은 지위에 있는 사람들을 따를 것이다. ⓭ 반면에, 만약 집단의 구성원 중 한 명이라도 다수 의견에 동의하지 않는다면 동조는 무너질 수 있다.

❶ Show a group of friends / the picture on the left / for an interesting
한 무리의 친구들에게 보여주어라   왼쪽에 있는 그림을   흥미로운 실험을 위해

experiment. / ❷ Ask each of them / which line—1, 2, or 3—is the same
그들 각자에게 물어보아라   직선 1, 2, 3 중 어떤 것이 같은 길이인지

length / as the red line on the left. / ❸ But, beforehand, / tell all but one
왼쪽의 붉은 직선과   그러나 사전에   한 친구를 제외하고 모두에게

friend / to answer line 1. / ❹ Then, / observe what happens / when everyone
말해둬라 직선 1로 답하라고   그 다음   무슨 일이 일어나는지 봐라   다른 모든 사람이 틀린

else gives the wrong answer. / ❺ Surprisingly, / the friend you didn't tell /
대답을 할 때   놀랍게도   당신이 말해주지 않았던 그 친구는

might answer line (A) 1 too, / even though he or she knows / the correct
또한 직선 1이라고 답할 수도 있다   비록 그 또는 그녀가 알고 있더라도   정답이

answer is line (B) 3! / ❻ This is because of conformity. / ❼ Conformity is
직선 3이라는 것을   이것은 동조 때문이다   동조는 우리의

a tendency to change our opinions or behavior / in order to fit in with a
의견이나 행동을 바꾸려는 성향이다   집단과 어울리기 위해

group. / ❽ Most of us don't like to stand out, / so we often (C) follow /
우리들 중 대부분은 눈에 띄는 것을 좋아하지 않는다 그래서 우리는 종종 따른다

what the majority does. / ❾ The greater / the emotional bond we feel with
다수가 하는 것을   클수록   우리가 집단에 느끼는 정서적 유대가

the group, / the more strongly we conform. / ❿ Other factors influence
우리는 더 강하게 동조한다   다른 요인들 또한 동조에

conformity, too. / ⓫ When it is difficult to make a decision, / we tend to
영향을 준다   결정을 내리기 어려울 때   우리는 다수에

go along with the majority. / ⓬ Also, / we will likely (C) follow / those
동조하는 경향이 있다   또한   우리는 아마 따를 것이다

who are higher in status. / ⓭ On the other hand, / conformity can break
더 높은 지위에 있는 사람들을   반면에   동조는 무너질 수 있다

down / if even one member of the group / disagrees with the majority
만약 집단의 구성원 중 한 명이라도   다수 의견에 동의하지 않는다면

opinion. /

구문 해설

❶ 「show + 간접목적어 + 직접목적어」는 '~에게 …을 보여주다'라는 의미이다.
= 「show + 직접목적어 + to + 간접목적어」 *ex.* **Show the picture on the left to a group of friends** for an interesting experiment.

❷ **Ask each of them** [*which* line—1, 2, or 3—is the same length as the red line on the left].
→ 「ask + 간접목적어 + 직접목적어」는 '~에게 …을 묻다'라는 의미이다. 여기서는 간접의문문 [ ]가 직접목적어 역할을 하고 있다.
→ [ ]는 「의문사 + 주어 + 동사」의 간접의문문으로, ask의 직접목적어 역할을 하고 있다. 이때 which는 '어떤'이라는 의미로, which가 '어떤, 어느'라는 의미일 때는 이 문장에서처럼 뒤의 명사(line)를 수식할 수 있다.

❹ what happens는 주어가 의문사인 간접의문문으로, observe의 목적어 역할을 하고 있다. 이 문장에서처럼 간접의문문의 주어가 의문사인 경우 뒤에 바로 동사가 온다. *ex.* Check **who wears** the crown. (누가 왕관을 썼는지 확인해라.)

❺ ~, the friend [(who(m)) you didn't tell] might answer line 1 too, even though he or she knows the correct answer is line 3!
→ [ ]는 앞에 온 선행사 the friend를 수식하는 목적격 관계대명사절로, 목적격 관계대명사 who(m)가 생략되어 있다.

1 1, 2, 3번의 직선 중에서 빈칸 (A)와 (B)에 들어갈 번호를 골라 쓰시오.

(A): _____1_____   (B): _____3_____

2 이 글의 빈칸 (C)에 공통으로 들어갈 말로 가장 적절한 것은?

① expect 기대한다   ② ignore 무시한다   ③ change 바꾼다
④ follow 따른다 ✓   ⑤ appreciate 인정한다

3 이 글의 밑줄 친 conformity에 영향을 주는 요인으로 언급되지 않은 것은?

① 집단에 대한 유대감   ② 집단의 크기 ✓
③ 결정의 난이도   ④ 구성원의 지위
⑤ 다수 의견에 반대하는 구성원

4 다음 중, 이 글에서 설명하는 원리에 해당하는 사례를 모두 고른 것은?

> (A) Jake laughed along with others about a joke he didn't understand.
> Jake는 이해하지 못한 농담에 대해 다른 사람들을 따라 웃었다.
>
> (B) Amy gave a poor review to the movie that sold the most tickets.
> Amy는 가장 많은 표를 판 영화에 대해 혹평을 줬다.
>
> (C) Paul chose a college because his parents liked it.
> Paul은 그의 부모님이 그 대학을 좋아하셨기 때문에 그곳을 선택했다.
>
> (D) Nancy supported the baseball team with the lowest ranking.
> Nancy는 가장 낮은 순위를 지닌 농구팀을 지지했다.

① (A), (B)   ② (A), (C) ✓   ③ (B), (C)
④ (B), (D)   ⑤ (C), (D)

5 다음 영영 풀이에 해당하는 단어를 글에서 찾아 쓰시오.

> a connection caused by feelings of friendship, love, or shared experiences
> 우정, 사랑의 감정 또는 함께한 경험에 의해 만들어진 연결 고리

_____bond_____
유대

정답 1 (A) 1 (B) 3 2 ④ 3 ② 4 ② 5 bond

문제 해설

1 우리에겐 다수를 따르는 동조 성향이 있음을 설명하는 글이므로, 모든 친구가 직선 1이라는 틀린 대답을 할 때, 남은 한 명도 정답이 직선 3임을 알면서도 직선 1이라고 대답할 수 있음을 알 수 있다. 따라서 빈칸 (A)에는 1, 빈칸 (B)에는 3이 가장 적절하다.

2 문장 ❼에서 동조란 집단과 어울리기 위해 의견이나 행동을 바꾸려는 성향이라고 했으므로, 빈칸이 있는 문장 ❽에서 눈에 띄지 않기 위해 다수가 하는 것을 '따른다'고 유추할 수 있다. 또한 문장 ⓫에서 동조를 더 일으키는 요인을 설명했으므로, 빈칸이 있는 문장 ⓬에서 언급한 더 높은 지위 또한 동조를 더 일으켜 지위가 더 높은 사람을 '따른다'고 유추할 수 있다. 따라서 빈칸 (C)에는 ④ '따른다'가 가장 적절하다.

3 ②: 집단의 크기에 대한 언급은 없다. ①은 문장 ❾에, ③은 문장 ⓫에, ④는 문장 ⓬에, ⑤는 문장 ⓭에 언급되어 있다.

4 집단에 어울리기 위해 집단의 의견이나 행동을 따랐다는 (A), (C)의 사례가 동조에 해당한다.

5 '우정, 사랑의 감정 또는 함께한 경험에 의해 만들어진 연결 고리'라는 뜻에 해당하는 단어는 bond(유대)이다.

❼ in order to는 '~하기 위해'라는 의미로, in order to는 뒤에 동사원형을 쓴다. = **so as to fit in with** a group = **to fit in with** a group

❾ 「the + 비교급 ~ , the + 비교급 …」은 '~할수록 더 …하다'라는 의미이다. 이 문장에서는 '우리가 집단에 느끼는 정서적 유대가 클수록, 우리는 더 강하게 동조한다'라고 해석한다.

⓫ When **it** is difficult **to make a decision**, we *tend to go along with* the majority.
→ it은 가주어이고, to make a decision이 진주어이다. 이때 가주어 it은 따로 해석하지 않는다.
→ 「tend + to-v」는 '~하는 경향이 있다'라는 의미이다.

⓬ Also, we will **likely** follow *those* [*who* are higher in status].
→ likely는 '아마'라는 의미의 부사로, 동사 will follow를 수식하고 있다.
  cf. be likely to: ~할 것 같다, ~할 가능성이 있다 *ex.* Seth **is likely to follow** his father's path. (Seth는 아버지의 길을 따를 것 같다.)
→ [ ]는 앞에 온 선행사 those를 수식하는 주격 관계대명사절이다. 이때 those who는 '~하는 사람들'이라고 해석한다.

본문 해석

❶ 당신은 입 뒤쪽에 아직 나지 않은 치아가 있다는 것을 알고 있는가? ❷ 그것들은 보통 17살 이후로, 당신이 나이가 더 들면 나온다. ❸ 이 나이 때는, 지혜를 얻는다고 한다. ❹ 이것이 그것들이 지혜의 치아(사랑니)라고 불리는 이유이다.

❺ 실제로는, 사랑니는 종종 통증과 충치를 유발해서, 대부분의 사람들은 그것들이 제거되게 한다. ❻ 하지만, 수백만 년 전에, 우리의 선조들은 질긴 뿌리, 이파리, 그리고 날고기를 먹기 위해 사랑니를 사용했다. ❼ 그들의 턱은 또한 훨씬 더 커서, 입안에 사랑니를 위한 충분한 공간을 제공했다.

❽ 하지만, 인간이 요리를 위해 불을 사용하기 시작함에 따라, 음식은 더 부드럽고 씹기 쉬워졌다. ❾ 결과적으로, 우리의 턱은 시간이 지나면서 더 작아졌다. ❿ 이제, 우리는 사실상 사랑니를 위한 충분한 공간을 갖고 있지 않다. ⓫ 실제로, 오늘날 점점 더 많은 사람들이 평생 사랑니가 나지 않는다!

❶ Do you know / that you have teeth in the back of your mouth / that
당신은 알고 있는가   당신이 당신의 입 뒤쪽에 치아를 갖고 있다는 것을

haven't come out yet? / ❷ They emerge when you're older, / usually after
아직 나지 않은   그것들은 당신이 나이가 더 들면 나온다   보통 17살 이후로

the age of 17. / ❸ At this age, / it is said / that you have gained wisdom. /
이 나이 때는   ~이라고 한다   당신이 지혜를 얻는다고

❹ This is why / they are called wisdom teeth. /
이것이 ~한 이유이다 그것들이 지혜의 치아(사랑니)라고 불리는

❺ In reality, / wisdom teeth often cause pain and cavities, / so most
실제로는   사랑니는 종종 통증과 충치를 유발한다   그래서 대부분의

people have them removed. / ❻ (A) However, / several million years ago, /
사람들은 그것들이 제거되게 한다   하지만   수백만 년 전에

our ancestors used their wisdom teeth / to eat tough roots, leaves, and
우리의 선조들은 그들의 사랑니를 사용했다   질긴 뿌리, 이파리, 그리고 날고기를 먹기 위해

raw meat. / ❼ Their jaws were also much larger, / providing plenty of
            그들의 턱은 또한 훨씬 더 컸다   그리고 입안에 충분한

room in the mouth / for wisdom teeth. /
공간을 제공했다   사랑니를 위한

❽ However, / as humans started to use fire for cooking, / food became
하지만   인간이 요리를 위해 불을 사용하기 시작함에 따라   음식은 더

softer and easier to chew. / ❾ (B) As a result, / our jaws became smaller /
부드럽고 씹기 쉬워졌다   결과적으로   우리의 턱은 더 작아졌다

over time. / ❿ Now, / we don't really have enough space / for wisdom
시간이 지나면서   이제   우리는 사실상 충분한 공간을 갖고 있지 않다   사랑니를 위한

teeth. / ⓫ In fact, / more and more people these days / don't get wisdom
          실제로   오늘날 점점 더 많은 사람들이   사랑니가 나지 않는다

teeth / throughout their life! /
평생

구문 해설

❶ Do you know [that you have teeth in the back of your mouth {that **haven't come** out yet}]?

→ [ ]는 know의 목적어 역할을 하는 명사절이다. 이때 명사절 접속사 that은 생략할 수 있다.

→ { }는 앞에 온 선행사 teeth를 수식하는 주격 관계대명사절이다.

→ haven't come은 현재완료 시제(have p.p.)로, 이 문장에서는 과거에 시작된 일이 현재에 끝난 [완료]를 나타낸다. 아직까지 치아가 나는 것이 완료되지 않았다는 의미이다. 현재완료 시제로 완료를 나타낼 때는 주로 yet, already, just, recently, lately 등이 함께 쓰인다.

❸ At this age, **it** is said [that you *have gained* wisdom].

→ it은 가주어이고 that절이 진주어이다. 이때 가주어 it은 따로 해석하지 않는다.

→ have gained는 현재완료 시제(have p.p.)로, 이 문장에서는 과거에 시작된 일이 현재에 끝난 [완료]를 나타낸다.

❺ 「have + 목적어 + p.p.」는 '~가 …되게 하다'라는 의미이다. 목적어와의 수동 관계를 나타내기 위해 동사원형 대신 과거분사가 쓰였다.

cf. 「have + 목적어 + 동사원형」: ~가 …하게 하다 [능동]   *ex.* Parents **have their kids study**. (부모는 자녀가 공부하게 한다.)

1 Why are the underlined <u>teeth</u> called wisdom teeth? Write the answer in Korean.
밑줄 친 <u>teeth</u>가 사랑니라고 불리는 이유는 무엇인가? 우리말로 쓰시오.
지혜를 얻는 나이인 17살 이후에 사랑니가 나오기 때문에

2 Which is the best choice for blanks (A) and (B)? 빈칸 (A)와 (B)에 들어갈 말로 가장 적절한 것은?

(A)		(B)
① However	······	Nevertheless 하지만 … 그럼에도 불구하고
✓② However	······	As a result 하지만 … 결과적으로
③ For example	······	Nevertheless 예를 들어 … 그럼에도 불구하고
④ For example	······	In fact 예를 들어 … 실제로
⑤ Therefore	······	As a result 따라서 … 결과적으로

3 Which CANNOT be answered about wisdom teeth based on the passage?
이 글을 바탕으로 사랑니에 관해 답할 수 없는 질문은?
① Where are they located? 그것들은 어디에 위치해 있는가?
② When do they usually come out? 그것들은 보통 언제 나는가?
✓③ How many of them do people have? 사람들은 그것들을 몇 개 가지는가?
④ Why do people get them removed? 사람들은 왜 그것들을 제거하는가?
⑤ What did ancient people use them for? 옛날 사람들은 무엇을 위해 그것들을 사용했는가?

4 Choose the correct one based on the passage. 이 글을 바탕으로 알맞은 것을 고르시오.

In the past 과거에	**Today** 오늘날
Humans ate foods that were (1) (easy / [hard]) to chew, and they had (2) (smaller / [larger]) jaws. 인간은 씹기 (1) 어려운 음식을 먹었고, 그들은 (2) 더 큰 턱을 가졌다.	People usually eat things that are (3) ([easy] / hard) to chew and have (4) ([smaller] / larger) jaws. 사람들은 보통 씹기 (3) 편한 것들을 먹고 (4) 더 작은 턱을 가지고 있다.

1 문장 ❷-❹에서 지혜를 얻는다고 하는 17살 이후에 사랑니가 나오기 때문에, 그 치아가 지혜의 치아(사랑니)라고 불린다고 했다.

2 (A) 빈칸 앞에서 사랑니가 통증과 충치를 유발해서 많은 사람들이 그것을 제거한다고 설명한 후, 빈칸이 있는 문장에서 우리의 선조들은 그것을 질긴 음식을 먹는 데 사용했다고 대조되는 내용을 언급했다. 따라서 빈칸 (A)에는 '하지만'이 가장 적절하다.
(B) 빈칸 앞에서 사람들이 요리에 불을 사용하면서 음식이 씹기 편해졌다고 했고, 이것은 빈칸이 있는 문장에서 우리의 턱이 더 작아졌다고 한 이유에 해당하므로, 빈칸 (B)에는 '결과적으로'가 가장 적절하다.

3 ③: 사람들이 사랑니를 몇 개 가지는지에 대한 언급은 없다.
①: 문장 ❶에서 사랑니는 입 뒤쪽에 있다고 했다.
②: 문장 ❷에서 사랑니는 보통 17살 이후에 난다고 했다.
④: 문장 ❺에서 사랑니가 통증과 충치를 유발해서 제거한다고 했다.
⑤: 문장 ❻에서 우리의 선조들은 질긴 뿌리, 이파리, 날고기를 먹기 위해 사랑니를 사용했다고 했다.

4 문제 해석 참고

정답 **1** 지혜를 얻는 나이인 17살 이후에 사랑니가 나오기 때문에 **2** ② **3** ③
4 (1) hard (2) larger (3) easy (4) smaller

❼ Their jaws were also much larger, [**providing** plenty of room in the mouth for wisdom teeth].
→ [ ]는 '그리고 입안에 사랑니를 위한 충분한 공간을 제공했다'라는 의미의 [연속동작]을 나타내는 분사구문이다. 분사구문은 부사절에서 접속사와 주어를 생략한 후, 동사를 v-ing로 바꿔 만든다.
= 「접속사 + 주어 + 동사」 *ex.* Their jaws were also much larger, **and they provided** plenty of room ~ for wisdom teeth.

❽ However, as humans **started to use** fire for cooking, food *became softer* and *easier* to chew.
→ start는 목적어로 to부정사와 동명사 모두 쓸 수 있다. *ex.* I **started using** an iPhone. (나는 아이폰을 사용하기 시작했다.)
→ 「become + 형용사」는 '~하게 되다'라는 의미이다. 여기서는 형용사의 비교급 softer와 easier가 접속사 and로 연결되어 쓰였다.
→ to chew는 '씹기에'라는 의미로, to부정사의 부사적 용법으로 쓰여 형용사의 비교급 easier를 수식하고 있다.

⓫ 「비교급 and 비교급」은 '점점 더 ~한/하게'라는 의미이다. 이 문장에서는 형용사의 비교급 more이 쓰여 '점점 더 많은'이라고 해석한다.

본문 해석

❶ 당신이 고기를 먹는 것에 대해 가끔 죄책감을 느낀다면, 당신은 클린 미트라고 불리는 새로운 제품에 관심이 있을지도 모른다.

❷ 클린 미트는 연구실에서 생산된다. ❸ 먼저, 근육 세포가 돼지, 소, 또는 닭과 같은 살아있는 동물로부터 떼어내진다. ❹ 그 다음, 세포는 영양분을 공급받고 근육으로 키워지는데, 이것들은 우리가 먹는 고기의 주된 부위이다. ❺ 마지막으로, 클린 미트는 햄버거 패티와 소시지 같은 다양한 식품으로 가공된다.

❻ 하나의 세포가 만 킬로그램의 고기를 만들어낼 수 있는데, 이것은 마치 보통 고기처럼 보이고 맛이 난다. ❼ 이 새로운 제품으로, 당신은 가축을 죽이지 않고 원하는 만큼의 고기를 먹을 수 있다. ❽ 게다가, 그것은 농장에서 사육되는 동물들의 수를 줄임으로써 환경에 긍정적인 영향을 끼친다. ❾ 예를 들어, 단 네 마리의 소가 한 대의 차와 같은 양의 온실가스를 배출한다. ❿ 하지만 클린 미트는 조금의 온실가스도 전혀 배출하지 않는다. ⓫ 그것은 얼마나 '깨끗한' 고기인가!

❶ If you sometimes feel guilty about eating meat, / you may be
당신이 고기를 먹는 것에 대해 가끔 죄책감을 느낀다면   당신은 새로운

interested in a new product / called Clean Meat. /
제품에 관심이 있을지도 모른다   Clean Meat(클린 미트)라고 불리는

❷ Clean Meat is produced in a lab. / ❸ First, / muscle cells are removed
클린 미트는 연구실에서 생산된다   먼저   근육 세포들이 살아있는 동물로부터

from a living animal, / such as a pig, cow, or chicken. / ❹ Next, / the cells
떼어내진다   돼지, 소, 또는 닭과 같은   그 다음   그 세포들은

are given nutrients / and grown into muscles, / which are the main part
영양분을 공급받는다   그리고 근육으로 키워진다   그런데 이것들은 우리가 먹는 고기의

of the meat we eat. / ❺ Finally, / Clean Meat is processed into various
주된 부위들이다   마지막으로   클린 미트는 다양한 식품들로 가공된다

food products, / like hamburger patties or sausages. /
햄버거 패티와 소시지 같은

❻ A single cell can create 10,000 kilograms of meat, / which looks
하나의 세포가 만 킬로그램의 고기를 만들어낼 수 있다   그런데 이것은

and tastes just like regular meat. / ❼ With this new product, / you
마치 보통 고기처럼 보이고 맛이 난다   이 새로운 제품으로   당신은

can eat / as much meat as you want / without killing livestock. / ❽ In
먹을 수 있다 당신이 원하는 만큼의 고기를   가축을 죽이지 않고

addition, / it has a positive effect on the environment / by reducing the
게다가   그것은 환경에 긍정적인 영향을 끼친다   동물들의 수를 줄임으로써

number of animals / that are raised on farms. / ❾ For example, / just four
농장에서 사육되는   예를 들어   단 네 마리의

cows emit / the same amount of greenhouse gas as a car. / ❿ But Clean
소들이 배출한다 한 대의 차와 같은 양의 온실가스를   하지만

Meat doesn't release any greenhouse gas / at all. / ⓫ What *clean* meat it
클린 미트는 조금의 온실가스도 배출하지 않는다   전혀   그것은 얼마나 '깨끗한'

is! /
고기인가

구문 해설

❶ If you sometimes feel guilty about eating meat, you **may be interested** in a new product [*called* Clean Meat].
→ 조동사 뒤에는 동사원형이 오므로, 조동사가 있는 수동태는 「조동사 + be p.p.」가 된다.
→ [ ]는 앞에 온 a new product를 수식하는 과거분사구이다. 이때 called는 '~이라고 불리는'이라고 해석한다.

❹ Next, the cells **are given** nutrients and grown into muscles[, *which* are the main part of the meat {(which/that) we eat}].
→ 「A be given B」는 'A가 B를 받다'라는 의미로, 「give + 간접목적어(A) + 직접목적어(B)」에서 간접목적어를 주어로 만든 수동태 표현이다.
= 「B be given to A」: B가 A에게 주어지다 *ex.* nutrients **are given to** the cells (영양분이 그 세포들에 주어진다)
→ [ ]는 계속적 용법의 관계대명사절로, '그런데 (선행사는) ~하다'라고 해석한다. 이때 관계대명사 앞에는 항상 콤마를 쓴다. 여기서는 앞에 온 muscles를 선행사로 가져 '그런데 이것들(근육들)은 우리가 먹는 고기의 주된 부위들이다'이라고 해석한다.
→ { }는 앞에 온 선행사 the meat를 수식하는 목적격 관계대명사절로, 목적격 관계대명사 which/that이 생략되어 있다.

문제 해설

1 이 글의 제목을 다음과 같이 나타낼 때, 빈칸에 들어갈 말을 글에서 찾아 쓰시오.
(단, 주어진 철자로 시작하여 쓰시오.)

| A New Type of | Meat | That Protects | Livestock | and Nature |

가축과 자연을 보호하는 새로운 유형의 고기

2 이 글의 빈칸에 들어갈 말로 가장 적절한 것은?

① makes raising livestock easier 가축을 사육하는 것을 더 쉽게 만든다
② improves the treatment of farm animals 가축에 대한 처우를 개선한다
③ has a positive effect on the environment 환경에 긍정적인 영향을 끼친다 ✓
④ lowers the cost of producing meat 고기를 생산하는 비용을 낮춘다
⑤ is able to produce meat more quickly 고기를 더 빠르게 생산할 수 있다

3 이 글의 내용과 일치하면 T, 그렇지 않으면 F를 쓰시오.

(1) Hamburgers and sausages can be made with Clean Meat.   T
햄버거와 소시지는 클린 미트로 만들어질 수 있다.
(2) The taste of Clean Meat is similar to that of normal meat.   T
클린 미트의 맛은 일반적인 고기의 맛과 비슷하다.
(3) A cow releases four times more greenhouse gas than a car.   F
한 마리의 소가 한 대의 차보다 4배 더 많은 온실가스를 배출한다.

4 이 글의 내용으로 보아, 다음 빈칸에 들어갈 말을 보기 에서 찾아 쓰시오.

| 보기 | removed | muscles | processed | reduced | nutrients |
| | 떼어내진다 | 근육 | 가공된다 | 줄어진다 | 영양분 |

Clean Meat Production Process
클린 미트 생산 과정

Muscle cells are (1) ___removed___ from an animal.
근육 세포가 동물로부터 (1) 떼어내진다.

↓

The cells receive (2) ___nutrients___ so that they develop into meat.
그 세포는 그것들이 고기로 성장할 수 있도록 (2) 영양분을 받는다.

↓

The meat is (3) ___processed___ for a variety of uses.
그 고기는 다양한 용도로 (3) 가공된다.

정답 **1** Meat, Livestock   **2** ③   **3** (1) T (2) T (3) F
4 (1) removed (2) nutrients (3) processed

---

1 실험실에서 생산되어 동물을 죽이지 않으면서 온실가스 배출도 줄일 수 있는 고기인 클린 미트를 소개하는 글이므로, 제목으로 '가축과 자연을 보호하는 새로운 유형의 고기'가 가장 적절하다.

2 빈칸 뒤에서 농장에서 사육되는 동물인 소 네 마리가 한 대의 차와 같은 양의 온실가스를 배출한다고 한 후, 클린 미트는 온실가스를 전혀 배출하지 않아 깨끗한 고기라고 했다. 따라서 빈칸에는 '③ 환경에 긍정적인 영향을 끼친다'가 가장 적절하다.

3 (1) 문장 ❺에서 클린 미트는 햄버거 패티와 소시지 같은 다양한 식품으로 가공된다고 했다.
(2) 문장 ❻에서 세포에서 만들어진 클린 미트는 보통 고기와 같은 맛이 난다고 했다.
(3) 문장 ❾에서 네 마리의 소가 한 대의 차와 같은 양의 온실가스를 배출한다고 했다.

4 문제 해석 참고

---

❻ A single cell can create 10,000 kilograms of meat[**, which** *looks and tastes* just *like regular meat*].
→ [ ]는 앞에 온 10,000 kilograms of meat를 선행사로 가지는 계속적 용법의 관계대명사절이다.
→ 「look like + 명사」는 '~처럼 보이다'라는 의미이고, 「taste like + 명사」는 '~처럼 맛이 나다'라는 의미이다.
   cf. 「look + 형용사」: ~하게 보이다   *cf.* 「taste + 형용사」: ~한 맛이 나다, 맛이 ~하게 나다

❽ In addition, it has a positive effect on the environment **by reducing** the number of animals [that are raised on farms].
→ 「by + v-ing」는 '~함으로써, ~해서'라는 의미로 수단이나 방법을 나타낸다. 이 문장에서는 '줄임으로써'라고 해석한다.
→ [ ]는 앞에 온 선행사 animals를 수식하는 주격 관계대명사절이다.

⓫ What 감탄문 「What + (a/an) + 형용사 + 명사 + 주어 + 동사!」는 '~는 얼마나 …한 ~인가!'라는 의미로, 이 문장에서는 '그것은 얼마나 '깨끗한' 고기인가!'라고 해석한다. 이때 meat가 셀 수 없는 명사이므로 a를 쓰지 않았다. 또한 주어와 동사를 생략해서 What clean meat!로 쓸 수도 있다.

본문 해석

❶ 두 명의 다른 예술가들에 의해 그려진 이 두 개의 예술 작품을 보아라. ❷ 그것들은 둘 다 전형적인 추상화처럼 보인다. ❸ 하지만, 둘 중 하나는 매우 특이한 뒷이야기를 가지고 있다.

❹ 1964년에, Pierre Brassau라는 예술가의 여러 그림이 스웨덴의 예술전시회에 전시되어 있었다. ❺ 전 세계 다른 예술가들의 작품들 또한 있었지만, 가장 많은 관심을 끈 것은 바로 Brassau의 작품이었다. ❻ 비평가들은 강렬한데도 섬세한 것에 대해 그의 그림을 칭찬했다. ❼ 모두가 Brassau가 누구인지 궁금해했고 그를 정말 직접 만나고 싶어 했다. ❽ 하지만 놀랍게도, 그는 사람이 아니라 침팬지였다! ❾ Pierre Brassau는 한 기자의 창작물이었다. ❿ 그 기자는 예술 비평가들이 진짜 추상 예술 작품과 가짜 예술 작품을 구별할 수 있는지 시험해보고 싶었다. ⓫ 그래서, 그는 근처 동물원에 있는 4살짜리 침팬지가 붓과 물감을 가지고 놀도록 했다.

⓬ 당신은 어떤 그림이 침팬지에 의해 만들어졌다고 생각하는가? ⓭ 그것은 왼쪽에 있는 것이다.

---

❶ Look at these two works of art / painted by two different artists. /
이 두 개의 예술 작품들을 보아라   두 명의 다른 예술가들에 의해 그려진

❷ They both look like typical abstract paintings. / ❸ However, / one of the
그것들은 둘 다 전형적인 추상화처럼 보인다   하지만   둘 중 하나는

two has a very unusual story behind it. /
매우 특이한 뒷이야기를 가지고 있다

❹ In 1964, / several paintings by ⓐ an artist named Pierre Brassau /
1964년에   Pierre Brassau라는 이름의 예술가의 여러 그림들이

were exhibited at an art show in Sweden. / ❺ There were works by other
스웨덴의 예술전시회에 전시되어 있었다   전 세계의 다른 예술가들의 작품들이

artists from all over the world / as well, / but it was Brassau's work /
있었다   또한   하지만 바로 Brassau의 작품이었다

that attracted the most attention. / ❻ Critics praised ⓑ his paintings /
가장 많은 관심을 끈 것은   비평가들은 그의 그림들을 칭찬했다

for being powerful yet delicate. / ❼ Everyone was curious / about who
강렬한데도 섬세한 것에 대해   모두가 궁금해했다   Brassau가

Brassau was / and couldn't wait to meet ⓒ him in person. / ❽ But
누구인지에 대해   그리고 그를 정말 직접 만나고 싶어 했다   하지만

surprisingly, / he was not a person but a chimpanzee! / ❾ Pierre Brassau
놀랍게도   그는 사람이 아니라 침팬지였다   Pierre Brassau는

was the creation of a journalist. / ❿ The journalist wanted to test / whether
한 기자의 창작물이었다   그 기자는 시험해보고 싶었다

art critics could tell the difference / between true abstract art and fake
예술 비평가들이 구별할 수 있는지   진짜 추상 예술 작품과 가짜 예술 작품 간의

art. / ⓫ So, ⓓ he let / a four-year-old chimpanzee at a nearby zoo /
그래서 그는 ~하도록 했다   근처 동물원에 있는 4살짜리 침팬지가

play with a brush and some paint. /
붓과 물감을 가지고 놀도록

⓬ Which painting do you think was made / by ⓔ the chimpanzee? /
당신은 어떤 그림이 만들어졌다고 생각하는가   침팬지에 의해

⓭ It's the one on the left. /
그것은 왼쪽에 있는 것이다

구문 해설

❺ There were works by other artists ~ as well, but **it was** Brassau's work [**that** attracted the most attention].
→ 「it is ~ that …」 강조 구문은 '…한 것은 바로 ~이다'라는 의미이다. 강조하고 싶은 말은 it is와 that 사이에 쓰고, 강조되는 말을 제외한 나머지 부분은 that 뒤에 쓴다. 강조하는 대상에 따라 that 대신 who(m)/which/where/when을 쓸 수 있다.
ex. I saw Jim. (나는 Jim을 봤다.) → **It was** Jim **that/who(m)** I saw. (내가 봤던 사람은 바로 Jim이었다.)

❻ yet은 '그런데도, 그렇지만'이라는 의미로, 대등한 단어와 단어, 구와 구, 절과 절을 연결하는 접속사이다. 이 문장에서는 형용사 powerful과 delicate를 연결하고 있다.

❼ Everyone was curious about [who Brassau was] and **couldn't wait to meet** him in person.
→ [ ]는 「의문사 + 주어 + 동사」의 간접의문문으로, about의 목적어 역할을 하고 있다.
→ 「can't wait + to-v」는 '정말 ~하고 싶어 하다, ~할 것을 기다릴 수 없다'라는 의미로, 바람이나 기대를 나타내는 표현이다.

❽ 「not A but B」는 'A가 아니라 B'라는 의미이다. 이 문장에서는 '사람이 아니라 침팬지'라고 해석한다.

1 이 글의 주제로 가장 적절한 것은?

① difficulty in creating abstract art 추상 예술을 창작하는 것의 어려움
② a new outstanding abstract artist 뛰어난 신인 추상 예술가
✓③ a chimpanzee that fooled the art world 예술계를 속인 침팬지
④ how to distinguish fake art from real art 가짜 예술 작품과 진짜 예술 작품을 구별하는 방법
⑤ a story of two different paintings by an artist 한 예술가의 두 개의 다른 그림에 관한 이야기

2 이 글의 밑줄 친 ⓐ~ⓔ 중, 가리키는 대상이 나머지 넷과 다른 것은?

① ⓐ　　　　② ⓑ　　　　③ ⓒ　　　　✓④ ⓓ　　　　⑤ ⓔ

3 이 글의 빈칸에 들어갈 말로 가장 적절한 것은?

✓① creation 창작물　　② target 목표물　　③ pet 애완동물
④ rival 경쟁자　　⑤ identity 정체성

4 이 글의 내용으로 보아, 빈칸 (A), (B), (C)에 들어갈 말로 가장 적절한 것은?

> Some paintings drawn by a(n) ___(A)___ appeared at a(n) ___(B)___, and they drew a lot of attention. But they were actually made to test ___(C)___.

(A) 침팬지에 의해 그려진 몇몇 그림들이 (B) 전시회에 나왔고, 그것들은 많은 관심을 끌었다. 하지만 그것들은 사실 (C) 예술 비평가들을 시험해보기 위해 만들어졌다.

	(A)	(B)	(C)	
①	artist	zoo	other artists	예술가 … 동물원 … 다른 예술가들
②	journalist	zoo	art critics	기자 … 동물원 … 예술 비평가들
③	journalist	exhibition	other artists	기자 … 전시회 … 다른 예술가들
✓④	chimpanzee	exhibition	art critics	침팬지 … 전시회 … 예술 비평가들
⑤	chimpanzee	exhibition	journalists	침팬지 … 전시회 … 기자들

정답　1 ③　2 ④　3 ①　4 ④

1 침팬지의 그림을 추상 예술 작품으로 가장해 비평가들을 시험해봤던 한 기자의 일화를 소개하는 글이므로, 주제로 ③ '예술계를 속인 침팬지'가 가장 적절하다.

2 ⓓ는 기자를 가리키고, 나머지는 모두 침팬지, 즉 Pierre Brassau를 가리킨다.

3 빈칸 뒤에서 기자가 예술 비평가들이 진짜 추상 예술 작품과 가짜 예술 작품을 구별할 수 있는지 시험해보기 위해, 침팬지가 붓과 물감을 가지고 놀도록 했다고 했다. 따라서 Pierre Brassau는 기자에 의해 만들어진 가짜 화가임을 알 수 있으므로, 빈칸에는 ① '창작물'이 가장 적절하다.

4 문제 해석 참고

⓾ The journalist **wanted to test** [*whether* art critics could tell the difference between true abstract art and fake art].
→ 「want + to-v」는 '~하고 싶다, ~하기를 원하다'라는 의미이다. want는 목적어로 to부정사를 쓴다.
→ [ ]는 to test의 목적어 역할을 하는 명사절로, 이때 명사절 접속사 whether는 '~인지 (아닌지)'라고 해석한다.

⓫ So, he **let** [a four-year-old chimpanzee at a nearby zoo] **play** with a brush and some paint.
→ 「let + 목적어 + 동사원형」은 '~가 …하도록 하다, 두다'라는 의미이다. 이 문장에서는 [ ]가 목적어에 해당한다.

⓬ **Which painting** [do you *think*] **was made by the chimpanzee**?
→ Which painting was made by the chimpanzee는 「의문사 + 주어 + 동사」의 간접의문문이다.
→ 간접의문문(Which painting was made ~)이 포함된 의문문에 생각이나 추측을 나타내는 think, believe, guess 등의 동사가 쓰인 경우 간접의문문의 의문사를 문장 맨 앞에 쓴다. 이 문장에서처럼 의문사(which)가 뒤의 명사를 수식할 때는 「의문사 + 명사」를 문장 맨 앞에 쓴다.
　= Do you think? + Which painting was made by the chimpanzee?

본문 해석

❶ 당신은 특별히 자격을 갖춘 사람들만 참가할 수 있는 국제 스포츠 행사가 있다는 것을 알고 있었는가? ❷ 그것은 사이배슬론인데, 이는 '사이보그 올림픽'을 의미한다.

❸ 이 대회의 모든 팀은 한 명의 선수와 한 무리의 로봇 개발자들로 구성된다. ❹ 선수들은 '조종사'라고 불린다. ❺ 그들은 신체장애를 가지고 있어서, 그들이 움직이도록 돕기 위해 개발자들에 의해 설계된 로봇 부품을 착용하고 조종한다. ❻ 대회 동안, 조종사들은 계단을 걸어 올라가는 것이나 빨래를 너는 것과 같은 일상적인 과제를 완수해야 한다. ❼ 조종사가 그 과제를 가장 성공적으로 빠르게 수행해내는 팀이 이긴다. ❽ 이긴 팀은 조종사를 위한 것과 로봇 개발자 무리를 위한 것의 두 개의 메달을 받는다.

❾ 사이배슬론의 궁극적인 목표는 더 쉽게 움직이고, 무게가 더 적게 나가고, 더 긴 배터리 수명을 가진 로봇을 만드는 것이다. ❿ 이 특별한 대회는 장애를 가진 사람들을 일상생활에서 돕는 착용할 수 있는 로봇을 개발하는 것에 기여할 것이다.

❶ Did you know / that there is an international sports event / that only
당신은 알고 있었는가 국제 스포츠 행사가 있다는 것을   오직

specially qualified people can participate in? / ❷ It is the Cybathlon, /
특별히 자격을 갖춘 사람들만이 참가할 수 있는   그것은 Cybathlon(사이배슬론)이다

which means "cyborg Olympics." /
그런데 이것은 '사이보그 올림픽'을 의미한다

❸ Every team in this competition / consists of one athlete and a group
이 대회의 모든 팀은   한 명의 선수와 한 무리의 로봇 개발자들로

of robot developers. / ❹ The athletes are called "pilots." / ❺ They have
구성된다   선수들은 '조종사'라고 불린다   그들은

physical disabilities, / so they wear and operate robotic parts / designed
신체장애를 가지고 있다   그래서 그들은 로봇 부품들을 착용하고 조종한다

by the developers / to help them move. / ❻ During the competition, /
개발자들에 의해 설계된   그들이 움직이도록 돕기 위해   대회 동안

pilots have to complete everyday tasks, / such as walking up the stairs
조종사들은 일상적인 과제들을 완수해야 한다   계단을 걸어 올라가는 것이나

or hanging the laundry. / ❼ The team / whose pilot carries out the tasks
빨래를 너는 것과 같은   팀이   그것(팀)의 조종사가 그 과제들을 가장 성공적으로

most successfully and quickly / wins. / ❽ The winning team receives two
그리고 가장 빠르게 수행해내는   이긴다   이긴 팀은 두 개의 메달들을 받는다

medals: / one for the pilot / and one for the group of robot developers. /
          조종사를 위한 것   그리고 로봇 개발자 무리를 위한 것

❾ The ultimate goal of the Cybathlon is to make robots / that move
사이배슬론의 궁극적인 목표는 로봇들을 만드는 것이다   더 쉽게 움직이고,

more easily, weigh less, and have a longer battery life. / ❿ This unique
무게가 더 적게 나가고, 더 긴 배터리 수명을 가진   이 특별한 대회는

competition will contribute to developing wearable robots / to assist
착용할 수 있는 로봇들을 개발하는 것에 기여할 것이다   장애를 가진

people with disabilities in their daily lives. /
사람들을 그들의 일상생활에서 돕는

구문 해설

❶ Did you know [that there is an international sports event {that only specially qualified people can participate in}]?
→ [ ]는 know의 목적어 역할을 하는 명사절이다. 이때 명사절 접속사 that은 생략할 수 있다.
→ { }는 앞에 온 선행사 an international sports event를 수식하는 목적격 관계대명사절이다. 이때 목적격 관계대명사 that은 생략하거나 which로 바꿔 쓸 수 있다.

❷ It is the Cybathlon[, **which** means "cyborg Olympics."]
→ [ ]는 Cybathlon을 선행사로 가지는 계속적 용법의 관계대명사절이다. 여기서는 '그런데 이것(사이배슬론)은 ~하다'라고 해석한다.

❸ every(모든) 뒤에는 반드시 단수명사(team)가 와야 하며, 「every + 단수명사」는 단수 취급하므로, 단수동사구 consists of가 쓰였다.

❺ They have physical disabilities, so they wear and operate robotic parts [**designed** by the developers to *help them move*].
→ [ ]는 앞에 온 robotic parts를 수식하는 과거분사구이다. 이때 designed는 '설계된'이라고 해석한다.
→ 「help + 목적어 + 동사원형」은 '~가 …하도록 돕다'라는 의미이다. = 「help + 목적어 + to-v」

1 이 글의 제목으로 가장 적절한 것은?

① Cybathlon: Cyborgs vs. Humans 사이배슬론: 사이보그 대 인간
② How Cyborgs Assist with Daily Tasks 사이보그는 어떻게 일상적 과제를 돕는가
③ An International Event for All Athletes 모든 선수들을 위한 국제적 행사
④ Technology to Cure People with Disabilities 장애를 가진 사람들을 치료하는 기술
✓⑤ A Competition Helping to Overcome Disabilities 장애를 극복하도록 돕는 대회

2 이 글에서 Cybathlon에 관해 언급되지 <u>않은</u> 것을 고르시오.

① 참가 대상　　✓② 개최 기간　　③ 수행 과제
④ 우승 조건　　⑤ 최종 목표

3 이 글의 빈칸에 들어갈 말로 가장 적절한 것은?

① sports activities 스포츠 활동들　　② volunteer services 자원봉사 활동들
✓③ wearable robots 착용할 수 있는 로봇들　　④ medical devices 의료 기기들
⑤ physical training programs 신체 훈련 프로그램들

4 Cybathlon에 관한 이 글의 내용과 일치하지 <u>않는</u> 것은?

① Each pilot participates with a group of robot developers.
　각 조종사는 한 무리의 로봇 개발자들과 함께 참가한다.
② Pilots use robotic devices during the competition.
　조종사들은 대회 동안 로봇 기기들을 사용한다.
✓③ People with a lot of knowledge about robots can become pilots.
　로봇에 대해 많은 지식을 가진 사람들이 조종사가 될 수 있다.
④ Athletes compete against each other doing daily activities.
　선수들은 일상적인 활동을 하면서 서로 경쟁한다.
⑤ A medal is awarded to the winning athlete and robot developers.
　메달은 이긴 선수와 로봇 개발자들에게 수여된다.

정답　1 ⑤　2 ②　3 ③　4 ③

문제 해설

1 신체 장애를 가진 선수와 로봇 개발자들이 한 팀을 이뤄 일상적인 과제를 완수하는 사이배슬론 대회를 소개하는 글이므로, 제목으로 ⑤ '장애를 극복하도록 돕는 대회'가 가장 적절하다.

2 ②: 개최 기간에 대한 언급은 없다.
① : 문장 ❸, ❺를 통해 신체 장애를 가진 선수와 로봇 개발자들이 참가 대상임을 알 수 있다.
③: 문장 ❻에서 계단 오르기, 빨래 널기 같은 과제를 완수해야 한다고 했다.
④: 문장 ❼에서 과제를 가장 성공적으로 빠르게 수행해내는 조종사가 있는 팀이 이긴다고 했다.
⑤: 문장 ❾에서 사이배슬론의 최종 목표가 더 쉽게 움직이고, 무게가 더 적게 나가고, 더 긴 배터리 수명을 가진 로봇을 만드는 것이라고 했다.

3 빈칸 앞의 단락에서 선수가 로봇 부품을 착용하고 조종한다고 했고, 빈칸 앞에서 사이배슬론의 목표가 성능 좋은 로봇을 만드는 것이라고 했다. 따라서 빈칸에는 ③ '착용할 수 있는 로봇들'이 가장 적절하다.

4 ③: 문장 ❶, ❺를 통해 신체장애를 가진 사람들만이 조종사가 될 수 있음을 알 수 있다.
①은 문장 ❸-❹에, ②는 문장 ❺에, ④는 문장 ❻에, ⑤는 문장 ❽에 언급되어 있다.

---

❼ The team [**whose** pilot carries out the tasks most successfully and quickly] wins.
→ [ ]는 앞에 온 선행사 The team을 수식하는 소유격 관계대명사절이다. 소유격 관계대명사 whose는 관계대명사절 안에서 소유격 역할을 하며, 사람, 사물, 동물을 모두 선행사로 가질 수 있다.

❾ The ultimate goal of the Cybathlon is **to make robots** [that *move* more easily, *weigh* less, and *have* a longer battery life].
→ to make robots는 '로봇들을 만드는 것'이라는 의미로, to부정사의 명사적 용법으로 쓰여 is의 보어 역할을 하고 있다. 명사적 용법의 to부정사는 문장 안에서 주어, 보어 또는 목적어 역할을 한다.
→ [ ]는 앞에 온 선행사 robots를 수식하는 주격 관계대명사절이다. 이때 주격 관계대명사 that은 which로 바꿔 쓸 수 있다.
→ 현재 시제 복수동사 move, weigh, have가 접속사 and로 연결되어 쓰였다. 이때 세 가지 이상의 단어가 나열되었으므로 「A, B, and[or] C」로 나타냈다.

❿ 「contribute to + (동)명사」는 '~하는 것에 기여하다'라는 의미로, 이때 to는 전치사이다.

본문 해석

❶ 단 한 달 만에, 42만 명이 넘는 사람들이 인터넷에서 한 사진을 봤다. ❷ 그것은 단지 해변에 있는 집의 사진이었다. ❸ 그렇다면 왜 그렇게 평범한 사진이 매우 많은 관심을 받았을까?

❹ 2003년에, 한 웹사이트에는 12만 개 이상의 항공사진 모음이 있었다. ❺ 그것들은 캘리포니아 해안선의 지질학적 변화를 기록하기 위해 찍혔었다. ❼ 그 사진들 중 하나는 할리우드 연예인인 바브라 스트라이샌드의 집이었다. ❻ 스트라이샌드는 대중이 그녀의 집을 보기를 원하지 않았기 때문에 사진가에게 그 사진을 웹사이트에서 지워달라고 요청했다. ❽ 하지만 사진가는 여러 차례 거절했다. ❾ 결국, 그녀는 사생활을 침해한 것으로 그에게 5천만 달러짜리 소송을 제기했다. ❿ 이 사건은 뉴스에 나왔다. ⓫ 곧, 수백만 명의 사람들이 그 사진에 대해 듣고 그것을 인터넷에서 찾아봤다.

⓬ 이 현상은 스트라이샌드 효과로 알려지게 되었다. ⓭ 이것은 정보를 숨기려는 시도가 얄궂게도 오히려 그것을 퍼뜨리는 것을 돕는 상황을 가리킨다.

❶ In just one month, / more than 420,000 people / looked at a picture
단 한 달 만에 　　　42만 명이 넘는 사람들이 　　　인터넷에서 한 사진을 봤다

on the Internet. / ❷ It was just a picture of a house on a beach. / ❸ Then /
　　　　　　　그것은 단지 해변에 있는 집의 사진이었다 　　　　그렇다면

why did such an ordinary photo / get so much attention? /
왜 그렇게 평범한 사진이 　　　　매우 많은 관심을 받았을까

❹ In 2003, / one website had a collection / of over 120,000 aerial
2003년에 　　한 웹사이트에는 모음이 있었다 　　　12만 개 이상의 항공사진의

pictures. / ❺ They had been taken / to record the geological changes
　　　　그것들은 찍혔었다 　　　캘리포니아 해안선의 지질학적 변화를

of the California coastline. / (B) ❼ One of the photos was Hollywood
기록하기 위해 　　　　　　　　그 사진들 중 하나는 할리우드 연예인인 Barbra

entertainer Barbra Streisand's house. / (A) ❻ Streisand asked the
Streisand(바브라 스트라이샌드)의 집이었다 　　스트라이샌드는 사진가에게 요청했다

photographer / to remove the picture from the website / because she
　　　그 사진을 웹사이트에서 지워달라고 　　　　그녀가

did not want the public to see her home. / (C) ❽ But the photographer
대중이 그녀의 집을 보기를 원하지 않았기 때문에 　　　하지만 그 사진가는

repeatedly refused. / ❾ Eventually, / she filed a 50-million-dollar lawsuit
여러 차례 거절했다 　　결국 　　그녀는 그에게 5천만 달러짜리 소송을 제기했다

against him / for invading her privacy. / ❿ This incident was on the
　　그녀의 사생활을 침해한 것으로 　　　이 사건은 뉴스에 나왔다

news. / ⓫ Soon, / millions of people heard about the picture / and looked
　　곧 　　수백만 명의 사람들이 그 사진에 대해 들었다 　　　그리고 그것을

it up on the Internet. /
인터넷에서 찾아봤다

⓬ This phenomenon became known as the Streisand effect. / ⓭ It
이 현상은 스트라이샌드 효과로 알려지게 되었다

refers to a situation / where an attempt to hide information / ironically
그것은 상황을 가리킨다 　　　정보를 숨기려는 시도가 　　　　얄궂게도

helps spread it instead. /
오히려 그것을 퍼뜨리는 것을 돕는

구문 해설

❸ Then why did **such an ordinary photo** get so much attention?
→ 「such + a(n) + 형용사 + 명사」는 '그렇게 ~한 …, 매우 ~한 …'라는 의미이다. 여기서는 '그렇게 평범한 사진'이라고 해석한다.

❺ They **had been taken** *to record the geological changes of the California coastline.*
→ 수동태가 과거완료 시제로 쓰였다. 과거완료 시제는 had 뒤에 과거분사(p.p.)가 오므로, 과거완료 시제의 수동태는 「had been + p.p.」가 된다.
→ to record 이하는 '캘리포니아 해안선의 지질학적 변화를 기록하기 위해'라는 의미로, [목적]을 나타내는 to부정사의 부사적 용법으로 쓰였다.

❼ 「one of + 복수명사」는 '~ 중 하나'라는 의미이다. 「one of + 복수명사」는 단수 취급하므로, 뒤에 단수동사 was가 쓰였다.

❻ Streisand **asked the photographer to remove** the picture ~ because she did not *want the public to see* her home.
→ 「ask + 목적어 + to-v」는 '~에게 …할 것을 요청하다[부탁하다]'라는 의미이다.
→ 「want + 목적어 + to-v」는 '~가 …하기를 원하다'라는 의미이다.

1 What was Streisand's intention and its result? 스트라이샌드의 의도와 그 결과로 가장 적절한 것은?

	<Intention> 의도		<Result> 결과
①	to delete the picture 사진을 삭제하는 것	·····	She won a lawsuit. 그녀가 소송에서 이겼다.
✓②	to delete the picture 사진을 삭제하는 것	·····	Many people viewed the image. 많은 사람들이 그 사진을 봤다.
③	to meet the photographer 사진가를 만나는 것	·····	She visited the website to see the image. 그녀가 그 사진을 보기 위해 웹사이트를 방문했다.
④	to meet the photographer 사진가를 만나는 것	·····	The photographer accepted her proposal. 그 사진가는 그녀의 제안을 받아들였다.
⑤	to keep records of her home 그녀의 집에 대해 기록해 두는 것	·····	A picture of her home was uploaded. 그녀의 집 사진이 업로드되었다.

2 What is the best order for sentences (A)~(C)? 문장 (A)~(C)의 순서로 가장 적절한 것은?

① (A) – (C) – (B)   ✓② (B) – (A) – (C)
③ (B) – (C) – (A)   ④ (C) – (A) – (B)
⑤ (C) – (B) – (A)

3 Write T if the statement is true or F if it is false. 이 글의 내용과 일치하면 T, 그렇지 않으면 F를 쓰시오.

(1) A collection of pictures was taken for an exhibition.   F
사진 모음이 전시회를 위해 찍혔다.

(2) Streisand's house was located on the California coastline.   T
스트라이샌드의 집은 캘리포니아 해안선에 위치해 있었다.

(3) Streisand sued the photographer for invasion of her privacy.   T
스트라이샌드는 사생활 침해로 사진가를 고소했다.

4 Complete the sentence with the following words. 다음 중 알맞은 말을 골라 문장을 완성하시오.

privacy	hide	spread	see	attention
사생활	숨기다	퍼뜨리다	보다	관심

The Streisand effect occurs when the act of trying to ___hide___ information attracts even more ___attention___ from people.

스트라이샌드 효과는 정보를 숨기려고 노력하는 행동이 사람들로부터 오히려 더 많은 관심을 끌 때 발생한다.

정답 1 ② 2 ② 3 (1) F (2) T (3) T 4 hide, attention

문제 해설

1 문장 ❻에서 스트라이샌드가 사진가에게 그녀의 집 사진을 웹사이트에서 지워달라고 요청했다고 했고, 문장 ❾-⓫에서 그 요청을 거절한 사진가에게 소송을 제기한 사건이 뉴스에 나와 결국 많은 사람들이 그녀의 집 사진을 찾아봤다고 했다. 따라서 스트라이샌드의 의도와 결과로 가장 적절한 것은 ② '사진을 삭제하는 것 … 많은 사람들이 그 사진을 봤다.'이다.

2 한 웹사이트에 항공사진 모음이 있었다고 설명한 뒤에, 그 사진들 중 하나가 바브라 스트라이샌드의 집이었다는 내용의 (B), 스트라이샌드가 대중에게 집을 보이고 싶지 않아 사진가에게 그 사진을 지워달라고 요청했다는 내용의 (A), 하지만 사진가가 이를 여러 차례 거절했다는 내용의 (C)의 흐름이 가장 적절하다.

3 (1) 사진 모음이 전시회를 위해 찍혔다는 것에 대한 언급은 없다.
(2) 문장 ❺, ❼에서 캘리포니아 해안선의 지질학적 변화를 기록하기 위해 찍힌 사진들 중 하나가 바브라 스트라이샌드의 집이었다고 했으므로, 스트라이샌드의 집이 캘리포니아 해안선에 위치해 있음을 알 수 있다.
(3) 문장 ❾에 언급되어 있다.

4 문제 해석 참고

❾ invading her privacy는 전치사 for(~으로)의 목적어 역할을 하는 동명사구이다.

⓫ 「look + 목적어 + up」은 '~을 찾아보다'라는 의미이다. 목적어가 대명사인 경우 look과 up 사이에 와야 하지만, 대명사가 아닌 경우 look up 뒤에도 올 수 있다.   ex. **Look up the word** in the dictionary. (사전에서 그 단어를 찾아봐라.)

⓬ 「become + 형용사」는 '~하게 되다'라는 의미이다. 이 문장에서는 뒤에 과거분사구 known as가 쓰여 '~으로[이라고] 알려지게 되었다'라고 해석한다.

⓭ It refers to a situation [**where** an attempt *to hide information* ironically helps spread it instead].
→ [ ]는 앞에 온 선행사 a situation을 수식하는 관계부사절이다. 관계부사는 「전치사 + 관계대명사」로 바꿔 쓸 수 있다.
= It refers to a situation **in which** an attempt to hide information ironically helps spread it instead.
→ to hide information은 '정보를 숨기려는'이라는 의미로, to부정사의 형용사적 용법으로 쓰여 an attempt를 수식하고 있다.
→ 「help + 동사원형」은 '~하는 것을 돕다'라는 의미이다.   = 「help + to-v」

본문 해석

❶ 매년, 15억 개가 넘는 휴대폰이 전 세계에서 팔린다. ❷ 이것은 거의 같은 수의 오래된 휴대폰이 버려진다는 것을 의미한다. ❸ 하지만 불행히도, 이 휴대폰의 10퍼센트만이 재활용된다.

❹ 휴대폰에는 금을 포함하여 많은 값비싼 금속이 들어 있다. ❺ 만약 그것들이 재활용된다면, 1톤의 휴대폰으로부터 400그램의 금이 추출될 수 있다. ❻ 같은 무게의 암석으로부터 5그램의 금만 추출되는 것을 고려하면, 이것은 굉장한 양이다. ❼ 휴대폰을 재활용하는 것에는 환경 보호의 이익도 있다. ❽ 휴대폰이 버려지면, 보통 결국 쓰레기 매립지로 가게 되고 주변 토양과 물을 독성 물질로 오염시킨다.

❾ 그래서, 당신은 어떻게 오래된 휴대폰을 재활용할 수 있을까? ❿ 당신은 그것을 자선 단체에 기부할 수 있다. ⓫ 그 방법으로, 오래된 휴대폰에서 나온 값비싼 금속이 재활용될 수 있고, 그 수익은 도움이 필요한 사람들을 돕기 위해 쓰일 수 있다.

❶ Each year, / over 1.5 billion phones are sold / worldwide. / ❷ This
매년   15억 개가 넘는 휴대폰이 팔린다   전 세계에서   이것은
means / that about the same number of old phones / are discarded. /
의미한다   거의 같은 수의 오래된 휴대폰들이   버려진다는 것을
❸ But unfortunately, / only 10 percent of these phones / get recycled. /
하지만 불행히도   이 휴대폰들의 10퍼센트만이   재활용된다
❹ Phones contain many precious metals, / including gold. / ❺ If
휴대폰에는 많은 값비싼 금속들이 들어 있다   금을 포함하여   만약
they are recycled, / 400 grams of gold can be extracted / from one ton
그것들이 재활용된다면   400그램의 금이 추출될 수 있다   1톤의 그것들(휴대폰)로부터
of them. / ❻ This is a great amount, / considering only five grams of
             이것은 굉장한 양이다   5그램의 금만 추출되는 것을 고려하면
gold are extracted / from the same weight of rocks. / ❼ Recycling phones
                같은 무게의 암석으로부터   휴대폰을 재활용하는
also has ecological benefits. / ❽ When phones are discarded, / they
것에는 환경 보호의 이익도 있다   휴대폰이 버려지면   그것들은
usually end up in landfills / and contaminate the surrounding soil and
보통 결국 쓰레기 매립지로 가게 된다   그리고 주변의 토양과 물을 오염시킨다
water / with toxic materials. /
         독성 물질들로
❾ So, / how can you recycle your old phones? / ❿ You can donate
그래서   당신은 어떻게 당신의 오래된 휴대폰을 재활용할 수 있을까   당신은 그것들을 자선
them to a charity organization. / ⓫ That way, / the precious metals from
단체에 기부할 수 있다   그 방법으로   오래된 휴대폰에서 나온 값비싼
the old phones / can be recycled, / and the profits can be used / to help
금속들이   재활용될 수 있다   그리고 그 수익은 쓰일 수 있다   도움이
those who are in need. /
필요한 사람들을 돕기 위해

구문 해설

❷ This means [that about the same number of old phones are discarded].
→ [ ]는 means의 목적어 역할을 하는 명사절이다. 이때 명사절 접속사 that은 생략할 수 있다.

❹ including은 '~을 포함하여'라는 의미의 전치사이다.

❺ If they are recycled, 400 grams of gold **can be extracted** from one ton of them.
→ 조동사 뒤에는 동사원형이 오므로, 조동사가 있는 수동태는 「조동사 + be p.p.」가 된다.

❻ This is a great amount, **considering** [(that) only five grams of gold are extracted from the same weight of rocks].
→ considering은 '~을 고려하면'이라는 의미의 분사구문 표현으로, 뒤에 that절이나 명사가 온다.
ex. **Considering her age**, my younger sister is very smart. (그녀의 나이를 고려하면, 내 여동생은 매우 똑똑하다.)

❼ Recycling phones는 문장의 주어 역할을 하는 동명사구이다. 동명사구는 단수 취급하므로 뒤에 단수동사 has가 쓰였다.

1 이 글의 밑줄 친 This is a great amount의 이유를 우리말로 쓰시오.

(1톤의 휴대폰에서 400그램의 금이 추출될 수 있으나)

같은 무게의 암석에서는 5그램의 금만 추출되므로

2 이 글에서 언급되지 **않은** 것은?

① the number of phones abandoned yearly 매년 버려지는 휴대폰의 수
② the percentage of recycled phones 재활용되는 휴대폰의 비율
③ how metals are extracted from phones 금속이 어떻게 휴대폰으로부터 추출되는지
④ the results of discarding phones 휴대폰을 버리는 것의 결과들
⑤ how to recycle phones 휴대폰을 재활용하는 방법

3 다음 질문에 대한 답이 되도록 빈칸에 들어갈 말을 글에서 찾아 쓰시오.

> Q. What are some positive effects that come from recycling old phones?
> 오래된 휴대폰을 재활용하는 것으로부터 나오는 긍정적인 결과들은 무엇인가?

A. (1) There are ____ecological____ ____benefits____ by preventing them from contaminating environment.
그것들이 환경을 오염시키는 것을 막음으로써 환경 보호의 이익이 있다.

(2) You can help people ____in____ ____need____ with profits from the ____precious____ metals.
값비싼 금속으로부터 나온 수익으로 도움이 필요한 사람들을 도울 수 있다.

4 다음 대화의 빈칸에 들어갈 단어를 글에서 찾아 쓰시오.

A: I plan to ____donate____ some money to the children's hospital.
나는 아동 병원에 돈을 기부할 계획이야.
B: That's a good idea. It will help many patients.
좋은 생각이야. 그건 많은 환자들에게 도움이 될 거야.

정답 1 (1톤의 휴대폰에서 400그램의 금이 추출될 수 있으나) 같은 무게의 암석에서는 5그램의 금만 추출되므로 **2** ③ **3** (1) ecological benefits (2) in need, precious **4** donate

1 문장 ❺-❻에서 1톤의 휴대폰에서는 400그램의 금을 추출할 수 있고, 같은 무게의 암석에서는 5그램의 금만 추출된다고 했다.

2 ③: 휴대폰에서 금속이 어떻게 추출되는지에 대한 언급은 없다.
① : 문장 ❶-❷를 통해 매년 15억 개 상당의 휴대폰이 버려짐을 알 수 있다.
② : 문장 ❸에서 버려지는 휴대폰의 10퍼센트만 재활용된다고 했다.
④ : 문장 ❽에서 버려진 휴대폰이 주변의 토양과 물을 독성 물질로 오염시킨다고 했다.
⑤ : 문장 ❿에서 오래된 휴대폰을 자선 단체에 기부할 수 있다고 했다.

3 (1) 문장 ❼-❽에서 휴대폰은 보통 쓰레기 매립지에 버려져 주변 토양과 물을 오염시키기 때문에 재활용되면 환경 보호의 이익이 있다고 했다.
(2) 문장 ⓫에서 휴대폰에서 나온 값비싼 금속을 재활용하여 발생한 수익은 도움이 필요한 사람들을 위해 쓰일 수 있다고 했다.

4 아동 병원과 관련된 자신의 계획을 밝힌 A에게 B가 그것은 많은 환자들에게 도움이 될 것이라고 대답했다. 따라서 대화의 빈칸에는 문장 ❿의 'donate(기부하다)'가 가장 적절하다.

⓫ That way, the precious metals ~ **can be recycled**, and the profits **can be used to help** those [who are in need].
→ 조동사 뒤에는 동사원형이 오므로, 조동사가 있는 수동태는 「조동사 + be p.p.」가 된다.
→ 「be used + to-v」는 '~하기 위해 쓰이다, ~하는 데 사용되다'라는 의미이다.
  cf. 「used to + 동사원형」: ~하곤 했다 ex. I **used to play** soccer every Sunday. (나는 매주 일요일에 축구를 하곤 했다.)
  「be used to + (동)명사」: ~에 익숙하다 ex. I **am used to living** by myself. (나는 혼자 사는 것에 익숙하다.)
→ [ ]는 앞에 온 선행사 those를 수식하는 주격 관계대명사절이다. 이때 those who는 '~하는 사람들'이라고 해석한다.

UNIT 04
2

본문 해석

❶ 역사상 가장 위대한 예술가들 중 한 명인 렘브란트는 1669년에 사망했다. ❷ 하지만, 그의 새로운 그림이 최근에 공개되었다. ❸ 어떻게 죽은 화가가 무언가 새로운 것을 만들어낼 수 있었을까?

❹ 사실, 이 그림은 넥스트 렘브란트 프로젝트의 인공지능(AI)에 의해 만들어졌다. ❺ 그것은 3D 스캔과 얼굴 인식 기술을 사용하여 렘브란트가 그린 346점의 모든 그림을 분석했다. ❻ 그 자료를 바탕으로, 그것은 렘브란트가 그의 초상화에서 어떻게 사람의 얼굴과 몸을 그렸는지 학습했다. ❼ 그 후, 연구원들은 인공지능을 시험해보기로 결정했다. ❽ 그들은 그것에 검은색 옷과 모자를 착용한 30대 남성의 초상화를 제작할 것을 요청했다. ❾ 그들은 그것에 다른 어떠한 세부 사항도 주지 않았다. ❿ 초상화가 완성되었을 때, 그것은 그 후 3D 프린터로 인쇄되었다. ⓫ 프린터는 렘브란트의 그림의 질감을 따라 하기 위해 13겹의 물감을 사용했다. ⓬ 놀랍게도, 그 초상화는 마치 렘브란트 본인에 의해 완성된 것처럼 보였다!

❶ Rembrandt, / one of history's greatest artists, / died in 1669. /
렘브란트는　　역사상 가장 위대한 예술가들 중 한 명인　　1669년에 사망했다

❷ However, / a brand-new painting of his / was recently released. /
하지만　　그의 새로운 그림이　　최근에 공개되었다

❸ How could a dead painter create something new? /
어떻게 죽은 화가가 무언가 새로운 것을 만들어낼 수 있었을까

❹ Actually, / this painting was created / by artificial intelligence (AI)
사실　　이 그림은 만들어졌다　　넥스트 렘브란트 프로젝트의

from the Next Rembrandt Project. / ❺ ⓐ It analyzed all 346 paintings
인공지능(AI)에 의해　　그것은 렘브란트가 그린 346점의 모든

by Rembrandt / using 3D scans and facial recognition technology. /
그림들을 분석했다　　3D 스캔과 얼굴 인식 기술을 사용하여

❻ Based on that data, / ⓑ it learned / how Rembrandt painted human
그 자료를 바탕으로　　그것은 학습했다　　렘브란트가 어떻게 사람의 얼굴과

faces and bodies / in his portraits. / ❼ Then, / (A) the researchers decided
몸을 그렸는지를　　그의 초상화에서　　그 후　　연구원들은 인공지능을

to put the AI to the test. / ❽ They asked ⓒ it / to produce a portrait of a
시험해보기로 결정했다　　그들은 그것에 요청했다　　30대 남성의 초상화를 제작할 것을

man in his thirties / wearing black clothes and a black hat. / ❾ They didn't
검은색 옷과 검은색 모자를 착용하고 있는　　그들은 그것에

give ⓓ it any other details. / ❿ When the portrait was completed, / it was
다른 어떠한 세부 사항도 주지 않았다　　그 초상화가 완성되었을 때　　그것은

then printed by a 3D printer. / ⓫ The printer used 13 layers of paint /
그 후 3D 프린터로 인쇄되었다　　그 프린터는 13겹의 물감을 사용했다

to imitate the texture of Rembrandt's paintings. / ⓬ Surprisingly, / the
렘브란트의 그림의 질감을 따라 하기 위해　　놀랍게도　　그

portrait looked / as though ⓔ it had been done by Rembrandt / himself! /
그 초상화는 보였다　　마치 그것이 렘브란트에 의해 완성됐었던 것처럼　　본인이

구문 해설

❶ **Rembrandt, *one of history's greatest artists*, died in 1669.**
→ Rembrandt와 one of history's greatest artists는 콤마로 연결된 동격 관계로, Rembrandt가 역사상 가장 위대한 예술가들 중 한 명이라는 의미이다. 이 문장에서는 '역사상 가장 위대한 예술가들 중 한 명인 렘브란트'라고 해석한다.
→ 「one of the + 최상급 + 복수명사」는 '가장 ~한 … 중 하나'라는 의미이다. 이때 the 대신에 소유격을 쓸 수 있다. 여기서는 history's가 쓰였다.

❷ of his는 「of + 소유대명사」의 이중소유격이다. 명사 앞에 a(n), this, some 등이 쓰이면 소유격을 함께 쓸 수 없어 이중소유격으로 나타낸다.

❺ It analyzed all 346 paintings by Rembrandt [**using** 3D scans and facial recognition technology].
→ [ ]는 '~을 사용하여'라는 의미로, [동시동작]을 나타내는 분사구문이다. = It analyzed all 346 paintings ~ **while/as it used** 3D scans ~.

❻ Based on that data, it learned [how Rembrandt painted human faces and bodies in his portraits].
→ [ ]는 「의문사 + 주어 + 동사」의 간접의문문으로, learned의 목적어 역할을 하고 있다.

❼ 「decide + to-v」는 '~하기로 결정하다, 결심하다'라는 의미이다. decide는 목적어로 to부정사를 쓴다.

1 이 글의 제목으로 가장 적절한 것은?

① AI Brings Rembrandt Back to Life 인공지능이 렘브란트를 되살리다

② Artificial Intelligence: Then and Now 인공지능: 그때와 지금

③ Restoring Great Artists' Masterpieces 위대한 예술가들의 걸작을 복원하기

④ Can AI Create Art Better Than Humans? 인공지능이 인간보다 예술을 더 잘 창조할 수 있을까?

⑤ Rembrandt's Hidden Painting Is Revealed 렘브란트의 숨겨진 그림이 드러나다

2 이 글의 밑줄 친 ⓐ~ⓔ 중, 가리키는 대상이 나머지 넷과 다른 것은?

① ⓐ　　② ⓑ　　③ ⓒ　　④ ⓓ　　⑤ ⓔ ✓

3 이 글의 밑줄 친 (A)의 목적으로 가장 적절한 것은?

① 인공지능이 초상화를 그리는 속도를 측정하기 위해

② 인공지능이 화가의 화풍을 재현할 수 있는지 확인하기 위해 ✓

③ 인공지능이 주어진 명령을 정확하게 이해했는지 판단하기 위해

④ 인공지능이 화가의 위작과 진품을 구분할 수 있는지 시험하기 위해

⑤ 인공지능이 여러 화가의 작품을 조합하여 그릴 수 있는지 파악하기 위해

4 이 글의 내용으로 보아, 다음 빈칸에 들어갈 말을 보기 에서 골라 쓰시오.

보기	analyzed	printed	portrait	texture	imitated
	분석했다	인쇄되었다	초상화	질감	따라 했다

The Next Rembrandt Project
넥스트 렘브란트 프로젝트

AI (1) __analyzed__ all of Rembrandt's artwork.
인공지능이 렘브란트의 모든 예술 작품을 (1) 분석했다.

↓

AI produced a (2) __portrait__ with the information it had collected.
인공지능이 수집했던 정보로 (2) 초상화를 제작했다.

↓

The work was (3) __printed__ with 13 layers of paint.
그 작품은 13겹의 물감으로 (3) 인쇄되었다.

정답　**1** ①　**2** ⑤　**3** ②　**4** (1) analyzed (2) portrait (3) printed

---

1 인공지능이 렘브란트의 화풍을 학습하여 렘브란트 본인이 그린 것처럼 이를 그대로 구현해낸 사례를 소개하는 글이므로, 제목으로 ① '인공지능이 렘브란트를 되살리다'가 가장 적절하다.

2 ⓔ는 인공지능이 만든 초상화를 가리키고, 나머지는 모두 인공지능을 가리킨다.

3 문장 ❽-⓬에서 연구원들이 렘브란트의 화풍을 분석한 인공지능에 세부 사항을 주지 않은 채 초상화를 그려보라고 했고, 그 결과 인공지능이 렘브란트 본인이 완성한 것처럼 보이는 초상화를 만들어냈다고 했다. 따라서 연구원들이 인공지능을 시험해보기로 한 목적으로 ②가 가장 적절하다.

4 문제 해석 참고

---

❽ They **asked it to produce** a portrait of a man in his thirties [(who was) *wearing* black clothes and a black hat].

→ 「ask + 목적어 + to-v」는 '~에게 …할 것을 요청하다[부탁하다]'라는 의미이다.

→ [ ]는 앞에 온 a man을 수식하는 현재분사구로, 이때 wearing은 '~을 착용하고 있는'이라고 해석한다. 현재분사 앞에 「주격 관계대명사 + be동사」가 생략되어 있다.

❾ 「give + 간접목적어 + 직접목적어」는 '~에게 …을 주다'라는 의미이다.　= 「give + 직접목적어 + to + 간접목적어」

⓬ Surprisingly, the portrait looked **as though** it **had been** done by Rembrandt *himself*!

→ 「as though[if] + 주어 + had p.p.」는 '마치 ~했던/했었던 것처럼'이라는 의미로, 주절의 시제보다 이전 시점의 사실과 반대되는 상황을 가정할 때 쓰인다. 여기서는 초상화가 렘브란트에 의해 완성됐던 것처럼 보였다는 이전 시점의 사실과 반대되는 상황을 가정하고 있다.

→ 전치사 by의 목적어(Rembrandt)를 강조하기 위해 재귀대명사 himself가 쓰였다. 이때의 재귀대명사는 '본인이, 직접'이라고 해석하며, 생략할 수 있다.

UNIT 04

3

본문 해석

❶ 비록 당신이 '밈'이 무엇인지 모른다고 하더라도, 아마 인터넷에서 하나를 우연히 발견한 적은 있을 것이다. ❷ 밈은 재미를 위해 온라인에서 널리 퍼지는 글이 있는 인기 있는 이미지이다. ❸ '침착함을 유지하고 하던 일을 계속해라'는 이것의 잘 알려진 예시이다.

❹ 그것은 원래 2차 세계 대전이 있기 불과 며칠 전, 1939년에 제작된 포스터였다. ❺ 영국인들은 금방이라도 전쟁이 시작될 것을 두려워했다. ❻ 그래서, 정부는 대중의 불안감을 완화하기 위해 포스터를 디자인했다. ❼ 그것에는 '침착함을 유지하고 하던 일을 계속해라'라는 문구와 함께 빨간색 바탕에 왕관이 있었다. ❽ 하지만, 그것은 한 번도 공식적으로 대중에게 공개되지 않았다. ❾ 그 후, 2000년에, 한 서점 주인이 그 포스터를 오래된 상자에서 발견했고 그것을 가게에 걸었다. ❿ 곧, 손님들이 그 인쇄물에 대해 흥미를 보이기 시작했다. ⓫ 사람들은 글자와 디자인을 바꿔서 그것의 패러디를 만들었고, 그것은 전 세계적으로 빠르게 유명해졌다. ⓬ 마침내, 그것은 밈이 되었다!

❶ Even if you don't know / what a "meme" is, / you have probably
비록 당신이 모른다고 하더라도　　'밈'이 무엇인지를　　당신은 아마 하나를 우연히

come across one / on the Internet. / ❷ A meme is a popular image with
발견한 적은 있을 것이다　인터넷에서　　　　밈은 글이 있는 인기 있는 이미지이다

text / that is spread widely online for fun. / ❸ "Keep Calm and Carry On"
재미를 위해 온라인에서 널리 퍼지는　　　　'침착함을 유지하고 하던 일을 계속해라'는

is a well-known example of this. /
이것의 잘 알려진 예시이다

❹ It was originally a poster / produced in 1939, / just a few days before
그것은 원래 포스터였다　　　　1939년에 제작된　　2차 세계 대전이 있기 불과 며칠 전

World War II. / ❺ British people were terrified / that a war would begin /
영국인들은 두려워했다　　　　전쟁이 시작될 것을

at any minute. / ❻ So, / the government designed a poster / to ease the
금방이라도　　그래서　정부는 포스터를 디자인했다　　　　　대중의 불안감을

public's anxiety. / ❼ It had a crown on a red background / with the
완화하기 위해　　그것에는 빨간색 바탕에 왕관이 있었다　　　　　'침착함을

saying "Keep Calm and Carry On." / ❽ However, / it was never officially
유지하고 하던 일을 계속해라'라는 문구와 함께　하지만　　그것은 한 번도 공식적으로

released to the public. / ❾ Then, / in 2000, / a bookstore owner found
대중에게 공개되지 않았다　　그 후　　2000년에　한 서점 주인이 그 포스터를 오래된

the poster in an old box / and hung it in his store. / (❸ ❿ Soon, / customers
상자에서 발견했다　　　　　그리고 그것을 그의 가게에 걸었다　곧　　손님들이

began showing an interest in the print. /) ⓫ People made parodies of
그 인쇄물에 대해 흥미를 보이기 시작했다　　　　사람들은 그것의 패러디들을 만들었다

it / by changing the words and design, / and it quickly became famous
글자와 디자인을 바꿔서　　　　　그리고 그것은 전 세계적으로 빠르게 유명해졌다

worldwide. / ⓬ Eventually, / it became a meme! /
마침내　　그것은 밈이 되었다

구문 해설

❶ **Even if** you don't know [what a "meme" is], you *have* probably *come* across <u>one</u> on the Internet.

→ Even if는 부사절을 이끄는 접속사로, '비록 ~하더라도'라는 의미이다.

→ [ ]는 「의문사 + 주어 + 동사」의 간접의문문으로, don't know의 목적어 역할을 하고 있다.

→ have come은 현재완료 시제(have p.p.)로, 이 문장에서는 과거의 [경험]을 나타내어 '발견한 적이 있을 것이다'라고 해석한다.

→ 부정대명사 one은 앞에서 언급된 명사와 같은 종류의 불특정한 대상을 가리킨다. 여기서는 앞에 나온 meme과 같은 종류의 불특정한 대상을 가리킨다. *ex.* I like movies. Can I recommend **one**? (나는 영화를 좋아해. 하나 추천해줘도 될까?)

　　cf. it, they/them: 앞에서 언급된 특정한 대상

　　ex. I want to watch the movie *The King*. Can I watch **it**? (나는 영화 <The King>이 보고 싶어. 그거 봐도 될까?)

❷ A meme is a popular image with text [**that is** spread widely online for fun].

→ [ ]는 앞에 온 a popular image with text를 수식하는 주격 관계대명사절이다. 이때 「주격 관계대명사 + be동사」는 생략할 수 있다.

1 이 글의 빈칸에 들어갈 말로 가장 적절한 것은?

① to raise money 돈을 모으기 위해
② to encourage people to join the army 사람들이 군에 입대하도록 장려하기 위해
③ to ease the public's anxiety 대중의 불안감을 완화하기 위해 ✓
④ to spread national pride among citizens 시민들 사이에 국민적 자부심을 퍼뜨리기 위해
⑤ to announce its victory in the war 전쟁에서의 승리를 알리기 위해

2 이 글의 흐름으로 보아, 다음 문장이 들어가기에 가장 적절한 곳은?

> Soon, customers began showing an interest in the print.
> 곧, 손님들이 그 인쇄물에 대해 흥미를 보이기 시작했다.

①　　　　　②　　　　　③ ✓　　　　　④　　　　　⑤

3 이 글의 밑줄 친 the poster에 관해 답할 수 있는 질문을 모두 고른 것은?

> (A) Why didn't the government release it? 정부는 왜 그것을 공개하지 않았는가?
> (B) What did it look like? 그것은 어떻게 생겼는가?
> (C) Why was it found in a bookstore? 그것은 왜 서점에서 발견되었는가?
> (D) What was written on it? 그것에 무엇이 쓰여 있었는가?

① (A), (B)　　　　② (A), (C)　　　　③ (A), (D)
④ (B), (C)　　　　⑤ (B), (D) ✓

4 이 글의 내용으로 보아, 다음 빈칸에 들어갈 말을 보기 에서 골라 쓰시오.

보기	war	meme	government	stores	parodies
	전쟁	밈	정부	가게들	패러디들

The History of "Keep Calm and Carry On"
'침착함을 유지하고 하던 일을 계속해라'의 역사

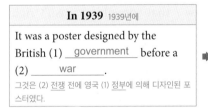

In 1939 1939년에

It was a poster designed by the British (1) _government_ before a (2) _war_ .
그것은 (2) 전쟁 전에 영국 (1) 정부에 의해 디자인된 포스터였다.

➡

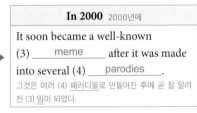

In 2000 2000년에

It soon became a well-known (3) _meme_ after it was made into several (4) _parodies_ .
그것은 여러 (4) 패러디들로 만들어진 후에 곧 잘 알려진 (3) 밈이 되었다.

정답 **1** ③ **2** ③ **3** ⑤ **4** (1) government (2) war (3) meme (4) parodies

---

1 빈칸 앞에서 영국인들이 금방이라도 전쟁이 시작될 것을 두려워했다고 했고, 빈칸 뒤에서 그 포스터에 '침착함을 유지하고 하던 일을 계속해라'라는 문구가 있었다고 했으므로, 빈칸에는 ③ '대중의 불안감을 완화하기 위해'가 가장 적절하다.

2 주어진 문장은 2000년에 한 서점 주인이 포스터를 발견해 가게에 걸었다고 설명하는 문장 ❾와 사람들이 그 포스터의 패러디를 만들었고 그것이 전 세계적으로 유명해졌다는 문장 ⓫ 사이에 오는 것이 자연스러우므로, ③이 가장 적절하다.

3 (B), (D): 문장 ❼에서 포스터에는 '침착함을 유지하고 하던 일을 계속해라'라는 문구와 함께 빨간색 바탕에 왕관이 있었다고 했다.
(A): 문장 ❽에서 정부가 대중에게 공식적으로 포스터를 공개한 적이 없다고는 했지만, 그 이유에 대한 언급은 없다.
(C): 문장 ❾에서 한 서점 주인이 오래된 상자에서 포스터를 발견했다고는 했지만, 그 이유에 대한 언급은 없다.

4 문제 해석 참고

---

❹ It was originally a poster [**produced** in 1939], just a few days before World War II.
→ [ ]는 앞에 온 a poster를 수식하는 과거분사구이다. 이때 produced는 '제작된'이라고 해석한다.

❻ to ease 이하는 '대중의 불안감을 완화하기 위해'라는 의미로, [목적]을 나타내는 to부정사의 부사적 용법으로 쓰였다.

❿ begin은 목적어로 동명사와 to부정사 모두 쓸 수 있다.
ex. Jones **began to show** an interest in collecting artwork. (Jones는 예술 작품 수집에 관심을 보이기 시작했다.)

⓫ People made parodies of it **by changing** the words and design, and it quickly *became famous* worldwide.
→ 「by + v-ing」는 '~해서, ~함으로써'라는 의미로 수단이나 방법을 나타낸다.
→ 「become + 형용사」는 '~해지다, ~하게 되다'라는 의미이다.

본문 해석

① 휴가 동안에, 내 아내와 나는 해변 근처 호텔에서 근사한 야외 아침 식사를 하고 있었다. ② 해변은 관광객들로 가득 차 있었다. ③ 갑자기, 한 종업원이 바다를 가리켰다. ④ 물이 매우 빠르게 뒤로 빠지고 있었다. ⑤ 이 매력적인 광경은 많은 관광객들이 휴대폰으로 사진과 동영상을 찍게 했다. ⑥ 하지만 내 아내는 아니었다. ⑦ 그녀는 내 손을 잡고 다급하게 소리쳤다. ⑧ "뛰어요!" ⑨ 우리는 높은 언덕을 향해 달려갔다. ⑩ 곧이어, 거대한 파도가 해안에 부딪치고 나서, 그 경로에 있는 모든 것을 파괴했다. ⑪ 우리는 거대한 쓰나미에 의해 거의 휩쓸릴 뻔했다!

⑫ 호텔로 돌아왔을 때, 우리는 많은 사람들이 심하게 다친 것을 보았다. ⑬ 나는 아내에게 어떻게 쓰나미가 올 것이라는 것을 알았는지 물었다. ⑭ 그녀는 쓰나미가 바닷속 지진에 의해 만들어진 거대한 파도라고 설명했다. ⑮ 쓰나미가 일어나기 전에 바닷물은 매우 빠르게 뒤로 빠지고, 쓰나미가 클수록, 바닷물은 더 빠르게 뒤로 움직인다. ⑯ 그렇게 해서 그녀는 무언가 잘못되었다는 것을 알았다. ⑰ 만약 우리가 도망가지 않았다면, 우리는 지금 살아 있지 않을 수도 있다.

① While on vacation, / my wife and I were having a lovely outdoor
휴가 동안에 　　　　　　　　　내 아내와 나는 근사한 야외 아침 식사를 하고 있었다
breakfast / at a hotel near the beach. / ② The beach was full of tourists. /
　　　　　 해변 근처 호텔에서　　　　　　　　　 해변은 관광객들로 가득 차 있었다
③ Suddenly, / a waiter pointed to the sea. / ④ The water was pulling back
갑자기　　　 한 종업원이 바다를 가리켰다　　　　　　 물이 매우 빠르게 뒤로 빠지고 있었다
very fast. / ⑤ The fascinating sight drove many tourists / to take pictures
　　　　　 이 매력적인 광경은 많은 관광객들이 ~하게 했다　　　　　 그들의 휴대폰으로
and videos with their phones. / ⑥ But not my wife. / ⑦ She held my
사진과 동영상을 찍게　　　　　　 하지만 내 아내는 아니었다 　그녀는 내 손을
hand / and shouted urgently. / ⑧ "Run!" / ⑨ We ran toward a high hill. /
잡았다 　그리고 다급하게 소리쳤다　　　　 뛰어요 　우리는 높은 언덕을 향해 달려갔다
⑩ Soon after, / a giant wave crashed into the shore, / destroying everything
곧이어　　　　 거대한 파도가 해안에 부딪쳤다　　　　　　 그리고 나서 그것의 경로에 있는 모든 것을
in its path. / ⑪ We had nearly been swept away / by a monster tsunami! /
파괴했다　　　　 우리는 거의 휩쓸릴 뻔했다　　　　　 거대한 쓰나미에 의해
⑫ When we returned to the hotel, / we saw many people badly injured. /
우리가 호텔로 돌아왔을 때　　　　　 우리는 많은 사람들이 심하게 다친 것을 보았다
⑬ I asked my wife / how she knew / that a tsunami was coming. / ⑭ She
나는 내 아내에게 물었다 　그녀가 어떻게 알았는지 　쓰나미가 올 것이라는 것을　　　　　　 그녀는
explained / that tsunamis are enormous waves / created by earthquakes
설명했다　　 쓰나미가 거대한 파도들이라고　　　　　　 바닷속 지진에 의해 만들어진
under the sea. / ⑮ The seawater pulls back very quickly / before a
　　　　　 바닷물은 매우 빠르게 뒤로 빠진다　　　　　　 쓰나미가
tsunami occurs, / and the larger the tsunami is, / the faster the sea moves
일어나기 전에　　　　 그리고 쓰나미가 클수록　　　　　 바닷물은 더 빠르게 뒤로 움직인다
backwards. / ⑯ That's how she knew / that something wasn't right. /
　　　　　 그렇게 해서 그녀는 알았다 　무언가 잘못되었다는 것을
⑰ If we hadn't fled, / we might not be alive now. /
만약 우리가 도망가지 않았다면 　우리는 지금 살아 있지 않을 수도 있다

구문 해설

① While (my wife and I were) on vacation, my wife and I **were having** a lovely outdoor breakfast at a hotel near the beach.
→ 부사절의 주어가 주절의 주어와 같을 때, 「주어 + be동사」는 생략할 수 있다.
→ 「be동사의 과거형 + v-ing」는 과거진행 시제로, '~하고 있었다, ~하는 중이었다'라고 해석한다. 동사 have가 '먹다'라는 뜻으로 쓰일 때는 진행형으로 쓸 수 있다.　cf. have(가지다): 진행형 불가능　ex. I **have** a small boat. (난 작은 배를 가지고 있다.)

⑤ 「drive + 목적어 + to-v」는 '~가 …하게 하다'라는 의미이다.

⑩ Soon after, a giant wave crashed into the shore, [**destroying** everything in its path].
→ [ ]는 '그리고 나서 그것의 경로에 있는 모든 것을 파괴했다'라는 의미로, [연속동작]을 나타내는 분사구문이다.
= 「접속사 + 주어 + 동사」　ex. ~ a giant wave crashed into the shore, **and it destroyed** everything in its path.

⑪ We **had** nearly **been swept** away by a monster tsunami!
→ 수동태가 과거완료 시제로 쓰였다. 과거완료 시제는 had 뒤에 과거분사(p.p.)가 오므로, 과거완료 시제의 수동태는 「had been + p.p.」가 된다.

1 What is the best title for the passage? 이 글의 제목으로 가장 적절한 것은?

① Enjoying the Beauty of Nature 자연의 아름다움을 즐기기
② What to Do during an Earthquake 지진 동안 해야 하는 것
③ Tips for Staying Safe While Traveling 여행하는 동안 안전하게 지내기 위한 조언들
✓④ The Experience of Surviving a Tsunami 쓰나미에서 살아남은 경험
⑤ The Difference between Earthquakes and Tsunamis 지진과 쓰나미의 차이점

2 How did the writer's mood change? 글쓴이의 심경은 어떻게 변했는가?

① curious → sad 궁금한 → 슬픈　　② hopeful → disappointed 희망에 찬 → 실망한
③ bored → excited 지루한 → 신이 난　　✓④ pleasant → scared 즐거운 → 무서운
⑤ worried → embarrassed 걱정스러운 → 당황스러운

3 How could the writer's wife predict the tsunami? Write the answer in Korean.
글쓴이의 아내는 어떻게 쓰나미를 예상할 수 있었는가? 우리말로 쓰시오.

바닷물이 매우 빠르게 뒤로 빠지는[움직이는] 것을 보고

4 Which is NOT true about the writer's experience? 글쓴이의 경험에 관해 일치하지 않는 것은?

① He had breakfast with his wife near the beach.
그는 해변 근처에서 아내와 함께 아침 식사를 했다.
↓
✓② His wife took some pictures of a large wave in the sea.
그의 아내는 바다의 거대한 파도 사진을 몇 장 찍었다.
↓
③ He and his wife ran to a hill holding hands.
그와 아내는 손을 잡은 채 언덕으로 달려갔다.
↓
④ He saw that a wave had destroyed everything.
그는 파도가 모든 것을 파괴하는 것을 보았다.
↓
⑤ He had a talk with his wife after they returned to the hotel.
호텔에 돌아온 후에 그는 아내와 대화를 했다.

문제 해설

1 쓰나미의 전조 증상을 알아차린 아내 덕분에 쓰나미에서 살아남은 부부의 일화를 소개하는 글이므로, 제목으로 ④ '쓰나미에서 살아남은 경험'이 가장 적절하다.

2 글쓴이는 휴가 동안 아내와 해변 근처 호텔에서 근사한 아침 식사를 하며 즐거웠을 것이다. 그러나 거대한 쓰나미에 휩쓸릴 뻔했기 때문에 무서웠을 것이다. 따라서 글쓴이의 심경 변화로 ④ '즐거운 → 무서운'이 가장 적절하다.

3 문장 ⑮에서 쓰나미가 일어나기 전에 바닷물이 매우 빠르게 뒤로 빠진다고 했고, 문장 ⑯에서 이를 통해 아내가 무언가 잘못되었다는 것을 알게 되었다고 했다.

4 ②: 문장 ⑤-⑥에서 많은 관광객들이 물이 매우 빠르게 뒤로 빠지는 광경을 사진과 동영상으로 찍었지만, 그의 아내는 아니었다고 했다.
①은 문장 ❶에, ③은 문장 ❼-❾에, ④는 문장 ❿에, ⑤는 문장 ⑫-⑬에 언급되어 있다.

정답　1 ④　2 ④　3 바닷물이 매우 빠르게 뒤로 빠지는[움직이는] 것을 보고　4 ②

→ nearly는 '거의'라는 의미의 부사로, 「nearly + 동사」는 '거의 ~할 뻔하다'라고 해석한다.　*cf.* near: 가까운 [형용사] / 가까이 [부사]

⑬ **I asked my wife** [how she knew {that a tsunami was coming}].

→ 「ask + 간접목적어 + 직접목적어」는 '~에게 …을 묻다'라는 의미이다. 여기서는 간접의문문 [ ]가 직접목적어 역할을 하고 있다.
→ { }는 knew의 목적어 역할을 하는 명사절이다. 이때 명사절 접속사 that은 생략할 수 있다.

⑮ The seawater pulls back very quickly ~, and **the larger** the tsunami is, **the faster** the sea moves backwards.

→ 「the + 비교급 ~ , the + 비교급 …」은 '~할수록 더 …하다'라는 의미이다.

⑰ **If** we **had**n't **fled**, we **might** not **be** alive **now**.

→ 「If + 주어 + had p.p. ~, 주어 + might/would/could/should + 동사원형 …」은 혼합 가정법으로, '만약 (과거에) ~했다면 (지금) …할 텐데'라는 의미이다. 혼합 가정법은 과거 사실과 반대되는 일이 현재까지 영향을 미치는 상황을 가정할 때 쓰며, 혼합 가정법의 주절에는 주로 현재를 나타내는 now, today, this time 등이 함께 쓰인다.

본문 해석

① 당신은 바꾸고 싶은 문제가 있는가? ② 정부나 사회에 영향을 주기에 한 사람의 목소리는 충분하지 않을 수 있지만, 온라인 청원은 충분할 수 있다. ③ 사람들과 문제를 공유하고 그들의 서명을 모아서, 당신의 생각을 행동으로 바꿀 수 있다. ④ 영국에서는, 엘리자베스 2세 여왕을 제외하고는, 화폐에 인쇄된 모든 사람들이 남자였다. ⑤ 한 여성은 이것을 바꾸고 싶었고, 그래서 그녀는 온라인 청원을 시작했다. ⑥ 곧, 3만 5천 명이 넘는 사람들이 그것에 서명했다. ⑦ 결과적으로, 영국 은행은 찰스 다윈을 대신하여, 제인 오스틴의 얼굴을 10파운드 지폐에 인쇄하기로 결정했다.

⑧ 한국을 포함하여, 세계 곳곳의 정부는 시민들이 직접적으로 그들의 의견을 표현할 수 있는 청원 웹사이트를 제공한다. ⑨ 비록 지도자들이 모든 의견에 답하지 못할 수도 있지만, 청원은 간과될 수도 있는 중요한 문제들에 관심을 끌어낸다. ⑩ 더 많은 사람들이 청원에 참여함에 따라, 더 나은 사회를 위한 변화를 일으키는 것이 더 쉬워진다.

---

① Is there an issue / that you'd like to change? / **②** One person's voice
문제가 있는가 　당신이 바꾸고 싶은 　한 사람의 목소리는

may not be enough / to influence a government or a society, / but online
충분하지 않을 수 있다 　정부나 사회에 영향을 주기에 　하지만 온라인

petitions can be. / **③** By sharing an issue with people / and collecting
청원은 그럴(충분할) 수 있다 　사람들과 문제를 공유해서 　그리고 그들의

their signatures, / you can turn your ideas into action. / **④** In the U.K., /
서명을 모아서 　당신은 당신의 생각을 행동으로 바꿀 수 있다 　영국에서는

all of the people printed on money / were men, / except for Queen
화폐에 인쇄된 모든 사람들이 　남자였다 　엘리자베스 2세

Elizabeth II. / **⑤** One woman wanted to change this, / so she started
여왕을 제외하고는 　한 여성은 이것을 바꾸고 싶었다 　그래서 그녀는

an online petition. / **⑥** Soon, / over 35,000 people signed it. / **⑦** As a
온라인 청원을 시작했다 　곧 　3만 5천 명이 넘는 사람들이 그것에 서명했다

result, / the Bank of England decided to print the face of Jane Austen, /
결과적으로 　영국 은행은 제인 오스틴의 얼굴을 인쇄하기로 결정했다

on the ten-pound bill, / replacing Charles Darwin. /
10파운드 지폐에 　찰스 다윈을 대신하여

⑧ Governments around the world, / including Korea, / offer
세계 곳곳의 정부는 　한국을 포함하여

petition websites / where citizens can directly express their opinions. /
청원 웹사이트를 제공한다 　시민들이 직접적으로 그들의 의견을 표현할 수 있는

⑨ Although leaders may not be able to reply / to every opinion, / petitions
비록 지도자들이 답하지 못할 수도 있지만 　모든 의견에 　청원은

draw attention to important issues / that may be overlooked. / **⑩** As more
중요한 문제들에 관심을 끌어낸다 　간과될 수도 있는 　더 많은

people participate in a petition, / it becomes easier / to inspire change for
사람들이 청원에 참여함에 따라 　더 쉬워진다 　더 나은 사회를 위한 변화를

a better society. /
일으키는 것이

구문 해설

① Is there an issue [that you'**d like to change**]?
　→ [ ]는 앞에 온 선행사 an issue를 수식하는 목적격 관계대명사절이다. 이때 목적격 관계대명사 that은 생략하거나 which로 바꿔 쓸 수 있다.
　→ 「would like + to-v」는 '~하고 싶다'라는 의미이다.

② One ~ voice may not be enough **to influence a government or a society**, but online petitions can be (enough ~ a society).
　→ to influence 이하는 '정부나 사회에 영향을 주기에'라는 의미로, to부정사의 부사적 용법으로 쓰여 형용사 enough를 수식하고 있다.
　→ can be 뒤에는 enough to influence a government or a society가 생략되어 있다. 반복되는 말은 생략하는 경우가 많다.

⑧ Governments around the world, **including** Korea, offer petition websites [*where* citizens can directly express their opinions].
　→ including은 '~을 포함하여'라는 의미의 전치사이다.
　→ [ ]는 앞에 온 선행사 petition websites를 수식하는 관계부사절로, 선행사가 장소이면 관계부사 where를 쓴다. 관계부사는 「전치사 + 관계대명사」로 바꿔 쓸 수 있다.　= petition websites **in which** citizens can directly express their opinions

문제 해설

1 이 글의 요지로 가장 적절한 것은?

① 자신과 다른 의견을 존중하는 태도가 중요하다.
② 정부는 최대한 많은 시민들의 의견을 들어야 한다.
✓③ 온라인 청원은 긍정적인 사회 변화를 이끌 수 있다.
④ 무분별한 온라인 청원을 막기 위해 공식적인 절차가 필요하다.
⑤ 온라인 청원 제도가 도입되려면 시민들의 적극적인 참여가 요구된다.

2 이 글의 빈칸에 들어갈 말로 가장 적절한 것은?

① make a place famous 한 장소를 유명하게 만들다
② create an online website 온라인 웹사이트를 만들다
③ easily socialize with them 그들과 쉽게 어울리다
✓④ turn your ideas into action 당신의 생각을 행동으로 바꾸다
⑤ learn the causes of social issues 사회적 문제의 원인을 배우다

3 청원을 통해 영국 화폐 속 인물이 어떻게 변했는지 우리말로 쓰시오.

(1) 청원 전: _____ 엘리자베스 2세 여왕을 제외하고 모두 남자였다. _____
(2) 청원 후: _____ (10파운드 지폐에 찰스 다윈 대신) 제인 오스틴의 얼굴이 인쇄되었다. _____

4 이 글의 내용과 가장 잘 어울리는 속담은?

① Look before you leap. 뛰기 전에 살펴봐라. (돌다리도 두드려보고 건너라.)
② Bad news travels quickly. 나쁜 소식은 빨리 퍼진다.
③ The early bird catches the worm. 일찍 일어나는 새가 벌레를 잡는다.
④ A little knowledge is a dangerous thing. 적은 지식은 위험하다. (선무당이 사람 잡는다.)
✓⑤ Little drops of water make the mighty ocean.
작은 물방울들이 모여 거대한 바다를 만든다. (티끌 모아 태산)

---

1 온라인 청원을 통해 사회적 문제를 해결하고 관심을 끌어내 더 나은 사회를 위한 변화를 일으킬 수 있다고 설명하는 글이므로, 요지로 ③이 가장 적절하다.

2 빈칸 앞에서 바꾸고 싶은 문제가 있는지 물었고, 온라인 청원으로는 정부나 사회에 영향을 줄 수 있다고 했으므로, 온라인 청원을 통해 그러한 문제를 실제로 변화시킬 수 있음을 유추할 수 있다. 따라서 빈칸에는 ④ '당신의 생각을 행동으로 바꾸다'가 가장 적절하다.

3 (1) 문장 ❹에서 엘리자베스 2세 여왕을 제외하고는 영국의 화폐에 인쇄된 모든 사람들이 남자였다고 했다.
(2) 문장 ❼에서 청원의 결과로 영국 은행에서 10파운드 지폐에 찰스 다윈 대신 제인 오스틴의 얼굴을 인쇄하기로 결정했다고 했다.

4 한 사람의 목소리는 충분하지 않을 수 있어도, 청원을 통해 모인 여러 사람들의 목소리는 더 나은 사회를 만들기 위한 변화를 일으킬 수 있다는 내용의 글이므로, 속담으로 ⑤ '작은 물방울들이 모여 거대한 바다를 만든다. (티끌 모아 태산)'가 가장 잘 어울린다.

정답   **1** ③   **2** ④   **3** (1) 엘리자베스 2세 여왕을 제외하고 모두 남자였다. (2) (10파운드 지폐에 찰스 다윈 대신) 제인 오스틴의 얼굴이 인쇄되었다.   **4** ⑤

---

❾ **Although** leaders *may* not *be able to* reply ~, petitions draw attention to important issues [that may be overlooked].

→ Although는 부사절을 이끄는 접속사로, '비록[단지] ~이지만, ~하더라도'라는 의미이다.
→ 조동사는 한 번에 하나만 쓰므로, 조동사 may 뒤에서 can 대신 be able to(~할 수 있다)가 쓰였다.
→ [ ]는 앞에 온 선행사 important issues를 수식하는 주격 관계대명사절이다.
→ 조동사 뒤에는 동사원형이 오므로, 조동사가 있는 수동태는 「조동사 + be p.p.」가 된다.

❿ As more people participate in a petition, **it** *becomes easier* **to inspire change for a better society.**

→ it은 가주어이고, to inspire 이하가 진주어이다. 이때 가주어 it은 따로 해석하지 않는다.
→ 「become + 형용사」는 '~해지다, ~하게 되다'라는 의미이다. 여기서는 형용사의 비교급 easier가 쓰였다.

본문 해석

❶ 당신은 아마 슈퍼마켓에서 닭 가슴 살이나 소고기 조각을 본 적이 있을 것이다. ❷ 둘 다 고기 조각이지만, 하나는 흰색이고 나머지 하나는 붉은색이다. ❸ 무엇이 그것들을 다르게 만들까?

❹ 붉은 고기가 붉은 이유는 많은 사람들이 생각하는 것처럼, 피 때문이 아니다. ❺ 그것은 사실 미오글로빈으로 인한 것인데, 이것은 근육에 있는 불그스름한 색깔의 단백질이다. ❻ 미오글로빈은 산소를 저장하고 근육이 산소를 필요로 할 때 (산소를) 근육에 분배한다.

❼ 어떤 동물들은 근육에 많은 미오글로빈이 있고 다른 동물들은 더 적게 있다. ❽ 그것은 그것들이 얼마나 오래 그리고 얼마나 많이 움직이는지에 달려있다. ❾ 소는 보통 서 있거나 걷는 데 긴 시간을 보낸다. ❿ 이러한 지속적인 활동은 그것들로 하여금 모든 신체 근육을 사용할 것을 요구한다. ⓫ 따라서, 그것들의 근육엔 더 많은 미오글로빈이 들어 있다. ⓬ 이것은 소고기가 매우 빨갛게 보이도록 만든다. (⓭ 돼지고기는 날것일 때 분홍색이지만 조리되면 흰색으로 변한다.) ⓮ 그에 반해, 닭은 그만큼 돌아다니지 않는다. ⓯ 그것들은 가끔씩 달리거나 뛰기만 한다. ⓰ 그 결과, 그것들의 다리 살은 약간 분홍색이지만, 날개와 가슴살을 포함한 다른 모든 데는 흰색이다.

❶ You've probably seen chicken breasts or slices of beef / at the
당신은 아마 닭 가슴살이나 소고기 조각들을 본 적이 있을 것이다

supermarket. / ❷ They are both pieces of meat, / but one is white and the
슈퍼마켓에서   그것들은 둘 다 고기 조각들이다   하지만 하나는 흰색이고 나머지 하나는

other is red. / ❸ What makes them different? /
붉은색이다   무엇이 그것들을 다르게 만들까

❹ The reason red meat is red / is not because of blood, / as many
붉은 고기가 붉은 이유는   피 때문이 아니다   많은 사람들이

people think. / ❺ It's actually caused by myoglobin, / which is a reddish-
생각하는 것처럼   그것은 사실 미오글로빈으로 인한 것이다   그런데 이것은 근육에 있는

colored protein in muscles. / ❻ Myoglobin stores and distributes oxygen
불그스름한 색깔의 단백질이다   미오글로빈은 산소를 저장하고 근육에 분배한다

to muscles / when they need it. /
                그것들(근육)이 그것(산소)을 필요로 할 때

❼ Some animals have lots of myoglobin in their muscles / and others
어떤 동물들은 그것들의 근육에 많은 미오글로빈이 있다   그리고 다른 동물들은

have less. / ❽ It depends on / how long and how much they move. /
더 적게 있다   그것은 ~에 달려있다   얼마나 오래 그리고 얼마나 많이 그것들이 움직이는지

❾ Cows usually spend long periods of time / standing or walking. /
소들은 보통 긴 시간을 보낸다   서 있거나 걷는 데

❿ This continuous activity requires them / to use all of their body
이러한 지속적인 활동은 그것들로 하여금 ~할 것을 요구한다   그것들의 모든 신체 근육을

muscles. / ⓫ Therefore, / their muscles contain more myoglobin. / ⓬ This
사용할 것을   따라서   그것들의 근육엔 더 많은 미오글로빈이 들어 있다   이것은

makes beef look very red. / (d) (⓭ Pork is pink when raw / but turns
소고기가 매우 빨갛게 보이도록 만든다   돼지고기는 날것일 때 분홍색이다   하지만

white when cooked. /) ⓮ In contrast, / chickens don't move around as
조리되면 흰색으로 변한다   그에 반해   닭들은 그만큼 돌아다니지 않는다

much. / ⓯ They only occasionally run or jump. / ⓰ As a result, / the
                그것들은 가끔씩 달리거나 뛰기만 한다   그 결과

meat from their legs is slightly pink, / but everywhere else, / including
그것들의 다리에서 나온 고기는 약간 분홍색이다   하지만 다른 모든 데는   날개와

the wings and breast, / is white. /
가슴살을 포함하여   흰색이다

구문 해설

❶ 've(=have) seen은 현재완료 시제(have p.p.)로, 이 문장에서는 과거의 [경험]을 나타낸다.

❷ They are both pieces of meat, but **one** is white and **the other** is red.
→ 둘 중 하나는 one으로, 그 외 나머지 하나는 the other로 나누어 표현할 수 있다. 여기서는 앞 문장에서 언급한 소고기와 닭 가슴살의 두 가지 고기 조각 중 하얀색인 하나(one)와 붉은색인 나머지 하나(the other)로 나누어 설명했다. *cf.* another: 또 다른 하나

❹ The reason [(why) red meat is red] is not because of blood, **as** many people think.
→ [ ]는 앞에 온 선행사 The reason을 수식하는 관계부사절로, 관계부사 why가 생략되어 있다. 관계부사의 선행사가 the reason, the place, the time과 같이 이유, 장소, 시간을 나타내는 일반적인 명사인 경우 선행사나 관계부사 중 하나를 생략할 수 있다.
→ as는 '~처럼, ~하듯이'라는 의미로, 부사절을 이끄는 접속사로 쓰여 뒤에 「주어 + 동사」의 절이 왔다.

❺ It's actually caused by myoglobin[**, which** is a reddish-colored protein in muscles].
→ [ ]는 앞에 온 myoglobin을 선행사로 가지는 계속적 용법의 관계대명사절로, '그런데 이것(미오글로빈)은 ~하다'라고 해석한다.

1 이 글의 주제로 가장 적절한 것은?

① how the color of meat affects its taste 고기의 색깔이 어떻게 그것의 맛에 영향을 주는지
② different roles of myoglobin in muscles 근육에 있는 미오글로빈의 다양한 역할들
③ animals that have different blood colors 다른 혈액 색깔을 가진 동물들
④ why myoglobin is important for animals 미오글로빈이 왜 동물에게 중요한지
⑤ what causes meat to have different colors 무엇이 고기가 다른 색깔을 갖도록 만드는지

2 이 글의 (a)~(e) 중, 전체 흐름과 관계없는 문장은?

① (a)   ② (b)   ③ (c)   ④ (d)   ⑤ (e)

3 미오글로빈에 관한 이 글의 내용과 일치하면 T, 그렇지 않으면 F를 쓰시오.

(1) It is a protein that stores or carries oxygen to muscles.   T
그것은 산소를 저장하거나 근육에 나르는 단백질이다.
(2) Its color varies in different animals.   F
그것의 색깔은 동물에 따라 다르다.
(3) Chickens have more of it in their wings than in their legs.   F
닭은 다리 안보다 날개 안에 그것을 더 많이 가지고 있다.

4 다음 대화의 빈칸에 들어갈 단어를 글에서 찾아 쓰시오.

A: Tom, your ____continuous____ loud music has been bothering me all day.
Could you turn it down?
Tom, 네 지속적인 시끄러운 음악이 나를 온종일 괴롭히고 있어. 소리 좀 줄여줄래?
B: Oh, sorry. I thought everyone was out today.
오, 미안. 난 오늘 모두 외출할 줄 알았어.

5 이 글의 내용으로 보아, 괄호 안에서 알맞은 말을 골라 표시하시오.

The amount of myoglobin in animal (1) (blood / muscles) determines the color of meat. Red meat like beef contains (2) (more / less) myoglobin, while white meat like chicken breast contains (3) (more / less) myoglobin.

동물의 (1) 근육에 있는 미오글로빈의 양은 고기의 색깔을 결정한다. 소고기처럼 붉은 고기에는 (2) 더 많은 미오글로빈이 들어 있고, 반면 닭 가슴살처럼 흰 고기에는 (3) 더 적은 미오글로빈이 들어 있다.

정답 1 ⑤   2 ④   3 (1) T (2) F (3) F   4 continuous   5 (1) muscles (2) more (3) less

---

1 소고기와 닭고기의 색깔이 다른 이유가 미오글로빈 때문이라는 것을 설명하는 글이므로, 주제로 ⑤ '무엇이 고기가 다른 색깔을 갖도록 만드는지'가 가장 적절하다.

2 미오글로빈의 양에 따른 소와 닭의 고기 색깔 차이를 비교하는 내용 중에, '돼지고기는 날것일 때 분홍색이지만 조리되면 흰색으로 변한다'라는 내용의 (d)는 전체 흐름과 관계없다.

3 (1) 문장 ⑤-⑥에 언급되어 있다.
(2) 문장 ⑤에서 미오글로빈은 불그스름한 색깔이라고 했고, 문장 ⑦에서 동물에 따라 미오글로빈의 색이 아닌 양이 다르다고 했다.
(3) 문장 ⑪-⑫를 통해 미오글로빈이 많으면 고기가 더 붉어진다는 것을 알 수 있다. 또한 문장 ⑯에서 닭의 다리살은 분홍색이지만, 날개와 가슴살은 흰색이라고 했다. 따라서 흰색인 닭의 날개에는 분홍색인 다리보다 미오글로빈의 양이 더 적다는 것을 알 수 있다.

4 A는 B에게 음악 소리를 줄여줄 것을 부탁하면서, 온종일 그것 때문에 계속 괴로웠다고 했다. 따라서 대화의 빈칸에는 문장 ⑩의 'continuous(지속적인)'가 가장 적절하다.

5 문제 해석 참고

---

❼ **Some animals** have lots of myoglobin in their muscles and **others** have less.
→ 전체 중 일부는 some으로, 그 외 다른 일부는 others로 나누어 표현할 수 있다. 여기서는 근육에 많은 미오글로빈이 있는 동물들(Some animals)과 적게 있는 동물들(others)로 나누어 설명했다.

❽ It depends on [how long (they move) and how much they move].
→ [ ]는 「how + 부사 + 주어 + 동사」의 간접의문문으로, 이때 how는 '얼마나'라고 해석한다. 여기서는 how long (they move)과 how much they move가 접속사 and로 연결되어 쓰였다.

❾ Cows usually **spend long periods of time standing** or **walking**.
→ 「spend + 시간/돈 + v-ing」는 '~하는 데 …의 시간/돈을 보내다[쓰다]'라는 의미이다. 이 문장에서는 '서 있거나 걷는 데 긴 시간을 보낸다'라고 해석한다. *cf.* 「spend + 시간/돈 + on + 명사」 *ex.* I spend lots of money **on books**. (나는 책에 많은 돈을 쓴다.)

❿ 「require + 목적어 + to-v」는 '~로 하여금 …할 것을 요구하다'라는 의미이다.

본문 해석

❶ 11월의 넷째 주 금요일에, 미국의 상점과 쇼핑몰은 혼란으로 가득 찬다. ❷ 그날은 한 해의 가장 큰 쇼핑 날인 블랙 프라이데이이다. ❸ 이날에는, 많은 기업이 전자 기기, 의류, 그리고 장난감과 같은 상품에 대해 90퍼센트까지의 할인을 제공한다.

❹ 최근, 사람들은 사이버 먼데이라고 불리는 또 다른 행사를 기다리기 시작했다. ❺ 그것은 블랙 프라이데이의 다음 주 월요일에 열리는 온라인 행사이다. ❻ 소비자들은 사람들이 붐비는 가게에 방문할 필요 없이 인터넷상에서 쉽게 쇼핑할 수 있다. ❼ 그리고 사이버 먼데이에는, 블랙 프라이데이에 팔리지 않은 상품이 훨씬 더 낮은 가격에 팔린다.

❽ 이러한 할인 행사는 소비자들에게뿐만 아니라 기업에도 이익이 된다. ❾ 팔리지 않은 상품이 있을 때, 기업은 그것들을 다른 지점이나 할인 매장으로 보내야 한다. ⓫ 이것은 추가적인 운송 비용을 야기하는데, 미국의 광대한 크기 때문에 미국에서 이것은 보통 높다. ❿ 따라서, 비록 더 낮은 가격일지라도, 많은 기업이 소비자들에게 상품을 파는 것을 선택한다.

❶ On the fourth Friday of November, / stores and malls in the U.S. /
11월의 넷째 주 금요일에   미국의 상점들과 쇼핑몰들은

are full of chaos. / ❷ It is Black Friday, / the biggest shopping day of the
혼란으로 가득 찬다   그날은 블랙 프라이데이이다   한 해의 가장 큰 쇼핑 날인

year. / ❸ On this day, / many companies offer discounts of up to 90% /
              이날에는   많은 기업들이 90퍼센트까지의 할인을 제공한다

on products such as electronics, clothes, and toys. /
전자 기기, 의류, 그리고 장난감들과 같은 상품들에 대해

❹ Recently, / people have begun waiting for another event / called
최근   사람들은 또 다른 행사를 기다리기 시작했다   사이버

Cyber Monday. / ❺ It's an online event / that takes place on the Monday
먼데이라고 불리는   그것은 온라인 행사이다   블랙 프라이데이의 다음 주 월요일에 열리는

after Black Friday. / ❻ Consumers can easily shop on the Internet /
                      소비자들은 인터넷상에서 쉽게 쇼핑할 수 있다

without having to visit a crowded store. / ❼ And on Cyber Monday, /
사람들이 붐비는 가게에 방문할 필요 없이   그리고 사이버 먼데이에는

goods that were not sold on Black Friday / are sold at an even lower price. /
블랙 프라이데이에 팔리지 않은 상품들이   훨씬 더 낮은 가격에 팔린다

❽ These discount events are beneficial for companies / as well as
이러한 할인 행사들은 기업들에도 이익이 된다   소비자들에게뿐만 아니라

consumers. / (A) ❾ When there are unsold items, / companies have to
                팔리지 않은 상품들이 있을 때   기업들은 그것들을 그들의

send them to their other branches / or to discount outlets. / (C) ⓫ This
다른 지점들로 보내야 한다   또는 할인 매장들로   이것은

results in an extra shipping cost, / which is usually high in the U.S. / due
추가적인 운송 비용을 야기한다   그런데 미국에서 이것은 보통 높다   그곳(미국)의

to its vast size. / (B) ❿ Therefore, / many companies choose to sell the
광대한 크기 때문에   따라서   많은 기업들이 소비자들에게 상품을 파는 것을

products to customers, / even if it is at a lower price. /
선택한다   비록 그것이 더 낮은 가격일지라도

구문 해설

❶ be full of는 '~으로 가득 차다'라는 의미의 표현이다. = be filled with *ex.* The store **is filled with** people. (상점이 사람들로 가득 차 있다.)

❹ Recently, people **have** *begun* *waiting* **for** another event called Cyber Monday.
→ have begun은 현재완료 시제(have p.p.)로, 이 문장에서는 과거에 시작된 일이 현재에 끝난 [완료]를 나타낸다.
→ begin은 목적어로 동명사와 to부정사 모두 쓸 수 있다. *ex.* I **began to wait for** my birthday. (나는 생일을 기다리기 시작했다.)
→ 「wait for + (동)명사」는 '~을 기다리다'라는 의미이다.
 cf. 「wait + to-v」: ~하기 위해 기다리다 *ex.* I'm **waiting to see** the concert. (나는 공연을 보기 위해 기다리는 중이다.)

❻ Consumers can easily shop on the Internet *without* [**having to** visit a crowded store].
→ [ ]는 전치사 without(~ 없이, ~하지 않고)의 목적어 역할을 하는 동명사구이다.
→ don't have to는 '~할 필요가 없다'라는 의미로, 여기서는 전치사 without이 not의 역할을 대신하고 있다. *cf.* have to: ~해야 한다

문제 해설

1 이 글의 제목으로 가장 적절한 것은?

① Ways to Shop without Shipping Costs 운송 비용 없이 쇼핑하는 방법들
② Consumers Who Enjoy Shopping Online 온라인 쇼핑을 즐기는 소비자들
③ What to Buy on Black Friday and Cyber Monday
블랙 프라이데이와 사이버 먼데이에 사야 하는 것
✓④ Consumer and Company Benefits of Shopping Events 쇼핑 행사의 소비자와 기업 이익
⑤ Monday vs. Friday: Which Day is Better for Shopping?
월요일 대 금요일: 어느 날이 쇼핑하기에 더 좋은가?

2 이 글의 문장 (A)~(C)를 순서에 맞게 배열한 것으로 가장 적절한 것은?

① (A) – (B) – (C)　　✓② (A) – (C) – (B)　　③ (B) – (A) – (C)
④ (C) – (A) – (B)　　⑤ (C) – (B) – (A)

3 다음 질문에 대한 답을 우리말로 쓰시오.

> Q. Why do companies participate in discount events such as Black Friday or Cyber Monday? 기업은 왜 블랙 프라이데이나 사이버 먼데이와 같은 할인 행사에 참여하는가?

A. ＿＿＿팔리지 않은 상품을 다른 지점이나 할인 매장으로 보내려면＿＿＿
＿＿＿＿＿＿＿높은 (추가) 운송 비용이 들기 때문에＿＿＿＿＿＿＿

4 이 글의 내용으로 보아, 다음 빈칸에 들어갈 말을 글에서 찾아 쓰시오.

Many companies provide big ＿＿discounts＿＿ on Black Friday and Cyber Monday, but I prefer Cyber Monday. I don't have to ＿＿visit＿＿ a store, and I can sometimes get a product at a much ＿＿lower＿＿ ＿＿price＿＿.

많은 기업이 블랙 프라이데이와 사이버 먼데이에 큰 할인을 제공하지만, 나는 사이버 먼데이를 선호한다. 나는 상점을 방문할 필요가 없고, 가끔 훨씬 더 낮은 가격에 상품을 구할 수 있다.

정답 　1 ④ 　2 ② 　3 팔리지 않은 상품을 다른 지점이나 할인 매장으로 보내려면 높은 (추가)
운송 비용이 들기 때문에 　4 discounts, visit, lower price

---

1 미국의 대표적인 할인 행사인 블랙 프라이데이와 사이버 먼데이를 소개하면서 그것이 소비자들에게뿐만 아니라 기업에도 이익이 된다는 점을 설명하는 글이므로, 제목으로 ④ '쇼핑 행사의 소비자와 기업 이익'이 가장 적절하다.

2 할인 행사가 소비자들에게뿐만 아니라 기업에도 이익이 된다고 언급한 이후에, 팔리지 않은 상품이 있을 때 기업이 그것들을 다른 지점 또는 할인 매장에 보내야 한다는 내용의 (A), 이때 높은 추가 운송 비용이 발생한다는 내용의 (C), 따라서 기업은 더 낮은 가격에라도 소비자들에게 상품을 판매한다는 내용의 (B)의 흐름이 가장 적절하다.

3 문장 ❾, ❿에서 팔리지 않은 상품을 기업이 다른 지점이나 할인 매장으로 보내야 하는데, 이때 추가적인 운송 비용이 들며 미국이 크기 때문에 그 비용도 높다고 했다.

4 문제 해석 참고

---

❼ And on Cyber Monday, goods [that were not sold on Black Friday] are sold at an **even** lower price.
→ [ ]는 앞에 온 선행사 goods를 수식하는 주격 관계대명사절이다.
→ 부사 even은 '훨씬'이라는 의미로 비교급을 강조할 수 있다. 이 문장에서는 형용사의 비교급 lower을 강조하고 있다.

❽ 「B as well as A」는 'A뿐만 아니라 B도'라는 의미이다.
= 「not only A but also B」 *ex.* These discount events are beneficial for **not only** consumers **but also** companies.

⓫ This results in an extra shipping cost[, **which** is usually high in the U.S. due to its vast size].
→ [ ]는 앞에 온 an extra shipping cost를 선행사로 가지는 계속적 용법의 관계대명사절이다. 여기서는 '그런데 이것(추가적인 운송 비용)은 ~하다'라고 해석한다.

❿ 「choose + to-v」는 '~하는 것을 선택하다'라는 의미이다. choose는 목적어로 to부정사를 쓴다.

본문 해석

❶ 내 친구 Edward는 꽤 자주 "오"와 같은 소리를 낸다. ❷ 그는 다른 사람들이 조용할 때 그리고 심지어 수업 중에도 그 소리를 낸다. ❸ 하지만, 그는 그것을 고의로 하지 않는다. ❹ 사실, 그는 자신이 그 것을 하는 것을 멈출 수 없다.

❺ Edward 그리고 그와 같은 다른 사람들은 틱 장애라고 알려진 질환을 가지고 있다. ❻ 그것을 앓는 사람들은 눈을 깜빡이는 것, 머리를 흔드는 것, 헛기침을 하는 것, 또는 특정한 단어를 반복적으로 말하는 것과 같은 다양한 증상을 겪을 수도 있다.

❼ 틱 장애는 우리가 생각하는 것보다 훨씬 더 흔하다. ❽ 전 세계에서 10에서 20퍼센트 사이의 아이들이 틱을 가지고 있다. ❾ 그들이 나이가 들면 증상이 자연 스럽게 사라지기 때문에, 이것은 대개 심 각한 문제는 아니다. ❿ 하지만 만약 틱 이 있는 사람들에게 멈추도록 강요한다 면, 그들은 스트레스를 받을 수 있고, 이 것은 증상을 더 악화시킬 수 있다. ⓫ 따라 서, 할 수 있는 가장 좋은 것은 틱을 무시 하고 그냥 그들을 다른 사람을 대하는 것 처럼 대하는 것이다.

❶ My friend Edward makes a sound like "oh" / quite often. / ❷ He
내 친구 Edward는 "오"와 같은 소리를 낸다   꽤 자주   그는

makes the noise / when other people are quiet / and even during class. /
그 소리를 낸다   다른 사람들이 조용할 때   그리고 심지어 수업 중에도

❸ However, / he doesn't do it on purpose. / ❹ In fact, / he can't stop
하지만   그는 그것을 고의로 하지 않는다   사실   그는 자신이 그것을

himself from doing it. /
하는 것을 멈출 수 없다

❺ Edward and others like him have a condition / known as a tic
Edward 그리고 그와 같은 다른 사람들은 질환을 가지고 있다   틱 장애라고 알려진

disorder. / ❻ Those who suffer from it / may experience a wide range of
그것을 앓는 사람들은   다양한 증상들을 겪을 수도 있다

symptoms, / such as blinking their eyes, / shaking their heads, / clearing
그들의 눈을 깜빡이는 것과 같은   그들의 머리를 흔드는 것   헛기침을

their throats, / or saying a particular word repeatedly. /
하는 것   또는 특정한 단어를 반복적으로 말하는 것

❼ Tic disorders are much more common / than we think. / ❽ Between
틱 장애는 훨씬 더 흔하다   우리가 생각하는 것보다

10 to 20 percent of children / worldwide / have tics. / ❾ It's not usually
10에서 20퍼센트 사이의 아이들이   전 세계에서   틱을 가지고 있다   이것은 대개

a serious matter, / as the symptoms naturally disappear / when they get
심각한 문제는 아니다   증상들이 자연스럽게 사라지기 때문에   그들이 나이가 들면

older. / ❿ But if you force people with tics to stop, / they can get
하지만 만약 당신이 틱이 있는 사람들에게 멈추도록 강요한다면   그들은 스트레스를

stressed, / and this can make the symptoms worse. / ⓫ Thus, / the best
받을 수 있다   그리고 이것은 증상들을 더 악화시킬 수 있다   따라서   할 수 있는

thing to do / is ignore the tics and just treat them / as you would treat
가장 좋은 것은   틱을 무시하고 그냥 그들을 대하는 것이다   당신이 다른 사람을 대하는

anyone else. /
것처럼

구문 해설

❹ In fact, he can't **stop** *himself* **from doing** it.
→ 「stop A from v-ing」는 'A가 ~하는 것을 멈추다, 막다'라는 의미이다.
→ 동사 stop의 목적어가 주어(he)와 같은 대상이므로 재귀대명사 himself가 쓰였다. 이때의 재귀대명사는 '그 자신'이라고 해석하며, 생략할 수 없다.

❺ Edward and others like him have a condition [**known as** a tic disorder].
→ [ ]는 앞에 온 a condition을 수식하는 과거분사구이다. 이때 known as는 '~이라고[으로] 알려진'이라고 해석하며, be known as는 '~이 라고[으로] 알려지다'라는 의미의 수동태 표현이다.
cf. be known for: ~으로 유명하다   *ex.* Bob **is known for** his donations. (Bob은 기부로 유명하다.)
be known to: ~에게 알려지다   *ex.* The actor's nickname **is known to** everyone. (그 배우의 별명은 모든 사람들에게 알려져 있다.)

1 Which is the best choice for the blank? 빈칸에 들어갈 말로 가장 적절한 것은?

① likes to keep doing it 그것을 계속해서 하는 것을 좋아한다
② does it when he gets bored 그가 지루해질 때 그것을 한다
③ doesn't do it on purpose 그것을 고의로 하지 않는다 ✓
④ doesn't think it bothers other people 그것이 다른 사람들을 성가시게 한다고 생각하지 않는다
⑤ doesn't want to go to school 학교에 가고 싶어 하지 않는다

2 Choose ALL that are mentioned about a tic disorder in the passage.
이 글에서 틱 장애에 관해 언급된 것을 모두 고르시오.
① the cause of it 그것의 원인
② its symptoms 그것의 증상들 ✓
③ the origin of its name 그것의 이름의 유래
④ medications used to treat it 그것을 치료하기 위해 쓰인 약품
⑤ the percentage of children with it 그것을 가진 아이들의 비율 ✓

3 What is the best attitude toward people with tics? Write the answer in Korean.
틱이 있는 사람들에 대한 최선의 태도는 무엇인가? 우리말로 쓰시오.

틱을 무시하고 그냥 그들을 다른 사람을 대하는 것처럼 대하는 것

4 Which is the best choice for blanks (A) and (B)?
빈칸 (A)와 (B)에 들어갈 말로 가장 적절한 것은?

People with tics cannot _____(A)_____ their movements or sounds, and they shouldn't be forced to _____(B)_____.

틱이 있는 사람들은 그들의 움직임이나 소리를 (A) 통제할 수 없고, 그들은 (B) 멈추도록 강요받아서는 안 된다.

	(A)		(B)	
①	control	......	repeat	통제하다 … 반복하다
②	control	......	stop	통제하다 … 멈추다 ✓
③	realize	......	say	깨닫다 … 말하다
④	repeat	......	say	반복하다 … 말하다
⑤	repeat	......	stop	반복하다 … 멈추다

정답 1 ③　2 ②, ⑤　3 틱을 무시하고 그냥 그들을 다른 사람을 대하는 것처럼 대하는 것
4 ②

문제 해설

1 빈칸 뒤에서 그 자신이 소리를 내는 것을 멈출 수 없다고 했으므로, 빈칸에는 ③ '그것을 고의로 하지 않는다'가 가장 적절하다.

2 ②: 문장 ❻에서 틱 장애를 앓는 이들은 눈을 깜빡이는 것, 머리를 흔드는 것, 헛기침을 하는 것, 특정한 단어를 반복적으로 말하는 것과 같은 증상을 겪는다고 했다.
⑤: 문장 ❽에서 전 세계에서 10~20퍼센트의 아이들이 틱을 가지고 있다고 했다.

3 문장 ⓫에서 가장 좋은 것은 틱을 무시하고 틱 장애를 앓는 이들을 그냥 다른 사람을 대하는 것처럼 대하는 것이라고 했다.

4 문제 해석 참고

❻ Those [who suffer from it] **may** experience a wide range of symptoms, such as {*blinking* their eyes, *shaking* their heads, *clearing* their throats, or *saying* a particular word repeatedly}.
→ [ ]는 앞에 온 선행사 Those를 수식하는 주격 관계대명사절이다. 이때 those who는 '~하는 사람들'이라고 해석한다.
→ 조동사 may는 '~할 수도 있다, ~할지도 모른다'라는 의미로, 약한 추측을 나타낸다.
cf. may: ~해도 된다 [허가] ex. You **may** watch TV now. (너는 이제 TV를 봐도 된다.)
→ { }는 전치사 such as의 목적어로, blinking, shaking, clearing, saying이 이끄는 동명사구가 접속사 or로 연결되어 쓰였다.

❿ 「force + 목적어 + to-v」는 '~에게 …하도록 강요하다'라는 의미이다. 이 문장에서는 people with tics가 목적어에 해당한다.

⓫ Thus, **the best thing to do is** (to) ignore the tics and just (to) treat them *as* you would treat anyone else.
→ 「the best[first/only/next] thing to do + be동사」 뒤에 to부정사가 올 때 to는 생략해서 쓸 수 있다.
→ as는 '~처럼, ~하듯이'라는 의미로, 부사절을 이끄는 접속사로 쓰여 뒤에 「주어 + 동사」의 절이 왔다.

본문 해석

❶ '한 달 동안 무료'는 온라인에서 자주 이용되는 마케팅 수법이다.

❽ 많은 영화와 음악 스트리밍 서비스는 일정한 기간 동안 무료 이용을 제공한다. ❾ 이것은 돈을 내지 않고 새로운 서비스를 시도해 볼 훌륭한 방법처럼 보인다.

❺ 하지만, 무료 체험 기간이 끝나고 그 서비스를 더 이상 원치 않게 되면 문제가 생긴다. ❻ 구독을 취소할 것을 잊은 사람들은 다음 기간에 대해 자동적으로 요금이 부과된다. ❼ 그리고 이용자에게 그들의 무료 체험이 언제 끝나는지를 다시 한 번 알려주는 회사는 거의 없다.

❷ 게다가, 그들 중 일부는 심지어 구독을 취소하는 것을 어렵게 만든다. ❸ 예를 들어, 당신은 영업시간 동안에만 고객 서비스 센터에 전화해야 할지도 모른다. ❹ 그리고 단지 직원과 이야기하는 것에도 오랜 시간이 걸릴 수 있다.

❿ 그러므로, 구독을 신청하기 전에 무료 체험의 이용 약관을 확인하는 것이 중요하다. ⓫ 또한, 당신이 원치 않는 서비스를 제시간에 취소할 수 있도록 당신의 달력에 표시해둬라.

---

❶ "Free for one month" is a marketing trick / often used online. /
'한 달 동안 무료'는 마케팅 수법이다   온라인에서 자주 이용되는

(C) ❽ A number of movie and music streaming services / offer free
많은 영화와 음악 스트리밍 서비스는   무료 이용을 제공한다

usage / for a certain period of time. / ❾ This seems like a great way / to try
이용   일정한 기간 동안   이것은 훌륭한 방법처럼 보인다

out a new service / without paying for it. /
새로운 서비스를 시도해 볼   그것에 대해 돈을 내지 않고

(B) ❺ However, / problems occur / when the free trial period is over /
하지만   문제가 생긴다   무료 체험 기간이 끝나면

and you don't want the service anymore. / ❻ People who forget to cancel
그리고 당신이 그 서비스를 더 이상 원치 않게 되면   그들의 구독을 취소할 것을 잊은 사람들은

their subscriptions / are automatically charged for another term. / ❼ And
다음 기간에 대해 자동적으로 요금이 부과된다   그리고

few companies remind their users / of when their free trial ends. /
그들의 이용자에게 다시 한번 알려주는 회사는 거의 없다   그들의 무료 체험이 언제 끝나는지를

(A) ❷ Moreover, / some of them even make it hard / to cancel
게다가   그들 중 일부는 심지어 어렵게 만든다   구독을

subscriptions. / ❸ For instance, / you might have to call the customer
취소하는 것을   예를 들어   당신은 고객 서비스 센터에 전화해야 할지도 모른다

service center / only during office hours. / ❹ And it could take a long
센터에   영업시간 동안에만   그리고 오랜 시간이 걸릴 수 있다

time / just to speak to an employee. /
단지 직원과 이야기하는 것에도

❿ Thus, / it's important / to check the terms and conditions of free
그러므로   중요하다   무료 체험의 이용 약관을 확인하는 것이

trials / before you sign up for a subscription. / ⓫ Also, / mark your
당신이 구독을 신청하기 전에   또한   당신의 달력에

calendar / so that you can cancel the unwanted service / in time. /
표시해둬라   당신이 원치 않는 서비스를 취소할 수 있도록   제시간에

구문 해설

❽ 「a number of + 복수명사」는 '많은[다수의] ~'라는 의미이다. 항상 복수 취급하므로 뒤에 복수동사 offer가 쓰였다.
  cf. 「the number of + 복수명사」: ~의 수 (단수 취급) ex. **The number of pens** is 12. (펜의 수는 12개이다.)

❾ This **seems like a great way** *to try out a new service* without paying for it.
  → 「seem like + 명사」는 '~처럼 보이다'라는 의미이다.
  → to try out a new service는 '새로운 서비스를 시도해 볼'이라는 의미로, to부정사의 형용사적 용법으로 쓰여 a great way를 수식하고 있다.

❻ 「forget + to-v」는 '(아직 하지 않은 무언가에 대해) ~할 것을 잊다'라는 의미이다.
  cf. 「forget + v-ing」: (이미 한 무언가에 대해) ~한 것을 잊다 ex. I **forgot canceling** the reservation. (나는 예약을 취소한 것을 잊어버렸다.)

❼ And **few companies** *remind their users of* [when their free trial ends].
  → few는 '거의 없는'이라는 의미로, 뒤에 오는 셀 수 있는 명사의 복수형(companies)을 수식한다.
  cf. 「a few + 셀 수 있는 명사의 복수형」: 몇몇의, 약간의 ~ ex. **A few companies** sell the device. (몇몇의 회사가 그 기기를 판매한다.)

1 이 글의 목적으로 가장 적절한 것은?

① to explain the best type of online services 온라인 서비스의 가장 좋은 유형을 설명하기 위해
② to suggest solutions for illegal online services
불법 온라인 서비스에 대한 해결책을 제시하기 위해
③ to introduce some online services available for free
무료로 이용할 수 있는 온라인 서비스를 소개하기 위해
④ to warn of issues when subscribing to online services
온라인 서비스 구독 시 문제점들에 대해 주의를 주기 위해
⑤ to compare subscription fees of various online services
다양한 온라인 서비스의 구독 요금을 비교하기 위해

2 이 글의 단락 (A)~(C)를 순서에 맞게 배열한 것으로 가장 적절한 것은?

① (A) – (C) – (B)   ② (B) – (A) – (C)
③ (B) – (C) – (A)   ④ (C) – (A) – (B)
⑤ (C) – (B) – (A)

3 이 글의 빈칸에 들어갈 말로 가장 적절한 것은?

① you can get a discount 당신이 할인을 받을 수 있다
② you can extend the free trial period 당신이 무료 체험 기간을 연장할 수 있다
③ you can cancel the unwanted service 당신이 원치 않는 서비스를 취소할 수 있다
④ you can compare streaming services 당신이 스트리밍 서비스를 비교해 볼 수 있다
⑤ you can purchase additional subscriptions 당신이 추가 구독권을 구입할 수 있다

4 다음 대화의 빈칸에 들어갈 단어를 글에서 찾아 쓰시오.

> A: Can you _____remind_____ me of the event? I'm worried I might forget it.
> 그 행사에 대해 나한테 다시 한번 알려줄 수 있겠니? 난 잊어버릴까 봐 걱정돼.
> B: Sure. I'll call you next Monday.
> 물론이지. 내가 다음 주 월요일에 전화해 줄게.

1 온라인 무료 체험 서비스는 취소하는 것을 잊거나 취소가 어려운 문제가 생길 수 있음을 설명하는 글이므로, 목적으로 ④ '온라인 서비스 구독 시 문제점들에 대해 주의를 주기 위해'가 가장 적절하다.

2 무료 체험 서비스가 온라인에서 자주 이용된다고 언급한 이후에, 그것이 좋은 서비스처럼 보일 수 있다는 내용의 (C), 그러나 체험 기간 이후 취소하는 것을 잊어버리는 문제가 생길 수 있다는 내용의 (B), 게다가 취소 신청도 어려울 수 있다는 내용의 (A)의 흐름이 가장 적절하다.

3 빈칸 앞 단락 (B)에서 원치 않는 서비스를 취소하는 것을 잊으면 다음 기간의 요금이 부과되지만 무료 체험 기간의 종료 시점을 알려주는 회사는 거의 없다고 했고, 빈칸이 있는 문장에서 이것을 제시간에 할 수 있도록 달력에 표시해두라고 했다. 따라서 빈칸에는 ③ '당신이 원치 않는 서비스를 취소할 수 있다'가 가장 적절하다.

4 빈칸 뒤에서 A는 본인이 행사를 잊어버릴까 봐 걱정된다고 했고, B는 A의 부탁에 대해 전화해 주겠다며 승낙했다. 따라서 대화의 빈칸에는 문장 ❼의 'remind(다시 한번 알려주다)'가 가장 적절하다.

정답 1 ④   2 ⑤   3 ③   4 remind

→ 「remind + 목적어 + of + (동)명사」는 '~에게 …을 다시 한번 알려주다, 상기시키다'라는 의미이다. 여기서는 간접의문문 [ ]가 of 뒤에 쓰였다.
cf. 「remind + 목적어 + to-v」: ~에게 …할 것을 상기시키다
ex. I **reminded James to bring** his homework. (나는 James에게 숙제를 가지고 올 것을 상기시켰다.)
→ [ ]는 「의문사 + 주어 + 동사」의 간접의문문으로, of의 목적어 역할을 하고 있다.

❷ Moreover, some of them even **make *it* hard** *to cancel subscriptions*.
→ 「make + 목적어 + 형용사」는 '~을 …하게 만들다'라는 의미이다.
→ it은 가목적어이고, to cancel subscriptions가 진목적어이다. 이때 가목적어 it은 따로 해석하지 않는다.

❹ 「it takes + (사람) + 시간 + to-v」는 '(사람이) ~하는 데 …의 시간이 걸리다'라는 의미이다.

❿ it은 가주어이고, to check 이하가 진주어이다. 이때 가주어 it은 따로 해석하지 않는다.

⓫ so that은 부사절을 이끄는 접속사로, '~하도록'이라는 의미이다.   *cf.* 「so + 형용사/부사 + that절」: 너무/매우 ~해서 …하다

본문 해석

❶ 여기에 당신이 지금 바로 할 수 있는 간단한 검사가 있다. ❷ 손가락이 아래를 가리키게 한 채로 손등을 함께 붙여라. ❸ 그 다음, 1분 동안 가만히 있어라. ❹ 만약 손바닥과 첫 세 손가락에 통증을 느낀다면, 당신은 손목 터널 증후군을 가지고 있을지도 모른다.

❺ 손목에는, 터널과 같은 좁은 공간이 있는데, 신경이 이것을 통과해 지나간다. ❻ 이 터널이 조여져서 신경에 압박을 가하면, 손목 터널 증후군이 발생한다. ❼ 초기에는, 손바닥과 손가락에 감각을 잃을 수 있다. ❽ 하지만, 나중에는, 손목 전체에 극심한 통증을 겪을 수 있다. ❾ 이것은 일상생활에 몇몇 문제를 유발한다. ❿ 당신은 물건을 자주 떨어뜨리거나 젓가락을 사용하는 데 어려움을 겪을 수 있다.

⓫ 요즘에, 이 질환을 가진 사람들의 수가 증가하고 있다. ⓬ 이것은 오늘날 사람들이 너무 오랫동안 스마트폰을 사용하거나 키보드로 타자를 치기 때문이다. ⓭ 이러한 일은 반복적인 손의 움직임을 유발해서 위험성을 증가시킨다.

❶ Here's a simple test / you can do right now. /
여기에 간단한 검사가 있다   당신이 지금 바로 할 수 있는
❷ Put the backs of your
당신의 손등을 함께 붙여라
hands together / with your fingers pointing down. /
당신의 손가락이 아래를 가리키게 한 채로
❸ Then, / stay still for
그 다음   1분 동안 가만히
one minute. / ❹ If you feel pain in the palm and first three fingers, / you
있어라   만약 당신이 손바닥과 첫 세 손가락에 통증을 느낀다면
may have carpal tunnel syndrome. /
당신은 손목 터널 증후군을 가지고 있을지도 모른다

❺ In the wrist, / there is a narrow space like a tunnel, / which nerves
손목에는   터널과 같은 좁은 공간이 있다   그런데 이것을 신경이
pass through. / ❻ Carpal tunnel syndrome occurs / when this tunnel gets
통과해 지나간다   손목 터널 증후군이 발생한다   이 터널이 조여지면
squeezed / and puts pressure on the nerves. / ❼ In the beginning, / you
그리고 그 신경에 압박을 가하면   초기에는   당신은
might lose some feeling in your palm and fingers. / ❽ However, / later
당신의 손바닥과 손가락에 감각을 잃을 수 있다   하지만   나중에는
on, / you can experience severe pain in the entire wrist. / ❾ This causes
당신은 손목 전체에 극심한 통증을 겪을 수 있다   이것은 일상생활에
some problems in everyday life. / ❿ You may often drop things / or
몇몇 문제들을 유발한다   당신은 물건들을 자주 떨어뜨릴 수 있다   또는
have difficulty in using chopsticks. /
젓가락을 사용하는 데 어려움을 겪을 수 있다

⓫ These days, / the number of people with this condition / is
요즘에   이 질환을 가진 사람들의 수가
increasing. / ⓬ This is because / people use smartphones or type on
증가하고 있다   이것은 ~ 때문이다   사람들이 스마트폰을 사용하거나 키보드로 타자를 치기
keyboards / for too long / today. / ⓭ These tasks cause repetitive hand
너무 오랫동안   오늘날   이러한 일들은 반복적인 손의 움직임을 유발한다
movements / and increase the risk. /
그리고 그 위험성을 증가시킨다

구문 해설

❷ Put the backs of your hands together **with your fingers pointing** down.
→ 「with + 명사 + 분사」는 '~가 …한 채로/하면서'라는 의미로, [동시동작]을 나타낸다. 이 문장에서는 '손가락이 아래를 가리키게 한 채로'라고 해석하며, 명사(your fingers)와 분사(pointing)의 관계가 능동이므로 현재분사가 쓰였다.

❹ 조동사 may는 '~할지도 모른다, ~ 할 수도 있다'라는 의미로, 약한 추측을 나타낸다.

❺ In the wrist, there is a narrow space like a tunnel[**, which** nerves pass through].
→ [ ]는 앞에 온 a narrow space를 선행사로 가지는 계속적 용법의 관계대명사절이다. 여기서는 '그런데 이것(좁은 공간)을 ~하다'라고 해석한다.

❼ 조동사 might는 '~할 수도 있다, ~할지도 모른다'라는 의미로, may보다 불확실한 추측을 나타낸다.

1 이 글의 제목으로 가장 적절한 것은?

① Your Hands Show Your Health 손이 당신의 건강 상태를 보여준다
② How to Test Your Hand Strength 손의 힘을 시험하는 방법
③ Exercises to Treat Carpal Tunnel Syndrome 손목 터널 증후군을 치료하기 위한 운동들
④ A Condition That Causes Hand and Wrist Pain 손과 손목의 통증을 유발하는 질환 ✓
⑤ Common Illnesses Resulting from Bad Posture 나쁜 자세에서 비롯된 흔한 질병들

2 이 글의 밑줄 친 <u>a simple test</u>의 동작으로 가장 적절한 것은?

① ② ③ ✓ ④ ⑤

3 다음 질문에 대한 답이 되도록 빈칸에 들어갈 말을 글에서 찾아 쓰시오.

Q. What increases the risk of carpal tunnel syndrome?
무엇이 손목 터널 증후군의 위험성을 증가시키는가?

A. The risk increases because of ____repetitive____ hand movements caused by using smartphones or ____keyboards____ for long periods of time. 오랜 시간 동안 스마트폰이나 키보드를 사용하는 것으로 인한 반복적인 손 동작 때문에 그 위험성이 증가한다.

4 이 글을 읽고 손목 터널 증후군에 관해 답할 수 <u>없는</u> 질문은?

① How is it tested? 그것은 어떻게 검사되는가?
② Why does it occur? 그것은 왜 발생하는가?
③ What are its symptoms? 그것의 증상은 무엇인가?
④ How is it cured? 그것은 어떻게 치료되는가? ✓
⑤ What problems does it cause? 그것은 어떤 문제들을 유발하는가?

1 손에 감각을 잃고, 심할 경우 손목 전체에 통증을 느낄 수 있는 손목 터널 증후군을 소개하는 글이므로, 제목으로 ④ '손과 손목의 통증을 유발하는 질환'이 가장 적절하다.

2 문장 ②에서 손가락이 아래를 가리키게 한 채로 손등을 함께 붙이라고 했으므로, 검사 동작으로 ③이 가장 적절하다.

3 문장 ⑫-⑬에서 너무 오랫동안 스마트폰을 사용하거나 키보드로 타자를 치는 것은 반복적인 손의 움직임을 유발해 위험성을 증가시킨다고 했다.

4 ④: 손목 터널 증후군의 치료 방법에 대한 언급은 없다.
①: 첫 번째 단락에서 손가락을 아래로 향한 채 손등을 붙인 자세에서 손바닥과 손가락에 통증을 느끼면 손목 터널 증후군을 가지고 있을 수 있다고 했다.
②: 문장 ⑥에서 손목의 터널이 조여져서 신경에 압박을 가하면 손목 터널 증후군이 발생한다고 했다.
③: 문장 ⑦-⑧에서 손바닥과 손가락에 감각을 잃고, 이후 손목 전체에 극심한 통증을 겪을 수 있다고 했다.
⑤: 문장 ⑨-⑩에서 물건을 자주 떨어뜨리고 젓가락을 사용하는 데 어려움을 겪는 등 일상생활에 문제를 유발한다고 했다.

정답 **1** ④ **2** ③ **3** repetitive, keyboards **4** ④

⑩ You may **often** drop things or *have difficulty in using* chopsticks.
→ often(자주)은 어떤 일이 얼마나 자주 일어나는지를 나타내는 빈도부사이다. 빈도부사는 일반동사의 앞 또는 be동사나 조동사의 뒤에 오므로 조동사 may 뒤에 왔다.
→ 「have difficulty[trouble/a hard time] + (in) + v-ing」는 '~하는 데 어려움/문제/힘든 시간을 겪다'라는 의미이다.

⑪ These days, **the number of people** with this condition *is increasing*.
→ 「the number of + 복수명사」는 '~의 수'라는 의미이다. 항상 단수 취급하므로 뒤에 단수동사 is가 쓰였다.
  cf. 「a number of + 복수명사」: 많은[다수의] ~ (복수 취급)
  ex. **A number of people** are waiting for a bus. (많은 사람들이 버스를 기다리고 있다.)
→ 「be동사의 현재형 + v-ing」는 현재진행 시제로 '~하고 있다, ~하는 중이다'라고 해석한다.

⑫ This is because는 '이것은 ~ 때문이다'라는 의미로, because 뒤에 오는 내용이 앞 문장에 대한 이유가 된다.

본문 해석

❶ 자동차가 운전자 없이 완전히 스스로 운전할 수 있을까? ❷ 다시 말해서, 자율 주행 자동차는 정말 가능한 것일까? ❸ 아직은 아니다. ❹ 이것은 그것들이 다음의 예시에서와 같이 어려운 결정을 아직 내릴 수 없기 때문이다.

A. ❺ 만약 당신의 자동차가 직진하면, 다섯 명이 부상을 당할 것이다. ❻ 하지만, 만약 방향을 바꾸면, 한 명만 죽게 될 것이다.

B. ❼ 만약 당신의 자동차가 직진하면, 한 명이 죽게 될 것이다. ❽ 하지만, 만약 방향을 바꾸면, 당신이 심각하게 부상을 당할 것이다.

❾ 각 상황에서 어떤 결정이 내려져야 하는가? ❿ 물론, 정답은 없다. ⓫ 하지만, 자율 주행 자동차는 무엇을 할지 사전에 알아야만 하는데, 왜냐하면 그것들은 프로그램에 따라 운전하기 때문이다. ⓬ 모든 상황이 고려되어 프로그램이 짜여야 한다. ⓭ 게다가, 만약 사고가 정말 일어난다면, 또 다른 문제가 발생한다. ⓮ 소프트웨어, 자동차 회사, 또는 인간 운전자 중 누구에게 궁극적으로 책임이 있는가? ⓯ 자율 주행 자동차를 성공적으로 사용하기 위해, 우리는 이러한 문제에 대해 깊게 생각해 봐야 한다.

---

❶ Can a car drive by itself completely / without a driver? / ❷ In other
자동차가 완전히 스스로 운전할 수 있을까   운전자 없이   다시 말해서

words, / are self-driving cars really possible? / ❸ Not just yet. / ❹ This is
자율 주행 자동차는 정말 가능한 것일까   아직은 아니다   이것은

because / they cannot make difficult decisions yet, / like in the following
~ 때문이다   그것들이 아직 어려운 결정들을 내릴 수 없기   다음의 예시들에서와 같이

examples. /

A. ❺ If your car goes straight, / five people will be injured. / ❻ But,
만약 당신의 자동차가 직진하면   다섯 명이 부상을 당할 것이다   하지만

if it makes a turn, / only one person will be killed. /
만약 그것이 방향을 바꾸면   한 명만 죽게 될 것이다

B. ❼ If your car goes straight, / one person will be killed. / ❽ But, if it
만약 당신의 자동차가 직진하면   한 명이 죽게 될 것이다   하지만 만약

makes a turn, / you will get seriously injured. /
그것이 방향을 바꾸면   당신이 심각하게 부상을 당할 것이다

❾ Which decision should be made in each situation? / ❿ Of course, /
각 상황에서 어떤 결정이 내려져야 하는가   물론

there is no right answer. / ⓫ (A) However, / self-driving cars must
정답은 없다   하지만   자율 주행 자동차는

know what to do / in advance / because they drive according to a
무엇을 할지 알아야만 한다   사전에   왜냐하면 그것들은 프로그램에 따라 운전하기 때문이다

program. / ⓬ Every situation needs to be considered / and programmed
모든 상황이 고려되어야 한다   그리고 그것들 안에 프로그램이

into them. / ⓭ (B) Besides, / if an accident does occur, / another problem
짜여야 한다   게다가   만약 사고가 정말 일어난다면   또 다른 문제가 발생한다

arises. / ⓮ Who is ultimately responsible / —the software, the car
누구에게 궁극적으로 책임이 있는가   소프트웨어, 자동차 회사,

company, or the human driver? / ⓯ In order to use self-driving cars
또는 인간 운전자   자율 주행 자동차를 성공적으로 사용하기 위해

successfully, / we need to think deeply about these issues. /
우리는 이러한 문제들에 대해 깊게 생각해 봐야 한다

구문 해설

❶ 「by + 재귀대명사」는 '스스로, 홀로'라는 의미이다. 이 문장에서는 주어인 a car와 같은 대상을 나타내므로 재귀대명사 itself가 쓰였다.

❹ **This is because** they cannot make difficult decisions *yet*, like in the following examples.
→ This is because는 '이것은 ~ 때문이다'라는 의미로, because 뒤에 오는 내용이 앞 문장에 대한 이유가 된다.
→ 부정문에서 부사 yet이 사용될 경우 '아직'이라고 해석한다.   *cf.* 접속사 yet: 그렇지만, 그런데도

❺ **If** your car **goes** straight, five people *will be injured*.
→ 조건을 나타내는 if절(만약 ~하면)에서는 미래를 나타낼 때도 현재 시제(goes)를 쓴다.
→ 조동사 뒤에는 동사원형이 오므로, 조동사가 있는 수동태는 「조동사 + be p.p.」가 된다.

❾ **Which decision** *should be made* in each situation?
→ 의문사 Which(어떤, 어느)의 수식을 받는 decision이 의문문의 주어 역할을 하고 있다.
→ 조동사 뒤에는 동사원형이 오므로, 조동사가 있는 수동태는 「조동사 + be p.p.」가 된다.

1 이 글의 요지로 가장 적절한 것은?

① Self-driving cars can cause more death in accidents.
자율 주행 자동차는 사고 시에 더 많은 사망을 일으킨다.

② There is some debate over the need for self-driving cars.
자율 주행 자동차의 필요성에 대해 논쟁이 있다.

③ Self-driving cars are able to anticipate various traffic conditions.
자율 주행 자동차는 다양한 교통 상황을 예측할 수 있다.

④ Self-driving cars put the most importance on the safety of drivers.
자율 주행 자동차는 운전자의 안전을 가장 중요시한다.

✓⑤ There are some problems to solve to make self-driving cars a reality.
자율 주행 자동차를 실현하기 위해서는 해결할 문제가 있다.

2 이 글의 빈칸 (A)와 (B)에 들어갈 말로 가장 적절한 것은?

	(A)		(B)
✓①	However	......	Besides 하지만 … 게다가
②	However	......	Therefore 하지만 … 따라서
③	For example	......	Besides 예를 들어 … 게다가
④	For example	......	Therefore 예를 들어 … 따라서
⑤	In short	......	Besides 요컨대 … 게다가

3 다음 질문에 대한 답이 되도록 빈칸에 들어갈 말을 글에서 찾아 쓰시오.

> Q. What problem could arise if a self-driving car had an accident?
> 만약 자율 주행 자동차가 사고를 냈다면 어떤 문제가 발생할 수 있는가?

A. It would be hard to determine who is ___responsible___ for the
accident. 사고에 대해 누가 책임이 있는지 판단하기가 어려울 것이다.

4 이 글의 내용으로 보아, 다음 빈칸에 들어갈 말을 보기 에서 골라 쓰시오.

보기	turns	programmed	injured	decisions	situation
	회전	프로그램이 짜이다	부상을 당하다	결정	상황

Fully self-driving cars are not possible now because they cannot make complex
___decisions___ yet. They need to be ___programmed___ to drive
considering every ___situation___ on the road.

완전 자율 주행 자동차는 현재 가능하지 않은데, 왜냐하면 그것들이 아직 복잡한 결정을 내릴 수 없기 때문이다.
그것들은 도로 위에서의 모든 상황을 고려하여 운전하도록 프로그램이 짜여야 한다.

정답 1 ⑤ 2 ① 3 responsible 4 decisions, programmed, situation

---

1 자율 주행 자동차를 성공적으로 사용하려면 많은 문제에 대해 깊게 생각해 봐야 한다는 내용의 글이므로, 요지로 ⑤ '자율 주행 자동차를 실현하기 위해서는 해결할 문제가 있다.'가 가장 적절하다.

2 (A) 빈칸 앞에서 각 상황에서 어떤 결정을 내려야 할지에 대한 정답은 없다고 한 이후, 빈칸이 있는 문장에서 자율 주행 자동차는 무엇을 할지 사전에 알아야만 한다며 대조되는 내용을 언급했다. 따라서 빈칸 (A)에는 '하지만'이 가장 적절하다.
(B) 빈칸 앞에서 자율 주행 자동차는 모든 상황에서 무엇을 할지 프로그램이 짜여야 한다고 했고, 빈칸이 있는 문장에서는 사고가 일어날 경우 발생하는 또 다른 문제에 관한 추가 설명을 했다. 따라서 빈칸 (B)에는 '게다가'가 가장 적절하다.

3 문장 ⑬-⑭에서 사고가 정말 발생한다면, 소프트웨어, 자동차 회사, 인간 운전자 중 누구에게 책임이 있는지에 관한 문제가 생긴다고 했다.

4 문제 해석 참고

---

⑪ However, self-driving cars must know **what to do** in advance because they drive according to a program.
→ 「what + to-v」는 '무엇을 ~할지'라는 의미로, 이 문장에서는 must know의 목적어 역할을 하고 있다. 「의문사 + to-v」는 문장의 주어, 보어 또는 목적어 역할을 한다.
= 「what + 주어 + should + 동사원형」 *ex.* self-driving cars must know **what they should do** in advance

⑫ every(모든) 뒤에는 단수명사(situation)가 와야 하며, 「every + 단수명사」는 단수 취급하므로, 단수동사 needs가 쓰였다.

⑬ does occur에서 does는 동사를 강조하기 위해 쓰였다. 이때 does는 '정말, 진짜'라고 해석한다. 동사의 수와 시제에 따라 do, does, did로 쓸 수 있고 뒤에는 동사원형을 쓴다.

⑮ In order to는 '~하기 위해'라는 의미이다. = **So as to** use self-driving cars successfully = **To** use self-driving cars successfully

본문 해석

❶ 당신은 더 이상 필요로 하지 않는 약을 어떻게 버리는가? ❷ 아마 그것을 쓰레기통에 버렸거나 변기에 내려버렸을 수도 있다. ❸ 하지만, 둘 다 해서는 안 된다!

❹ 이러한 방식으로 처리된 약은 결국 자연환경으로 들어가게 된다. ❺ 불행하게도, 약 속의 화학 물질은 쉽게 분해되지 않는다. ❻ 그래서, 그것들은 주변의 생태계를 해치면서, 긴 시간 동안 땅이나 물 속에 남아 있게 된다. ❼ 예를 들어, 호르몬 약에 있는 적은 양의 에스트로겐은 수컷 물고기를 암컷으로 바꿀 수 있다! ❽ 또한, 여과되지 않은 약이 우리의 식수로 흘러들어올 수 있다. ❾ 만약 우리가 계속해서 이 오염된 물을 마신다면, 그것은 우리의 건강을 해칠 수도 있다.

❿ 그래서, 우리는 어떻게 오래된 약을 처리해야 하는가? ⓫ 당신은 그것을 동네 약국에 가져갈 수 있다. ⓬ 그곳에는 보통 안전하게 약을 버릴 수 있는 상자가 있다.

❶ How do you get rid of medicine / you no longer need? / ❷ You
당신은 약을 어떻게 버리는가   당신이 더 이상 필요로 하지 않는   당신은

might probably throw it in the trash can / or flush it down the toilet. /
아마 그것을 쓰레기통에 버렸을 수도 있다   또는 그것을 변기에 내려버렸을 수도 있다

❸ However, / you shouldn't do either! /
하지만   당신은 둘 다 해서는 안 된다

❹ Medicine disposed of this way / eventually enters the environment. /
이러한 방식으로 처리된 약은   결국 자연환경으로 들어가게 된다

❺ Unfortunately, / the chemicals in the drugs / don't decompose
불행하게도   약 속의 화학 물질들은   쉽게 분해되지 않는다

easily. / ❻ So, / they remain in the ground and water / for a long time, /
그래서   그것들은 땅이나 물속에 남아 있게 된다   긴 시간 동안

damaging the surrounding ecosystem. / ❼ For example, / a small amount
주변의 생태계를 해치면서   예를 들어   호르몬 약에 있는

of estrogen in hormone drugs / can change male fish into females! /
적은 양의 에스트로겐은   수컷 물고기들을 암컷들로 바꿀 수 있다

❽ Also, / medicine that isn't filtered out / can flow into our drinking
또한   여과되지 않은 약이   우리의 식수로 흘러들어올 수 있다

water. / ❾ If we keep drinking this contaminated water, / it may harm
만약 우리가 계속해서 이 오염된 물을 마신다면   그것은 우리의

our health. /
건강을 해칠 수도 있다

❿ So, / how should we dispose of old medicine? / ⓫ You can bring it
그래서 우리는 어떻게 오래된 약을 처리해야 하는가   당신은 그것을

to local pharmacies. / ⓬ They usually have boxes / where you can discard
동네 약국들에 가져갈 수 있다   그곳들에는 보통 상자들이 있다   당신이 안전하게 약을

drugs safely. /
버릴 수 있는

구문 해설

❶ How do you get rid of medicine [(which/that) you no longer need]?
→ [ ]는 앞에 온 선행사 medicine을 수식하는 목적격 관계대명사절로, 목적격 관계대명사 which/that이 생략되어 있다.

❸ 부정대명사 either는 '둘 중 어느 것이든'이라는 의미로, 앞에서 언급된 두 개의 대상을 가리킨다. 이 문장에서는 앞 문장에 나온 throw it in the trash can과 flush it down the toilet을 가리켜 둘 중 어느 것이든 해서는 안 된다는 의미이다. 이때 not과 either를 neither(둘 중 어느 것도)로 바꿔 쓸 수 있다.   = However, you should do **neither**!

❹ Medicine [**disposed of** this way] eventually enters the environment.
→ [ ]는 앞에 온 Medicine을 수식하는 과거분사구이다. 이때 disposed of는 '처리된, 없애진'이라고 해석한다.

❻ So, they remain in the ground and water for a long time, [**damaging** the surrounding ecosystem].
→ [ ]는 '주변의 생태계를 해치면서'라는 의미로, [동시동작]을 나타내는 분사구문이다.
= 「접속사 + 주어 + 동사」 *ex.* So, they remain in the ground ~ **while/as they damage** the surrounding ecosystem.

1 What is the best title for the passage? 이 글의 제목으로 가장 적절한 것은?

① Helpful Tips for Taking Medicine 약을 복용하는 것에 대한 유용한 조언들
② Medicine That You Should Avoid 당신이 피해야 하는 약
③ Don't Store Medicine for Too Long 약을 너무 오랫동안 보관하지 말아라
④ Drugs That Control Fish Hormones 물고기의 호르몬을 조절하는 약
⑤ Be Cautious When Throwing Away Medicine 약을 버릴 때 조심해라

2 What should you avoid when you get rid of medicine? Write two answers in Korean.
약을 버릴 때 무엇을 피해야 하는가? 두 가지를 우리말로 쓰시오.
(1) _____쓰레기통에 버리는 것_____
(2) _____변기에 내려버리는 것_____

3 Write T if the statement is true or F if it is false. 이 글의 내용과 일치하면 T, 그렇지 않으면 F를 쓰시오.

(1) Medicine can affect the gender of some animals.   T
약은 일부 동물의 성별에 영향을 끼칠 수 있다.
(2) Some drugs can get into the water we drink.   T
일부 약은 우리가 마시는 물에 들어갈 수 있다.
(3) You can discard old medicine safely at your home.   F
당신은 오래된 약을 집에서 안전하게 버릴 수 있다.

4 Complete the table with words from the passage. 이 글에서 알맞은 말을 찾아 표를 완성하시오.

Problem 문제점	**Solution** 해결책
If you (1) _____dispose_____ _____of_____ drugs improperly, they can threaten the ecosystem and human (2) _____health_____. 당신이 약을 부적절하게 (1) 처리한다면, 그것들은 생태계와 인간의 (2) 건강을 위협할 수 있다.	Return unnecessary drugs to (3) _____pharmacies_____ in your neighborhood. 불필요한 약을 인근에 있는 (3) 약국들에 되돌려주어라.

정답 **1** ⑤   **2** (1) 쓰레기통에 버리는 것 (2) 변기에 내려버리는 것   **3** (1) T (2) T (3) F
4 (1) dispose of (2) health (3) pharmacies

---

1 약을 잘못된 방법으로 버릴 경우 발생하는 문제와 올바르게 버리는 방법을 설명하는 글이므로, 제목으로 ⑤ '약을 버릴 때 조심해라'가 가장 적절하다.

2 문장 ❷-❸에서 필요하지 않은 약을 쓰레기통에 버렸거나 변기에 내려버렸을 수도 있지만, 둘 다 해서는 안 된다고 했다.

3 (1) 문장 ❼에서 호르몬 약에 있는 에스트로겐이 수컷 물고기를 암컷으로 바꿀 수 있다고 했다.
(2) 문장 ❽에서 여과되지 않은 약이 우리의 식수로 흘러들어올 수 있다고 했다.
(3) 문장 ⑪-⑫에서 오래된 약은 동네 약국에 가져가서 안전하게 버릴 수 있다고 했다.

4 문제 해석 참고

---

❽ Also, medicine [that isn't filtered out] can flow into our **drinking** water.
→ [ ]는 앞에 온 선행사 medicine을 수식하는 주격 관계대명사절이다.
→ drinking은 뒤에 온 명사(water)의 용도나 목적을 나타내는 동명사이다. 이 문장에서는 '식수(마시는 용도의 물)'라고 해석한다.

❾ 「keep + v-ing」는 '계속해서 ~하다'라는 의미이다. keep은 목적어로 동명사를 쓴다.

❿ 조동사 should는 '~해야 한다'라는 의미로, 충고나 의무를 나타낸다.

⑫ They usually have boxes [where you can discard drugs safely].
→ [ ]는 앞에 온 선행사 boxes를 수식하는 관계부사절이다. 관계부사는 「전치사 + 관계대명사」로 바꿔 쓸 수 있다.
= They usually have boxes **in which** you can discard drugs safely.

본문 해석

❶ John Mew 박사는 얼굴 구조에 관한 많은 문제가 어린 시절 동안의 나쁜 습관에서 비롯되었다는 것을 발견해서 놀랐다. ❷ 예를 들어, 혀를 입의 바닥에 두는 것은 짧은 턱 또는 비대칭인 얼굴을 야기할 수 있었다. ❸ 그는 그러한 문제가 수술 없이 교정될 수 있다고 믿었다. ❹ 따라서, 그는 자신의 이름을 따서 이름 지어진 뮤잉이라고 불리는 혀 운동을 개발했다.

❺ 뮤잉의 실천은 간단하다. ❻ 혀 전체를 입천장에 갖다 대어 두어라. ❼ 반드시 혀가 윗니에 닿지 않도록 해라. ❽ 그 다음, 윗니와 아랫니를 떨어뜨린 상태를 유지하면서 입술을 다물어라. ❾ 최상의 결과를 위해서, 당신은 이것을 입이 다물어져 있을 때마다 해야 한다.

❿ 뮤잉을 하는 동안, 당신은 혀, 입술, 그리고 볼에 있는 근육을 쓴다. ⓫ 이것은 얼굴 근육을 강화하고, 치아를 고르게 유지하는 데 도움이 되고, 얼굴 모양을 바꿀 수 있다. ⓬ 뮤잉은 특히 뼈가 아직 자라고 있는 어린아이들에게 효과적이다. ⓭ 하지만 일부 성인들은 뮤잉이 그들에게도 상당히 효과가 있다고 말한다!

---

❶ Dr. John Mew was surprised to find / that many problems with
John Mew 박사는 발견해서 놀랐다 　　　얼굴 구조에 관한 많은 문제들이

facial structure / resulted from bad habits during childhood. / ❷ For
　　　　　어린 시절 동안의 나쁜 습관들에서 비롯되었다는 것을

example, / placing the tongue on the bottom of the mouth / could result
예를 들어　　혀를 입의 바닥에 두는 것은　　　　　　　　　짧은 턱 또는

in a short chin or an uneven face. / ❸ He believed / that such problems
비대칭인 얼굴을 야기할 수 있었다　　　　　그는 믿었다　　그러한 문제들이

could be corrected / without surgery. / ❹ Thus, / he developed a tongue
교정될 수 있다고　　　　수술 없이　　　　따라서　그는 혀 운동을

exercise / called mewing, / named after himself. /
개발했다　　mewing(뮤잉)이라고 불리는　그 자신의 이름을 따서 이름 지어진

❺ The practice of mewing is simple: / ❻ Place the entire tongue / against
　　　뮤잉의 실천은 간단하다　　　　　　혀 전체를 두어라

the roof of the mouth. / ❼ Make sure / it doesn't touch the upper teeth. /
입천장에 갖다 대어　　　　반드시 ~ 해라　그것(혀)이 윗니에 닿지 않도록

❽ Then, / close the lips / while keeping the upper and lower teeth apart. /
그 다음　입술을 다물어라　윗니와 아랫니를 떨어뜨린 상태를 유지하면서

❾ For the best results, / you should do this / whenever your mouth is
최상의 결과를 위해서　　당신은 이것을 해야 한다　　당신의 입이 다물어져 있을 때마다

closed. /

❿ During mewing, / you use the muscles on your tongue, lips and
뮤잉을 하는 동안　　　당신은 당신의 혀, 입술, 그리고 볼에 있는 근육을 쓴다

cheeks. / ⓫ This can strengthen facial muscles, / help keep your teeth
　　　　이것은 얼굴 근육을 강화할 수 있다　　당신의 치아를 고르게 유지하는 데 도움이 될

even, / and change the shape of your face. / ⓬ Mewing is especially
수 있다　그리고 당신의 얼굴 모양을 바꿀 수 있다　　　　뮤잉은 특히

effective on young children / whose bones are still growing. / ⓭ But even
어린아이들에게 효과적이다　　　　그들의 뼈가 아직 자라고 있는　　　　하지만 일부

some adults say / that mewing works well on them, too! /
성인들도 말한다　　뮤잉이 그들에게도 상당히 효과가 있다고

구문 해설

❶ Dr. John Mew was surprised **to find** [that many problems with facial structure resulted from bad habits during childhood].
→ to find 이하는 '~을 발견해서'라는 의미로, [감정의 원인]을 나타내는 to부정사의 부사적 용법으로 쓰였다.
→ [ ]는 to find의 목적어 역할을 하는 명사절이다. 이때 명사절 접속사 that은 생략할 수 있다.

❼ **Make sure** [(that) it doesn't touch the upper teeth].
→ 「make sure + that절」은 '반드시[확실히] ~하다'라는 의미이다.
= 「make sure + to-v」 *ex.* **Make sure** for it not **to touch** the upper teeth.

❽ Then, close the lips [**while keeping** the upper and lower teeth apart].
→ [ ]는 '윗니와 아랫니를 떨어뜨린 상태를 유지하면서'라는 의미로, [동시동작]을 나타내는 분사구문이다. 분사구문의 의미를 분명하게 하기 위해 접속사 while이 생략되지 않았다.
= 「접속사 + 주어 + 동사」 *ex.* Then, close the lips **while you keep** the upper and lower teeth apart.

1 이 글의 주제로 가장 적절한 것은?

① how facial structures change with age 얼굴 구조가 어떻게 나이에 따라 변하는지
② how to break bad habits for your teeth 치아에 나쁜 습관을 고치는 방법
③ a doctor who studied the muscles of the face 얼굴의 근육을 연구한 의사
④ importance of dental health during childhood 어린 시절 동안의 치아 건강의 중요성
⑤ a method to change your face shape without surgery 수술 없이 얼굴 모양을 바꾸는 방법

2 다음 질문에 대한 답이 되도록 빈칸에 들어갈 말을 글에서 찾아 쓰시오.

Q. According to Dr. John Mew, what causes many problems with facial structure? John Mew 박사에 따르면, 무엇이 얼굴 구조에 관한 많은 문제를 야기하는가?

A. Bad habits such as _____placing_____ the _____tongue_____ wrongly during _____childhood_____ 잘못 혀를 두는 것과 같은 어린 시절 동안의 나쁜 습관들

3 다음 중, mewing을 할 때 혀의 위치로 가장 적절한 것은?

4 mewing에 관한 이 글의 내용과 일치하지 않는 것은?

① It is intended to help issues related to facial structure.
그것은 얼굴 구조와 관련된 문제를 돕도록 의도되었다.
② It is named after the doctor who invented it. 그것을 개발한 박사의 이름을 따서 이름 지어졌다.
③ It uses the muscles in your cheeks. 그것은 볼에 있는 근육을 사용한다.
④ It can help your teeth stay even. 그것은 치아가 고른 상태를 유지하도록 도울 수 있다.
⑤ It works better for adults than children. 그것은 아이들보다 성인들에게 더 효과가 있다.

정답 1 ⑤ 2 placing the tongue, childhood 3 ③ 4 ⑤

1 혀를 올바른 위치에 둠으로써 수술 없이 얼굴 구조를 교정하는 혀 운동법인 뮤잉을 소개하는 글이므로, 주제로 ⑤ '수술 없이 얼굴 모양을 바꾸는 방법' 이 가장 적절하다.

2 문장 ❶에서 John Mew 박사는 얼굴 구조의 많은 문제가 어린 시절의 나쁜 습관에서 비롯되었다는 것을 발견했다고 했고, 문장 ❷에서 그 습관의 예로 혀를 입의 바닥에 두는 것을 언급했다.

3 문장 ❻-❽에서 혀 전체를 윗니에 닿지 않게 입천장에 갖다 대고, 윗니와 아랫니를 떨어뜨린 채로 입을 다물라고 했다. 따라서 뮤잉을 할 때 혀의 위치로 ③이 가장 적절하다.

4 ⑤: 문장 ⑫에서 뮤잉은 특히 뼈가 아직 자라고 있는 어린아이들에게 효과적이라고 했다.
①: 문장 ❸-❹를 통해 뮤잉은 얼굴 구조의 문제를 수술 없이 교정하기 위해 개발되었음을 알 수 있다.
②는 문장 ❹에, ③은 문장 ❿에, ④는 문장 ⑪에 언급되어 있다.

❾ whenever는 복합관계부사로, '~할 때마다'라는 의미이다. 여기서는 whenever 대신 at any time (when)으로 바꿔 쓸 수 있다.
= you should do this **at any time (when)** your mouth is closed
cf. whenever의 두 가지 의미: ① ~할 때마다 ② 언제 ~하더라도 (= no matter when)

⑪ This can **strengthen** facial muscles, *help* *keep* your teeth even, and **change** the shape of your face.
→ 조동사 can 뒤에 동사원형 strengthen, help, change가 접속사 and로 연결되어 쓰였다. 이때 세 가지 이상의 단어가 나열되었으므로 「A, B, and[or] C」로 나타냈다.
→ 「help + 동사원형」은 '~하는 데 도움이 되다, ~하는 것을 돕다'라는 의미이다. = 「help + to-v」
→ 「keep + 목적어 + 형용사」는 '~을 …하게 유지하다'라는 의미로, 여기서는 '당신의 치아를 고르게 유지하다'라고 해석한다.

⑫ Mewing is especially effective on young children [whose bones are still growing].
→ [ ]는 앞에 온 선행사 young children을 수식하는 소유격 관계대명사절이다.

본문 해석

❶ Nate는 코넬 대학에서 신입생 미식 축구 선수를 하기로 되어 있었다. ❷ 하지만, 학기가 시작되기 전에, 그는 충격적인 소식을 받았다. ❸ 그는 그의 소셜 미디어 계정 때문에 미식축구팀에서 제외되었다! ❹ Nate와 그의 친구는 인종차별적인 내용의 영상을 소셜 미디어 사이트에 올렸었다. ❺ 비록 그는 뛰어난 선수였지만, 이것은 코넬 대학이 그의 인성에 대해 우려하도록 만들었고, 그는 대학을 떠나야 했다.

❻ 미국에서 소셜 미디어는 어떤 사람인지 판단하는 수단이 되었다. ❼ 실제로, 고용주들의 70퍼센트가 채용 과정 동안 구직자들을 심사하기 위해 소셜 미디어를 이용한다. ❽ 그들은 부적절한 행동을 한 사진과 인종, 성별 또는 종교에 관한 부정적인 게시글과 같은 것들에 대해 지원자들의 계정을 살펴본다. ❾ 그러한 콘텐츠는 취업 기회를 없앨 수 있다. ❿ 게다가, 사회적으로 받아들일 수 없는 게시글은 그 나라를 방문하는 것에 장애물이 될 수 있다. ⓫ 요즘에는, 한 사람이 미국 비자를 신청하면, 정부가 소셜 미디어 정보를 수집한다. ⓬ 정부는 그 후 이것을 신청자가 나라에 위협적인 존재인지 아닌지 판단하기 위해 이용한다. ⓭ 따라서, 소셜 미디어에 무엇을 게시하는지에 관해 조심해라!

❶ Nate was supposed to be a freshman football player / at Cornell
Nate는 신입생 미식축구 선수를 하기로 되어 있었다   코넬

University. / ❷ However, / before the semester began, / he received some
대학에서   하지만   학기가 시작되기 전에   그는 충격적인

shocking news. / ❸ He was removed from the football team / because of
소식을 받았다   그는 미식축구팀에서 제외되었다

his social media account! / ❹ Nate and his friend had posted a video with
그의 소셜 미디어 계정 때문에   Nate와 그의 친구는 인종차별적인 내용의 영상을 올렸었다

racist content / on a social media site. / ❺ Although he was a good player, /
                소셜 미디어 사이트에   비록 그는 뛰어난 선수였지만

it made Cornell worry about his personality, / and he had to leave the
이것은 코넬 (대학)이 그의 인성에 대해 우려하도록 만들었다   그리고 그는 대학을 떠나야 했다

university. /

❻ Social media has become a way / to judge who a person is / in the
소셜 미디어는 수단이 되었다   어떤 사람인지 판단하는   미국에서

U.S. / ❼ In fact, / 70% of employers use social media / to review job
실제로   고용주들의 70퍼센트가 소셜 미디어를 이용한다   구직자들을 심사하기

applicants / during their hiring process. / ❽ They search the applicants'
위해   그들의 채용 과정 동안   그들은 지원자들의 계정을 살펴본다

accounts / for things like photos with inappropriate behavior / and
            부적절한 행동을 한 사진들과 같은 것들에 대해   그리고

negative posts about race, gender, or religion. / ❾ Such content can take
인종, 성별, 또는 종교에 관한 부정적인 게시글들   그러한 콘텐츠는 취업 기회를

away job opportunities. / ❿ In addition, / socially unacceptable posts / can
없앨 수 있다   게다가   사회적으로 받아들일 수 없는 게시글들은

be obstacles to visiting the country. / ⓫ Nowadays, / when a person applies
그 나라를 방문하는 것에 장애물이 될 수 있다   요즘에는   한 사람이 미국 비자를 신청하면

for a U.S. visa, / the government collects social media information. / ⓬ It
정부가 소셜 미디어 정보를 수집한다   그것(정부)은

then uses this to determine / whether the applicant is a threat to the
그 후 이것을 판단하기 위해 이용한다   신청자가 그 나라에 위협적인 존재인지 아닌지

country. / ⓭ Therefore, / be careful about / what you post on social media! /
따라서   ~에 관해 조심해라   당신이 소셜 미디어에 무엇을 게시하는지

구문 해설

❶ be supposed to는 '~하기로 되어 있다'라는 의미로 의무나 당위를 나타낸다. be supposed to 뒤에는 동사원형을 쓴다.

❹ had posted는 과거완료 시제(had p.p.)로, 이 문장에서는 과거의 특정 시점보다 더 이전에 발생한 일, 즉 [대과거]를 나타낸다. 그가 미식축구팀에서 제외되었던 과거의 시점보다 더 이전에 영상을 올렸었다는 의미이다.

❺ **Although** he was a good player, it *made Cornell worry about* his personality, and he had to leave the university.
→ Although는 부사절을 이끄는 접속사로, '비록[단지] ~이지만, ~하더라도'라는 의미이다.
→ 「make + 목적어 + 동사원형」은 '~가 …하도록 만들다'라는 의미이다.

❻ Social media **has become** a way *to judge* [who a person is] in the U.S.
→ has become은 현재완료 시제(have p.p.)로, 이 문장에서는 과거에 시작된 일이 현재에 끝난 [완료]를 나타낸다.
→ to judge 이하는 '어떤 사람인지 판단하는'이라는 의미로, to부정사의 형용사적 용법으로 쓰여 a way를 수식하고 있다.
→ [ ]는 「의문사 + 주어 + 동사」의 간접의문문으로, to judge의 목적어 역할을 하고 있다.

1 이 글의 요지로 가장 적절한 것은?

① 소셜 미디어 중독은 사회생활에 지장을 준다.
② 소셜 미디어를 통해 잘못된 정보가 퍼질 수 있다.
③ 소셜 미디어에 대한 부정적 인식이 증가하고 있다.
④ 소셜 미디어에 게시글을 올릴 때는 신중해야 한다. ✓
⑤ 소셜 미디어를 통한 개인 정보 유출에 조심해야 한다.

2 이 글의 밑줄 친 it이 의미하는 내용을 우리말로 쓰시오.

Nate와 그의 친구가 인종차별적인 내용의 영상을 소셜 미디어 사이트에 올린 것

3 이 글의 빈칸에 들어갈 말로 가장 적절한 것은?

① to gain work experience 업무 경험을 얻는
② to judge who a person is 어떤 사람인지 판단하는 ✓
③ to learn online etiquette 온라인 예절을 배우는
④ to search for better job opportunities 더 좋은 취업 기회를 찾는
⑤ to apply for admission to a university 대학에 입학을 신청하는

4 이 글의 내용으로 보아, 다음 빈칸에 들어갈 말을 글에서 찾아 쓰시오.

Today, people who make inappropriate posts on ___social media___ sites may have trouble going to a university, getting a ___job___ at a company, or ___visiting___ a country.

오늘날, 소셜 미디어 사이트상에 부적절한 게시글들을 올린 사람들은 대학에 가거나, 회사에 직업을 얻거나, 또는 나라를 방문하는 데 문제를 겪을 수도 있다.

정답 1 ④ 2 Nate와 그의 친구가 인종차별적인 내용의 영상을 소셜 미디어 사이트에 올린 것
3 ② 4 social media, job, visiting

문제 해설

1 Nate의 사례를 들어, 소셜 미디어에 올린 부적절한 게시글로 인해 여러 불이익을 받을 수 있는 만큼 조심해야 함을 설명하는 글이므로, 요지로 ④가 가장 적절하다.

2 문장 ❹에 언급된 내용을 의미한다. Nate와 그의 친구가 인종차별적인 내용의 영상을 소셜 미디어 사이트에 올린 것(= it)이 코넬 대학이 그의 인성을 우려하도록 만들었고 Nate는 대학을 떠나야 했다는 의미이다.

3 빈칸이 있는 문장에서 미국에서 소셜 미디어가 이것을 하는 수단이 되고 있다고 했고, 빈칸 뒤에서 미국의 기업과 정부가 구직자 또는 비자 신청자가 어떤 사람인지 확인하기 위해 소셜 미디어를 이용하고 있다고 했다. 따라서 빈칸에는 ② '어떤 사람인지 판단하는'이 가장 적절하다.

4 문제 해석 참고

---

❼ In fact, **70% of employers** use social media *to review job applicants* during their hiring process.
→ 「비율/분수 + of + 명사」가 문장의 주어로 쓰일 경우, of 뒤에 오는 명사에 따라 동사의 수가 결정된다. 이 문장에서는 employers라는 복수 명사가 와서 복수동사 use가 쓰였다.
→ to review job applicants는 '구직자들을 심사하기 위해'라는 의미로, [목적]을 나타내는 to부정사의 부사적 용법으로 쓰였다.

❿ visiting the country는 전치사 to(~에)의 목적어 역할을 하는 동명사구이다.
cf. 「전치사 to + (동)명사」: a secret to(~에 대한 비결), look forward to(~하는 것을 기대하다), when it comes to(~에 관해서라면)

⓬ It then uses this to determine [whether the applicant is a threat to the country].
→ [ ]는 to determine의 목적어 역할을 하는 명사절로, 이때 명사절 접속사 whether는 '~인지 (아닌지)'라고 해석한다.

⓭ Therefore, be careful about [what you post on social media]!
→ [ ]는 「의문사 + 주어 + 동사」의 간접의문문으로, be careful about의 목적어 역할을 하고 있다.

UNIT 07

3

본문 해석

❶ 어떤 사람들은 높은 곳을 극도로 두려워한다. ❷ 이 공포증을 치료하기는 쉽지 않지만, 매우 효과적인 해결책이 발견되었다.

❸ 최근, 옥스퍼드 대학의 연구원들은 가상현실(VR)을 이용하여 고소공포증을 치료하는 프로그램을 개발했다. ❹ 그들은 수십 년 동안 고소공포증을 앓아 왔던 지원자들에게 프로그램을 시험해보았다. ❺ 치료 동안, 참가자들은 VR 헤드셋을 착용했고 가상의 10층짜리 쇼핑몰에서 몇 가지 과제를 완료했다. ❻ 과제는 사람들이 공포를 더 쉽게 이겨내도록 돕기 위해 재미있도록 설계되었다. ❼ 예를 들어, 그것들은 나무에서 고양이를 구출하는 것, 밧줄로 된 다리를 걸어서 건너는 것, 또는 심지어 나는 고래를 타는 것을 포함했다! ❽ 일단 참가자들이 한 과제에 성공했다면, 그들은 더 높은 층으로 올라가서 또 하나의 과제를 시작할 것이다. ❾ 이 방식으로, 그들은 2주에 걸쳐서 30분짜리 VR 치료 활동들을 끝마쳤다. ❿ 마지막 활동 후에, 그들의 약 70퍼센트가 훨씬 덜 두려워한다고 말했다!

❶ Some people are extremely afraid of <u>high places</u>. / ❷ It isn't easy / to
어떤 사람들은 높은 곳을 극도로 두려워한다   쉽지 않다

treat this phobia, / but a very effective solution has been found. /
이 공포증을 치료하기는   하지만 매우 효과적인 해결책이 발견되었다

❸ Recently, / researchers at Oxford University / have developed
최근   옥스퍼드 대학의 연구원들은   프로그램을 개발했다

a program / to treat the fear of heights / using virtual reality (VR). /
     고소공포증을 치료하는   가상현실(VR)을 이용하는

❹ ⓐ They tested their program on volunteers / who had been suffering
그들은 그들의 프로그램을 지원자들에게 시험해보았다   수십 년 동안 그것(고소공포증)을

from it for decades. / ❺ During the treatment, / the participants put on a
앓아 왔던   치료 동안   참가자들은 VR 헤드셋을 착용했다

VR headset / and completed ⓑ several tasks / in a virtual 10-story shopping
     그리고 몇 가지 과제들을 완료했다   가상의 10층짜리 쇼핑몰에서

mall. / ❻ The tasks were designed to be fun / to help people overcome
     그 과제들은 재미있도록 설계되었다   사람들이 그들의 공포를 더 쉽게

their fear more easily. / ❼ For example, / ⓒ they involved / rescuing a
이겨내도록 돕기 위해   예를 들어   그것들은 포함했다   나무에서

cat from a tree, / walking across a rope bridge, / or even riding a flying
고양이를 구출하는 것   밧줄로 된 다리를 걸어서 건너는 것   또는 심지어 나는 고래를 타는 것

whale! / ❽ Once the participants succeeded in one task, / they would
     일단 참가자들이 한 과제에 성공했다면   그들은 더 높은

go up to a higher floor and start another. / ❾ In this way, / ⓓ they went
층으로 올라가서 또 하나의 것(과제)을 시작할 것이다   이 방식으로   그들은

through 30-minute VR treatment sessions / over two weeks. / ❿ After
30분짜리 VR 치료 활동들을 끝마쳤다   2주에 걸쳐서

the final session, / about 70% of ⓔ them said / that they were much less
마지막 활동 후에   그들의 약 70퍼센트가 말했다   그들이 훨씬 덜 두려워한다고

afraid! /

구문 해설

❷ **It** isn't easy **to treat this phobia**, but a very effective solution *has been found*.

→ It은 가주어이고, to treat this phobia가 진주어이다. 이때 가주어 it은 따로 해석하지 않는다.

→ 수동태가 현재완료 시제로 쓰였다. 현재완료 시제는 have/has 뒤에 과거분사(p.p.)가 오므로, 현재완료 시제의 수동태는 「have/has been + p.p.」가 된다.

❸ Recently, researchers ~ **have developed** a program *to treat the fear of heights* [using virtual reality (VR)].

→ have developed는 현재완료 시제(have p.p.)로, 이 문장에서는 과거에 시작된 일이 현재에 끝난 [완료]를 나타낸다. 현재완료 시제로 완료를 나타낼 때는 주로 recently, just, lately, yet, already 등이 함께 쓰인다.

→ to treat the fear of heights는 '고소공포증을 치료하는'이라는 의미로, to부정사의 형용사적 용법으로 쓰여 a program을 수식하고 있다.

→ [ ]는 앞에 온 a program을 수식하는 현재분사구로, 이때 using은 '이용하는'이라고 해석한다.

1 이 글의 빈칸에 들어갈 말로 가장 적절한 것은?

① failure 실패   ② darkness 어둠
③ crowded places 사람들이 붐비는 곳   ④ deep water 심해
☑ high places 높은 곳

2 이 글의 밑줄 친 ⓐ~ⓔ 중, 가리키는 대상이 같은 것끼리 짝지어진 것은?

① ⓐ, ⓑ   ② ⓑ, ⓓ   ③ ⓑ, ⓒ
④ ⓒ, ⓓ   ☑ ⓓ, ⓔ

3 다음 중, VR 치료의 원리를 가장 바르게 이해한 사람은?

① 은별: 자신의 두려움을 다양한 방법으로 표현하도록 해.
② 석훈: 두려움을 느끼는 원인을 파악할 수 있도록 해.
③ 서진: 두려워하는 대상에 대해 사람들과 함께 얘기하도록 해.
④ 민혁: 두려움을 이겨낼 때마다 특별한 보상을 제공해.
☑ 윤희: 두려움을 단계별로 극복해서 점차 익숙해지도록 해.

4 VR 치료에 관한 이 글의 내용과 일치하지 <u>않는</u> 것은?

① People who have a specific phobia participated.
　특정한 공포증을 가진 사람들이 참가했다.
② One of the tasks involved riding a virtual whale.
　과제들 중 하나는 가상의 고래를 타는 것을 포함했다.
☑ Participants went down to a lower floor after completing each task.
　참가자들은 각 과제를 완료한 후에 아래층으로 내려갔다.
④ Each session of the treatment took half an hour.
　치료의 각 활동은 30분이 걸렸다.
⑤ More than half of participants felt less fear after the treatment.
　치료 후에 참가자들의 절반 이상이 공포를 덜 느꼈다.

정답 1 ⑤   2 ⑤   3 ⑤   4 ③

문제 해설

1 빈칸 뒤에서 이 공포증에 대한 효과적인 해결책이 발견되었다고 했고, 그 다음 단락에서 고소공포증을 치료하는 VR 프로그램에 대해 설명하고 있다. 따라서 빈칸에는 ⑤ '높은 곳'이 가장 적절하다.

2 ⓓ, ⓔ는 참가자들을 가리키고, ⓐ는 옥스퍼드 대학의 연구원들을, ⓑ, ⓒ 는 몇 가지 과제들을 가리킨다.

3 문장 ❽-❾에서 참가자들이 한 과제에 성공하고 나면 더 높은 층으로 가서 또 다른 과제를 진행하는 식의 VR 치료 활동을 2주에 걸쳐서 끝마쳤다고 한 점으로 미루어 보아, VR 치료의 원리는 두려움을 단계별로 극복해서 점차 익숙해지도록 하는 것임을 알 수 있다. 따라서 VR 치료의 원리를 가장 바르게 이해한 사람은 윤희이다.

4 ③: 문장 ❽에서 참가자가 한 과제에 성공했다면 더 높은 층으로 올라간다고 했다.
①: 문장 ❹에서 고소공포증을 앓던 지원자들을 대상으로 프로그램을 시험해봤다고 했다.
②는 문장 ❼에, ④는 문장 ❾에, ⑤는 문장 ❿에 언급되어 있다.

---

❹ had been suffering은 「had been + v-ing」의 과거완료진행 시제로, 과거의 특정 시점보다 더 이전에 시작된 일이 그 시점까지도 계속 진행 중이었음을 강조하여 나타낸다. 지원자들이 이전부터 프로그램을 시험해봤던 그 당시까지 수십 년 동안 고소공포증을 앓아 왔다는 의미이다.

❻ The tasks **were designed to be** fun *to help people overcome their fear more easily.*
→ 「be designed + to-v」는 '…하도록 설계되다'라는 의미로, 「design + 목적어 + to-v(~가 …하도록 설계하다)」의 수동태 표현이다.
= Researchers **designed the tasks to be** fun ~. (연구원들은 그 과제들이 재미있도록 설계했다.)
→ to help 이하는 '사람들이 공포를 더 쉽게 이겨내도록 돕기 위해'라는 의미로, [목적]을 나타내는 to부정사의 부사적 용법으로 쓰였다.

❼ 「involve + v-ing」는 '~하는 것을 포함하다'라는 의미이다. involve는 목적어로 동명사를 쓴다. 여기서는 involved의 목적어로 rescuing, walking, riding이 이끄는 동명사구가 접속사 or로 연결되어 쓰였다.

❽ Once는 '일단 ~하면, ~하자마자'라는 의미로, 부사절을 이끄는 접속사로 쓰여 뒤에 「주어 + 동사」의 절이 왔다.
cf. 부사 once: ① 한 번 ② 이전에, 한때 *ex.* Christine rides a bicycle **once** a week. (Christine은 일주일에 한 번 자전거를 탄다.)

본문 해석

❶ 10억 달러를 가진 자신을 상상해봐라. ❷ 당신은 값비싼 스포츠카 또는 어쩌면 전 세계를 여행하기 위한 전용기를 사는 것을 생각할지도 모른다! ❸ 하지만, 만약 계란 세 알이 1,000억 달러이기 때문에 계란 한 알조차 살 수 없다면 어떨까?

❼ 2008년에, 이것은 짐바브웨에서 실제로 일어났다. ❽ 짐바브웨는 한때 아프리카에서 가장 부유한 나라들 중 하나였다. ❾ 하지만 1900년대 후반에 몇 가지 이유로 경제가 쇠퇴하기 시작했다.

❹ 이러한 이유 중 첫 번째는 극심한 가뭄이 작물 생산량을 급격히 감소시킨 것이다. ❺ 게다가, 경제 정책 실패와 정치적 부패가 국가 부채를 증가시켰다. ❻ 그 결과, 그 나라는 돈이 부족해졌다.

❿ 정부는 더 많은 돈을 발행하고 더 큰 금액의 지폐를 만듦으로써 문제를 해결하려고 노력했다. ⓫ 유감스럽게도, 돈이 덜 가치 있게 됨에 따라, 이것은 문제가 더 악화되도록 만들기만 했다. ⓬ 그래서, 상품의 가격이 급격히 상승했는데, 이는 하이퍼인플레이션을 야기했다.

⓭ 결국, 사람들은 10억 달러짜리 지폐를 장작, 벽지, 그리고 심지어 휴지로 사용했다.

---

❶ Imagine yourself with one billion dollars. / ❷ You might think about
10억 달러를 가진 당신 자신을 상상해봐라   당신은 사는 것을 생각할지도

buying / a luxurious sports car / or perhaps a private jet to travel around
모른다   값비싼 스포츠카를   또는 어쩌면 전 세계를 여행하기 위한 전용기를

the world! / ❸ But, / what if you couldn't even buy an egg / because three
하지만   만약 당신이 계란 한 알조차 살 수 없다면 어떨까   계란 세 알이

eggs cost 100 billion dollars? /
1,000억 달러이기 때문에

(B) ❼ In 2008, / this actually happened in Zimbabwe. / ❽ Zimbabwe
2008년에   이것은 짐바브웨에서 실제로 일어났다   짐바브웨는

was once one of the richest countries in Africa. / ❾ But its economy
한때 아프리카에서 가장 부유한 나라들 중 하나였다   하지만 그것의 경제가

began to (d) grow (→ decline) in the late 1990s / for several reasons. /
1900년대 후반에 성장하기(→ 쇠퇴하기) 시작했다   몇 가지 이유들로

(A) ❹ The first of these reasons is / that severe droughts sharply
이러한 이유들 중 첫 번째는 ~이다   극심한 가뭄이 급격히

reduced crop production. / ❺ Furthermore, / economic policy failures
작물 생산량을 감소시킨 것   게다가   경제 정책 실패와

and political corruption / increased the national debt. / ❻ As a result, /
정치적 부패가   국가 부채를 증가시켰다   그 결과

the country became short of money. /
그 나라는 돈이 부족해졌다

(C) ❿ The government tried to solve the problem / by printing more
정부는 그 문제를 해결하려고 노력했다   더 많은 돈을 발행하고

money and creating larger bills. / ⓫ Unfortunately, / this only made
더 큰 (금액의) 지폐를 만듦으로써   유감스럽게도   이것은 문제가 더

matters worse, / as the money became less valuable. / ⓬ So, / the price
악화되도록 만들기만 했다   돈이 덜 가치 있게 됨에 따라   그래서 상품의 가격이

of goods rose sharply, / which resulted in hyperinflation. /
급격히 상승했다   그런데 이것은 하이퍼인플레이션을 야기했다

⓭ In the end, / people used one-billion-dollar bills / as firewood,
결국   사람들은 10억 달러짜리 지폐들을 사용했다   장작,

wallpaper, and even toilet paper. /
벽지, 그리고 심지어 휴지로

구문 해설

❷ You **might** think about [buying a luxurious sports car or perhaps a private jet *to travel around the world*]!
→ 조동사 might는 '~할지도 모른다, ~할 수도 있다'라는 의미로, may보다 불확실한 추측을 나타낸다.
→ [ ]는 전치사 about(~을, ~에 대해)의 목적어 역할을 하는 동명사구이다.
→ to travel 이하는 '전 세계를 여행하기 위한'이라는 의미로, to부정사의 형용사적 용법으로 쓰여 a private jet를 수식하고 있다.

❸ But, [**what if you couldn't** even buy an egg because three eggs cost 100 billion dollars]?
→ 「what if + 주어 + 동사의 과거형 ~?」은 가정법 과거로, '~한다면 어떨까?'라는 의미이다. 현재 사실과 반대되거나 실제로 일어날 가능성이 적은 상황을 가정할 때 쓰인다. 이 문장에서는 10억 달러로 계란 한 알도 살 수 없는 실제로 일어날 가능성이 적은 상황을 가정하고 있다.
= 「what would happen if + 주어 + 동사의 과거형 ~?」 *ex.* But, **what would happen if you couldn't** even buy an egg ~?

❽ 「one of the + 최상급 + 복수명사」는 '가장 ~한 … 중 하나'라는 의미이다.

1 What is the best order for paragraphs (A)~(C)? 단락 (A)~(C)의 순서로 가장 적절한 것은?

① (A) – (C) – (B)　　　　　② (B) – (A) – (C) ✓

③ (B) – (C) – (A)　　　　　④ (C) – (A) – (B)

⑤ (C) – (B) – (A)

2 Among (a)~(e), which one is NOT correctly used? (a)~(e) 중, 쓰임이 적절하지 않은 것은?

① (a)　　② (b)　　③ (c)　　④ (d) ✓　　⑤ (e)

3 What does the underlined several reasons refer to? Write two answers in Korean.
밑줄 친 several reasons가 가리키는 것은 무엇인가? 두 가지를 우리말로 쓰시오.

(1) _____ 극심한 가뭄이 작물 생산량을 급격히 감소시킨 것 _____

(2) _____ 경제 정책 실패와 정치적 부패가 국가 부채를 증가시킨 것 _____

4 Choose the correct one based on the passage. 이 글을 바탕으로 알맞은 것을 고르시오.

Cause 원인	Effect 결과
A country faced a shortage of (1) (money / products), so the government produced more and more of it. 나라가 (1) 돈 부족에 직면해서, 정부가 점점 더 많은 돈을 만들어냈다.	It (2) (increased / decreased) the value of money and (3) (increased / decreased) the prices of products. 그것이 돈의 가치를 (2) 감소시켰고 상품의 가격을 (3) 증가시켰다.

정답　**1** ②　**2** ④　**3** (1) 극심한 가뭄이 작물 생산량을 급격히 감소시킨 것 (2) 경제 정책 실패와 정치적 부패가 국가 부채를 증가시킨 것　**4** (1) money (2) decreased (3) increased

문제 해설

1 계란 세 알이 1,000억 달러인 상황을 가정한 후, 이것이 실제로 일어났던 짐바브웨는 1990년대 후반부터 경제가 쇠퇴했다는 내용의 (B), 경제가 쇠퇴한 이유와 함께 그 결과 나라에 돈이 부족해졌음을 설명하는 (A), 이에 정부가 더 많은 돈을 발행해서 문제를 해결하려 했으나 이는 오히려 하이퍼인플레이션을 야기했다는 내용의 (C)의 흐름이 가장 적절하다.

2 단락 (B) 뒤에 이어지는 단락 (A)에서 가뭄, 경제 정책 실패, 정치적 부패로 인해 짐바브웨가 돈이 부족해졌다고 했고, 이는 짐바브웨의 경제가 쇠퇴한 이유에 해당하므로, (d) grow(성장하다)를 decline(쇠퇴하다)으로 고쳐야 한다.

3 문장 ④에서 첫 번째 이유로 극심한 가뭄이 작물 생산량을 급격히 감소시켰다고 했고, 문장 ⑤에서 게다가, 경제 정책 실패와 정치적 부패가 국가 부채를 증가시켰다고 했다.

4 (1) 문장 ⑥, ⑩에서 나라에 돈이 부족해지자 정부는 더 많은 돈을 발행하여 문제를 해결하려 했다고 했다.
(2) 문장 ⑪-⑫에서 정부가 더 많은 돈을 발행한 결과, 돈이 덜 가치 있게 되면서 상품의 가격이 급격히 상승했다고 했다.

---

④　The first of these reasons is [that severe droughts sharply reduced crop production].

→ [ ]는 is의 보어 역할을 하는 명사절이다. 이때 명사절 접속사 that은 생략할 수 있다.

⑩　The government **tried to solve** the problem [*by printing* more money and *creating* larger bills].

→ 「try + to-v」는 '~하려고 노력하다'라는 의미이다.　*cf.* 「try + v-ing」: (시험 삼아) ~해보다

→ 「by + v-ing」는 '~함으로써, ~해서'라는 의미로 수단이나 방법을 나타낸다. 이 문장에서는 동명사 printing과 creating이 접속사 and로 연결되어 쓰였다.

⑪　「make + 목적어 + 형용사」는 '~을 …하게 만들다'라는 의미이다.

⑫　So, the price of goods rose sharply[**, which** resulted in hyperinflation].

→ [ ]는 앞 문장 전체를 선행사로 가지는 계속적 용법의 관계대명사절이다. 여기서는 '그런데 이것(상품의 가격이 급격히 상승했던 것)은 ~하다'라고 해석한다.

본문 해석

❶ John은 러닝화 한 켤레를 사고 싶어 한다. ❷ 그는 그것들을 온라인 쇼핑몰에서 검색하지만 사지 않기로 결정한다. ❸ 몇 분 뒤에, 그는 다른 웹사이트에 들어가는데, 이곳에서 그는 그 신발에 대한 광고를 본다. ❹ 그는 몇몇 다른 웹사이트를 방문하고 같은 광고를 몇 번이고 본다. ❺ 마침내, John은 그 광고를 클릭해서 그 신발을 산다.

❻ 당신은 John과 같은 경험을 해본 적이 있는가? ❼ 만약 그렇다면, 당신은 왜 같은 광고를 다양한 웹사이트에서 보는지 궁금했을 수도 있다. ❽ 그것은 프로그래매틱 광고라고 불리는 마케팅 방법이다. ❾ 그것은 광고를 소비자들과 연결시키는 자동 프로그램을 사용한다. ❿ 당신이 온라인상에서 무언가를 검색할 때마다, 인터넷 쿠키가 만들어지고 당신의 기기에 저장된다. ⓫ 이 쿠키를 사용하여, 프로그램은 당신의 관심사와 선호도를 분석한다. ⓬ 그 다음 그것은 당신을 위한 최고의 광고를 보여준다. ⓭ 광고가 상품을 살 가능성이 더 높은 사람들에게 선택적으로 보이기 때문에, 결과는 꽤 효과적이다.

❶ John wants to buy a pair of running shoes. / ❷ He searches for
John은 러닝화 한 켤레를 사고 싶어 한다   그는 그것들을 온라인

them on an online shopping mall / but decides not to buy them. /
쇼핑몰에서 검색한다   하지만 그것들을 사지 않기로 결정한다

❸ A few minutes later, / he goes on another website, / where he sees an
몇 분 뒤에   그는 다른 웹사이트에 들어간다   그런데 이곳에서 그는 그

advertisement for those shoes. / ❹ He visits several others / and notices
신발에 대한 광고를 본다   그는 몇몇 다른 곳들을(웹사이트을) 방문한다

the same advertisement again and again. / ❺ Eventually, / John clicks the
그리고 같은 광고를 몇 번이고 본다   마침내   John은 그 광고를

advertisement and buys the shoes. /
클릭해서 그 신발을 산다

❻ Have you ever had the same experience as John? / ❼ If so, / you
당신은 John과 같은 경험을 해본 적이 있는가   만약 그렇다면

might have wondered / why you see the same advertisement on
당신은 궁금했을 수도 있다   당신이 왜 같은 광고를 다양한 웹사이트들에서 보는지

different websites. / ❽ It's a marketing method / called programmatic
그것은 마케팅 방법이다   프로그래매틱 광고라고 불리는

advertising. / ❾ It uses an automatic program / to match advertisements
그것은 자동 프로그램을 사용한다   광고를 소비자들과 연결시키는

to customers. / ❿ Every time you search something online, / Internet
당신이 온라인상에서 무언가를 검색할 때마다   인터넷

cookies are created and stored / on your device. / ⓫ By using these
쿠키가 만들어지고 저장된다   당신의 기기에   이 쿠키를 사용하여

cookies, / the program analyzes your interests and preferences. / ⓬ Then /
그 프로그램은 당신의 관심사와 선호도를 분석한다   그 다음

it shows the best advertisements for you. / ⓭ Since advertisements are
그것은 당신을 위한 최고의 광고를 보여준다   광고가 선택적으로 보이기 때문에

selectively shown / to those who are more likely to buy the goods, / the
그 상품을 살 가능성이 더 높은 사람들에게

results are quite effective. /
그 결과는 꽤 효과적이다

구문 해설

❷ He searches for them on an online shopping mall but **decides** *not to buy* them.
→ 「decide + to-v」는 '~하기로 결정하다'라는 의미이다.
→ to부정사의 부정형은 to 앞에 not[never]을 붙여서 나타낸다. *ex.* He told me **not to be** late. (그는 내게 늦지 말라고 말했다.)

❸ A few minutes later, he goes on another website[**, where** he sees an advertisement for those shoes].
→ [ ]는 앞에 온 another website를 선행사로 가지는 계속적 용법의 관계부사절이다. 관계부사 where과 when은 계속적 용법으로 쓰일 수 있다. 여기서는 '그런데 이곳(다른 웹사이트)에서 ~하다'라고 해석한다.
= A few minutes later, he goes on another website, **and there** he sees an advertisement for those shoes.

❼ **If so**, you *might have wondered* (the reason) [why you see the same advertisement on different websites].
→ If so는 '만약 그렇다면'이라는 의미로, 이때 so는 앞에 나온 문장의 내용을 대신한다.
= **If you have ever had the same experience as John**, you might have wondered ~.

1 이 글의 제목으로 가장 적절한 것은?

① How to Avoid Online Advertisements 온라인 광고를 피하는 방법
② The Best Way to Find Products on the Internet 인터넷상에서 상품을 찾는 최고의 방법
③ Programmatic Advertising: It Knows What You Want
　 프로그래매틱 광고: 그것은 당신이 무엇을 원하는지 알고 있다
④ Internet Cookies: Why You Should Be Careful with Them
　 인터넷 쿠키: 왜 그것들을 조심해야 하는가
⑤ Programmatic Advertisements vs. Traditional Advertisements
　 프로그래매틱 광고 대 전통적인 광고

2 다음 중, John이 겪은 일과 비슷한 사례로 가장 적절한 것은?

① "소셜 미디어에서 광고하는 제품을 구매한다."
② "사고 싶은 제품의 가격을 여러 쇼핑몰에서 비교한다."
③ "검색했던 제품의 광고를 다른 사이트에서도 본다."
④ "좋아하는 연예인이 광고하는 제품을 산다."
⑤ "최근 가장 많이 광고를 하고 있는 제품을 검색한다."

3 이 글의 빈칸에 들어갈 말로 가장 적절한 것은?

① to use the Internet 인터넷을 사용할
② to buy the goods 그 상품을 살
③ to show the products to others 다른 사람들에게 그 상품을 보여줄
④ to read online reviews 온라인 후기를 읽을
⑤ to share personal information 개인 정보를 공유할

4 이 글의 내용으로 보아, 다음 빈칸에 들어갈 말을 글에서 찾아 쓰시오.

> Programmatic advertising displays the perfect advertisements based on an analysis of customers' ___interests[preferences]___ and ___preferences[interests]___. This happens as the program gathers information from what they search on the Internet.

프로그래매틱 광고는 소비자들의 관심사[선호도]와 선호도[관심사]에 대한 분석을 바탕으로 완벽한 광고를 보여준다.
이것은 프로그램이 그들이 인터넷상에서 검색한 것에 대한 정보를 모으기 때문에 발생한다.

정답 1 ③　2 ③　3 ②　4 interests[preferences], preferences[interests]

문제 해설

1 소비자의 관심사와 선호도를 분석해 최고의 광고를 보여주는 프로그래매틱 광고를 소개하는 글이므로, 제목으로 ③ '프로그래매틱 광고: 그것은 당신이 무엇을 원하는지 알고 있다'가 가장 적절하다.

2 John은 러닝화를 온라인 쇼핑몰에서 검색한 이후 다른 웹사이트에서도 같은 상품에 대한 광고를 몇 번이고 봤다고 했다. 따라서 John이 겪은 일과 가장 비슷한 사례로 검색했던 제품의 광고를 다른 사이트에서도 본다는 ③이 가장 적절하다.

3 빈칸 앞에서 프로그램이 소비자의 관심사와 선호도를 분석해 최고의 광고를 보여준다고 했고, 빈칸이 있는 문장에서 광고가 사람들에게 선택적으로 보이기 때문에 결과가 효과적이라고 했다. 따라서 빈칸에는 ② '그 상품을 살'이 가장 적절하다.

4 문제 해석 참고

→ 「might have p.p.」는 '~했을 수도 있다, ~했을지도 모른다'라는 의미로 과거 사실에 대한 약한 추측을 나타낸다.
→ [ ]는 관계부사절로 why 앞에 선행사 the reason이 생략되어 있다.

❾ to match 이하는 '광고를 소비자들과 연결시키는'이라는 의미로, to부정사의 형용사적 용법으로 쓰여 an automatic program을 수식하고 있다.

❿ 「Every time + 주어 + 동사」는 '~할 때마다'라는 의미이다.

⓭ **Since** advertisements are selectively shown to those [who *are more likely to* buy the goods], the results are quite effective.
→ Since는 '~ 때문에'라는 의미로, 부사절을 이끄는 접속사로 쓰여 뒤에 「주어 + 동사」의 절이 왔다.
　cf. 접속사 since의 두 가지 의미: ① ~ 때문에 ② ~ 이후로　*cf.* 「전치사 since + 명사」: ~ 이후로
→ [ ]는 앞에 온 선행사 those를 수식하는 주격 관계대명사절이다. 이때 those who는 '~하는 사람들'이라고 해석한다.
→ be more likely to는 '~할 가능성이 더 높다'라는 의미이다. 여기서는 '상품을 살 가능성이 더 높다'라고 해석한다.
　cf. be likely to: ~할 가능성이 있다, ~할 것 같다　*cf.* be less likely to: ~할 가능성이 더 낮다

본문 해석

❶ 믿거나 말거나, 딸기 우유를 분홍색으로 보이게 만드는 것은 죽은 벌레이다! ❷ 그것은 코치닐이라고 불리는 작은 곤충인데, 이것은 중남미에 있는 선인장을 먹고 산다. ❸ 이 곤충은 채집되고, 말려지고, 그리고 그 후 선명한 빨간색 염료로 사용되는 가루로 으깨진다.

❹ 코치닐은 오랜 시간 동안 천연염료로 사용되어 왔다. ❺ 고대 마야인들과 아즈텍인들은 그것들을 옷감과 도자기를 염색하기 위해 사용했다. ❻ 아즈텍 여성들은 자신들을 더 매력적으로 보이도록 만들기 위해 으깬 코치닐로 치아를 빨간색으로 염색하기도 했다. ❼ 오늘날, 코치닐 염료는 음식과 음료부터 립스틱을 포함한 화장품까지 상품에 널리 사용된다.

❽ 하지만, 그것의 사용에 대한 우려가 있다. ❾ 코치닐 염료에 있는 단백질은 몇몇 사람들에게 알레르기 반응을 일으킬 수 있다. ❿ 게다가, 너무 많은 코치닐이 희생되고 있는데, 1킬로그램의 염료를 얻는 데 10만 마리 이상의 코치닐이 든다! ⓫ 따라서, 기업은 더 적은 코치닐 염료를 사용하려고 노력하고 있다.

❶ Believe it or not, / what makes strawberry milk look pink / is a dead
믿거나 말거나   딸기 우유를 분홍색으로 보이게 만드는 것은   죽은 벌레이다
bug! / ❷ It is a tiny insect / called the cochineal, / which lives on cactus
그것은 작은 곤충이다   코치닐이라고 불리는   그런데 이것은 중남미에 있는
in Central and South America. / ❸ These insects are collected, dried, and
선인장을 먹고 산다   이 곤충들은 채집되고, 말려지고, 그리고 가루로
crushed into a powder / that is then used as a bright red dye. /
으깨진다   그 후 선명한 빨간색 염료로 사용되는

❹ Cochineals have been used as a natural dye / for a long time. /
코치닐은 천연염료로 사용되어 왔다   오랜 시간 동안
❺ Ancient Mayans and Aztecs used them / to color cloth and pottery. /
고대 마야인들과 아즈텍인들은 그것들을 사용했다   옷감과 도자기를 염색하기 위해
❻ Aztec women also colored their teeth red / with crushed cochineals /
아즈텍 여성들은 그들의 치아를 빨간색으로 염색하기도 했다   으깬 코치닐로
to make themselves look more attractive. / ❼ Today, / cochineal dye is
그들 자신을 더 매력적으로 보이도록 만들기 위해   오늘날   코치닐 염료는
widely used in products / from food and drinks to cosmetics, / including
상품들에 널리 사용된다   음식과 음료부터 화장품까지   립스틱을 포함한
lipsticks. /

❽ However, / there are concerns over its use. / ❾ The protein in
하지만   그것의 사용에 대한 우려가 있다   코치닐 염료에 있는 단백질은
cochineal dye / can cause an allergic reaction in some people. /
      몇몇 사람들에게 알레르기 반응을 일으킬 수 있다
❿ Furthermore, / too many cochineals are being sacrificed / —it
게다가   너무 많은 코치닐이 희생되고 있다
takes more than 100,000 cochineals / to get a single kilogram of dye! /
10만 마리 이상의 코치닐이 든다   1킬로그램의 염료를 얻는 데
⓫ Therefore, / companies are trying to use less cochineal dye. /
따라서   기업들은 더 적은 코치닐 염료를 사용하려고 노력하고 있다

구문 해설

❶ Believe it or not, [**what** makes strawberry milk look pink] is a dead bug!
→ [ ]는 문장의 주어 역할을 하는 관계대명사절이다. 관계대명사 what은 선행사를 포함하고 있으며, '~하는 것'이라는 의미이다. 이때 what은 the thing(s) which[that]로 바꿔 쓸 수도 있다. = **the thing which** makes strawberry milk look pink is a dead bug

❷ It is a tiny insect **called the cochineal**[, *which* lives on cactus in Central and South America].
→ called the cochineal은 앞에 온 a tiny insect를 수식하는 과거분사구이다. 이때 called는 '~이라고 불리는'이라고 해석한다.
→ [ ]는 앞에 온 the cochineal을 선행사로 가지는 계속적 용법의 관계대명사절이다. 여기서는 '그런데 이것(코치닐)은 ~하다'라고 해석한다.

❸ These insects are collected, dried, and crushed into a powder [that is then used as a bright red dye].
→ [ ]는 앞에 온 a powder를 수식하는 주격 관계대명사절이다.

❹ have been used는 수동태가 현재완료 시제로 쓰인 것이다. 현재완료 시제는 have/has 뒤에 과거분사(p.p.)가 오므로, 현재완료 시제의 수동태는 「have/has been + p.p.」가 된다.

1 이 글에서 언급되지 <u>않은</u> 것은?

① where cochineals live 코치닐이 어디에서 사는지
② how cochineals are made into a dye 코치닐이 어떻게 염료로 만들어지는지
③ how the Aztec people used cochineal dye 아즈텍 사람들이 코치닐 염료를 어떻게 사용했는지
④ what kind of products include cochineal dye 어떤 종류의 상품이 코치닐 염료를 포함하고 있는지
⑤ how much protein cochineal dye contains 코치닐 염료에 얼마나 많은 단백질이 들어 있는지

2 코치닐 염료의 문제점 두 가지를 우리말로 쓰시오.
(1) _____ 염료에 있는 단백질이 몇몇 사람들에게 알레르기 반응을 일으킬 수 있다. _____
(2) _____ 너무 많은 코치닐이 희생되고 있다. _____

3 이 글의 빈칸에 들어갈 말로 가장 적절한 것은?

① are conducting research on food allergies 음식 알레르기에 대한 연구를 실시하고 있다
② need more cochineals than before 이전보다 더 많은 코치닐을 필요로 한다
③ are trying to use less cochineal dye 더 적은 코치닐 염료를 사용하려고 노력하고 있다
④ develop products in different colors 상품을 다양한 색상으로 개발한다
⑤ mark cochineal dye on their product labels 그들의 상품 상표에 코치닐 염료를 표기한다

4 코치닐 염료의 용도를 다음과 같이 나타낼 때, 빈칸에 들어갈 말을 보기에서 골라 쓰시오.

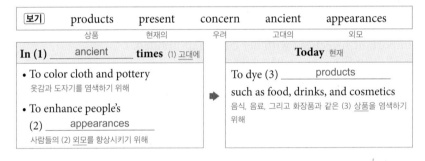

보기	products	present	concern	ancient	appearances
	상품	현재의	우려	고대의	외모

In (1) _ancient_ times (1) 고대에
• To color cloth and pottery
  옷감과 도자기를 염색하기 위해
• To enhance people's
  (2) _appearances_
  사람들의 (2) 외모를 향상시키기 위해

➡

Today 현재
To dye (3) _products_
such as food, drinks, and cosmetics
음식, 음료, 그리고 화장품과 같은 (3) 상품을 염색하기 위해

정답 1 ⑤ 2 (1) 염료에 있는 단백질이 몇몇 사람들에게 알레르기 반응을 일으킬 수 있다.
(2) 너무 많은 코치닐이 희생되고 있다. 3 ③ 4 (1) ancient (2) appearances
(3) products

문제 해설

1 ⑤: 문장 ❾에서 코치닐 염료에 알레르기 반응을 일으킬 수 있는 단백질이 있다고는 했지만, 그것의 양에 대한 언급은 없다.
①: 문장 ❷에서 코치닐은 중남미에 있는 선인장을 먹고 산다고 했으므로, 중남미 지역에 사는 것을 알 수 있다.
②: 문장 ❸에서 코치닐은 채집되고, 말려지고, 가루로 으깨져서 염료로 사용된다고 했다.
③: 문장 ❺-❻에서 아즈텍 사람들은 코치닐 염료를 옷감과 도자기 또는 치아를 염색하기 위해 사용했다고 했다.
④: 문장 ❼에서 코치닐 염료는 음식과 음료, 화장품 등에 쓰인다고 했다.

2 문장 ❾-❿에서 코치닐 염료에 있는 단백질이 몇몇 사람들에게 알레르기 반응을 일으킬 수 있는 데다가, 코치닐 염료를 얻기 위해 너무 많은 코치닐이 희생되고 있다고 했다.

3 빈칸 앞에서 코치닐 염료가 몇몇 사람들에게 알레르기 반응을 일으킬 수 있고, 그것을 만들기 위해 너무 많은 코치닐이 희생되고 있다면서 우려되는 점을 설명했으므로, 기업이 코치닐 염료 사용을 자제할 것임을 유추할 수 있다. 따라서 빈칸에는 ③ '더 적은 코치닐 염료를 사용하려고 노력하고 있다'가 가장 적절하다.

4 문제 해석 참고

---

❻ Aztec women also colored their teeth red with crushed cochineals **to make *themselves* look more attractive**.
→ to make 이하는 '그들 자신을 더 매력적으로 보이도록 만들기 위해'라는 의미로, [목적]을 나타내는 to부정사의 부사적 용법으로 쓰였다.
→ to부정사 to make의 목적어가 주어(Aztec women)와 같은 대상이므로 재귀대명사(themselves)가 쓰였다.

❼ 「from A to B」는 'A부터 B까지'라는 의미이다.

❿ Furthermore, ~ cochineals **are being sacrificed**—*it takes more than 100,000 cochineals to get* a single kilogram of dye!
→ 수동태가 현재진행 시제로 쓰였다. 진행 시제는 be동사 뒤에 현재분사(v-ing)가 오므로, 현재진행 시제의 수동태는 「be동사의 현재형 + being p.p.」가 된다.
→ 「it takes + (사람) + 재료/돈/시간 + to-v」는 '(사람이) ~하는 데 …의 재료/돈/시간이 들다, 걸리다'라는 의미이다. 여기서는 '1킬로그램의 염료를 얻는 데 10만 마리 이상의 코치닐이 든다'라고 해석한다.

UNIT 08
3

본문 해석

❶ 아프리카계 미국인들은 보통 곱슬머리를 가지고 있다. ❷ 그들은 머리를 땋거나 자연스럽게 아프로로 자라게 둘 수 있다. ❸ 하지만 최근까지, 이러한 스타일은 일부 직장과 학교에서 거부되었다. ❹ 그것은 그것들이 지저분하고 전문가답지 못하다고 여겨졌기 때문이다. ❺ 그래서, 많은 아프리카계 미국인, 특히 여성들은, 머리를 독한 화학 물질로 곧게 폈거나 짧게 잘랐다. ❻ 다른 사람들은 타고난 곱슬머리를 숨기기 위해 가발을 썼다.

❼ 하지만, 전 영부인인 미셸 오바마가, 2018년에 한 잡지의 표지에서 당당하게 그녀의 타고나기를 곱슬인 머리를 드러냈다. ❽ 같은 해, 국회의원 아이아나 프레슬리는 곱슬머리를 땋은 채로 중요한 연설을 했다.

❾ 이제, 그들의 행동은 많은 아프리카계 미국인들에게 타고난 머리를 보여주도록 용기를 주고 있다. ❿ 그것은 단지 스타일과 외모의 문제가 아니다. ⓫ 그것은 편견을 극복하고 자신감을 쌓는다는 상징이다.

---

❶ African Americans typically have curly hair. /
아프리카계 미국인들은 보통 곱슬머리를 가지고 있다
❷ They can braid it /
그들은 그것을 땋을 수 있다
or let it grow naturally into an Afro. /
또는 그것이 자연스럽게 아프로로 자라게 둘 수 있다
❸ But until recently, / these styles
하지만 최근까지   이러한 스타일들은
were (A) rejected in some workplaces and schools. /
일부 직장들과 학교들에서 거부되었다
❹ That's because /
그것은 ~ 때문이다
they were considered messy and unprofessional. /
그것들이 지저분하고 전문가답지 못하다고 여겨졌기
❺ So, / many African
그래서   많은 아프리카계
Americans, / especially women, / straightened their hair with harsh
미국인들은   특히 여성들은   그들의 머리를 독한 화학 물질로 곧게 폈다
chemicals / or cut their hair short. /
또는 그들의 머리를 짧게 잘랐다
❻ Others wore wigs / to hide their
다른 사람들은 가발을 썼다 그들의 타고난
natural curls. /
곱슬머리를 숨기기 위해

❼ However, / Michelle Obama, / the former First Lady, / proudly
하지만   Michelle Obama(미셸 오바마)가   전 영부인인   당당하게
revealed her naturally (B) curly hair / on the cover of a magazine /
그녀의 타고나기를 곱슬인 머리를 드러냈다   한 잡지의 표지에서
in 2018. / ❽ That same year, / congresswoman Ayanna Pressley gave
2018년에   같은 해   여성 국회의원 Ayanna Pressley(아이아나 프레슬리)는
important speeches / with her curly hair braided. /
중요한 연설을 했다   그녀의 곱슬머리를 땋은 채로

❾ Now, / their actions have (C) encouraged many African Americans /
이제   그들의 행동들은 많은 아프리카계 미국인들에게 용기를 주고 있다
to show their natural hair. / ❿ It is not just a matter of style and
그들의 타고난 머리를 보여주도록   그것은 단지 스타일과 외모의 문제가 아니다
appearance. / ⓫ It is a sign of overcoming prejudice / and building
그것은 편견을 극복한다는 상징이다   그리고 자신감을
confidence. /
쌓는다는

구문 해설

❷ 「let + 목적어 + 동사원형」은 '~가 …하게 두다'라는 의미이다.

❹ **That's because** they *were considered* messy and unprofessional.
→ That is because는 '그것은 ~ 때문이다'라는 의미로, because 뒤에 오는 내용이 앞 문장에 대한 이유가 된다.
→ 「A be considered B」는 'A가 B하다고 여겨지다'라는 의미로, 「consider A B(A를 B하다고 여기다)」의 수동태 표현이다.

❻ to hide 이하는 '그들의 타고난 곱슬머리를 숨기기 위해'라는 의미로, [목적]을 나타내는 to부정사의 부사적 용법으로 쓰였다.

❼ Michelle Obama와 the former First Lady는 콤마로 연결된 동격 관계이다.

❽ That same year, congresswoman Ayanna Pressley gave important speeches **with her curly hair braided**.
→ 「with + 명사 + 분사」는 '~가 …한 채로/하면서'라는 의미로, [동시동작]을 나타낸다. 이 문장에서는 '그녀의 곱슬머리를 땋은 채로'라고 해석하며, 명사(her curly hair)와 분사(braided)의 관계가 수동이므로 과거분사가 쓰였다.

1 이 글의 주제로 가장 적절한 것은?

① ways to change natural hairstyles 타고난 헤어스타일을 바꾸는 방법들
② the popularity of the Afro hairstyle 아프로 헤어스타일의 인기
③ historical trends in women's hairstyles 여성들의 헤어스타일의 역사적 유행
✓④ prejudice against a specific type of hair 특정한 형태의 머리에 대한 편견
⑤ job difficulties that African Americans have 아프리카계 미국인들이 갖는 일자리 문제들

2 다음 질문에 대한 답이 되도록 빈칸에 들어갈 말을 글에서 찾아 쓰시오.

Q. How did African Americans hide their natural hair in the past?
과거에 아프리카계 미국인들은 타고난 머리를 어떻게 숨겼는가?

A. They usually straightened their hair using ___harsh___ ___chemicals___, ___cut___ their hair ___short___, or put on ___wigs___.
그들은 보통 그들의 머리를 독한 화학 물질을 사용해서 곧게 펴거나, 머리를 짧게 자르거나, 또는 가발을 썼다.

3 (A), (B), (C)의 각 네모 안에서 문맥에 알맞은 말로 가장 적절한 것은?

(A)	(B)	(C)	
① accepted	straight	encouraged	받아들여졌다 … 곧은 … 용기를 줬다
② accepted	curly	discouraged	받아들여졌다 … 곱슬인 … 낙담시켰다
✓③ rejected	curly	encouraged	거부되었다 … 곱슬인 … 용기를 줬다
④ rejected	curly	discouraged	거부되었다 … 곱슬인 … 낙담시켰다
⑤ rejected	straight	encouraged	거부되었다 … 곧은 … 용기를 줬다

4 이 글의 내용으로 보아, 다음 빈칸에 들어갈 말을 글에서 찾아 쓰시오.

Now, ___African___ ___Americans___ are challenging the idea that their natural hairstyles are ___messy[unprofessional]___ and ___unprofessional[messy]___. They are gaining the confidence to show their natural hair.

이제, 아프리카계 미국인들은 그들의 타고난 헤어스타일이 지저분하고[전문가답지 못하고] 전문가답지 못하다는[지저분하다는] 생각에 도전하고 있다. 그들은 그들의 타고난 머리를 보여줄 자신감을 얻고 있다.

정답 1 ④   2 harsh chemicals, cut, short, wigs   3 ③   4 African Americans, messy[unprofessional], unprofessional[messy]

문제 해설

1 아프리카계 미국인들이 자신들의 타고난 곱슬머리에 대한 편견을 극복하고 있음을 설명하는 글이므로, 주제로 ④ '특정한 형태의 머리에 대한 편견'이 가장 적절하다.

2 문장 ❺-❻에서 아프리카계 미국인들은 타고난 곱슬머리를 숨기기 위해 머리를 독한 화학 물질로 곧게 펴거나 짧게 자르거나 가발을 썼다고 했다.

3 (A) 네모 뒤에서 타고난 곱슬머리가 지저분하고 전문가답지 못하다고 여겨졌다고 했으므로, 네모 (A)에는 '거부되었다'가 문맥상 적절하다.
(B) 네모 앞 단락에서 아프리카계 미국인들이 타고난 곱슬머리를 숨겼다고 설명한 뒤, 네모가 있는 문장에서는 미셸 오바마가 타고난 머리를 당당하게 드러냈다고 했고, 네모 뒤에서 아이아나 프레슬리도 연설 때 곱슬머리를 했다고 했다. 따라서 네모 (B)에는 '곱슬인'이 문맥상 적절하다.
(C) 네모 앞 단락에서 타고난 곱슬머리를 드러낸 인물들을 소개했으므로, 네모 (C)에는 '용기를 줬다'가 문맥상 적절하다.

4 문제 해석 참고

---

❾ Now, their actions **have _encouraged_** many African Americans _to show_ their natural hair.

→ have encouraged는 현재완료 시제(have p.p.)로, 이 문장에서는 과거에 시작된 일이 현재까지 영향을 미쳐 발생한 [결과]를 나타낸다. 미셸 오바마와 아이아나 프레슬리의 행동이 용기를 준 결과 많은 아프리카계 미국인들이 타고난 머리를 보여줄 용기를 갖게 되었다는 의미이다.
→ 「encourage + 목적어 + to-v」는 '~가 …하도록 용기를 주다, 격려하다'라는 의미이다.

⓫ It is **a sign of** [_overcoming_ prejudice and _building_ confidence].

→ a sign과 [ ]는 전치사 of로 연결된 동격 관계이다.
→ [ ]는 전치사 of(~하다는)의 목적어로, overcoming과 building이 이끄는 동명사구가 접속사 and로 연결되어 쓰였다.

본문 해석

❶ 빌프레도 파레토는 1900년대 초 이탈리아의 경제학자였다. ❷ 어느 날, 그는 정원에서 완두콩을 수확하면서 흥미로운 관찰을 했다. ❸ 완두콩의 80퍼센트가 그의 완두콩 식물의 20퍼센트에서 나오는 것으로 드러났다. ❹ 더 놀랍게도, 그는 경제에도 같은 패턴이 존재한다는 것을 알아차렸다! ❺ 예를 들어, 이탈리아 땅의 80퍼센트가 이탈리아 인구의 20퍼센트에 의해 소유되어 있었다. ❻ 그는 결과의 80퍼센트가 원인의 20퍼센트에서 나온다고 결론을 내렸다. ❼ 이 80/20 패턴은 파레토 법칙 또는 80/20 법칙으로 알려지게 되었다.

❽ 파레토 법칙은 자연에서 흔히 보인다. ❾ 개미의 예를 들어보자. ❿ 만약 당신이 한 무리의 개미를 관찰한다면, 당신은 개미의 20퍼센트만이 남아 있는 80퍼센트의 개미를 위한 먹이를 구하기 위해 열심히 일하는 것을 볼 것이다. ⓫ 당신은 만약 이 활동적인 개미를 나머지 개미로부터 분리한다면, 그 새로운 집단이 열심히 일하는 개미로만 구성될 것이라고 생각할지도 모른다. ⓬ 하지만 흥미롭게도, 그 법칙은 이 집단에도 적용될 것이다. ⓭ 다시 말해서, 구성원들의 20퍼센트만이 생산적일 것이다!

---

❶ Vilfredo Pareto was an Italian economist / in the early 1900s. /
Vilfredo Pareto(빌프레도 파레토)는 이탈리아의 경제학자였다   1900년대 초

❷ One day, / he made an interesting observation / while harvesting peas
어느 날   그는 흥미로운 관찰을 했다   그의 정원에서 완두콩을

in his garden. / ❸ It turned out / that 80% of the peas came from 20%
수확하면서   ~으로 드러났다   완두콩의 80퍼센트가 그의 완두콩 식물의

of his pea plants. / (❸ ❹ More surprisingly, / he noticed / that the same
20퍼센트에서 나오는 것   더 놀랍게도   그는 알아차렸다 경제에도 같은

pattern existed in the economy! /) ❺ For example, / 80% of Italy's land
패턴이 존재한다는 것을   예를 들어   이탈리아 땅의 80퍼센트가

was owned by 20% of its population. / ❻ He concluded / that 80% of
그곳(이탈리아)의 인구의 20퍼센트에 의해 소유되어 있었다   그는 결론을 내렸다   결과의 80퍼센트가

effects come from 20% of causes. / ❼ This 80/20 pattern became known
원인의 20퍼센트에서 나온다고   이 80/20 패턴은 파레토 법칙으로

as the Pareto Principle / or the 80/20 Rule. /
알려지게 되었다   또는 80/20 법칙으로

❽ The Pareto Principle is commonly seen / in nature. / ❾ Let's take the
파레토 법칙은 흔히 보인다   자연에서   개미의 예를 들어보자

example of ants. / ❿ If you observe a group of ants, / you will see / that
만약 당신이 한 무리의 개미를 관찰한다면   당신은 볼 것이다

just 20% of the ants work hard / to get food for the remaining 80% of
개미들의 20퍼센트만이 열심히 일하는 것을   남아 있는 80퍼센트의 개미들을 위한 먹이를

the ants. / ⓫ You might think / that if you separated these active ants
구하기 위해   당신은 생각할지도 모른다   만약 당신이 이 활동적인 개미들을 나머지 전부로부터

from the others, / the new group would be composed of only hard-
분리한다면   그 새로운 집단이 열심히 일하는 개미들로만 구성될 것이라고

working ants. / ⓬ But interestingly, / the rule would apply to this group /
하지만 흥미롭게도   그 법칙은 이 집단에 적용될 것이다

as well. / ⓭ In other words, / only 20% of the members would be
또한   다시 말해서   구성원들의 20퍼센트만이 생산적일 것이다

productive! /

구문 해설

❷ One day, he made an interesting observation while (he was) harvesting peas in his garden.
→ 부사절의 주어가 주절의 주어와 같을 때, 「주어 + be동사」는 생략할 수 있다.

❸ **It** turned out [that 80% of the peas came from 20% of his pea plants].
→ It은 가주어이고, that절이 진주어이다. 이때 가주어 it은 따로 해석하지 않는다.

❹ More surprisingly, he noticed [that the same pattern existed in the economy]!
→ [ ]는 noticed의 목적어 역할을 하는 명사절이다. 이때 명사절 접속사 that은 생략할 수 있다.

❻ He concluded [that **80% of effects** *come* from 20% of causes].
→ [ ]는 concluded의 목적어 역할을 하는 명사절이다. 이때 명사절 접속사 that은 생략할 수 있다.
→ 「비율/분수 + of + 명사」가 문장의 주어로 쓰일 경우, of 뒤에 오는 명사에 따라 동사의 수가 결정된다. 이 문장에서는 effects라는 복수명사가 와서 복수동사 come이 쓰였다.

1 Where is the best place for the sentence? 다음 문장이 들어가기에 가장 적절한 곳은?

> More surprisingly, he noticed that the same pattern existed in the economy!
> 더 놀랍게도, 그는 경제에도 같은 패턴이 존재한다는 것을 알아차렸다!

① ② ③✓ ④ ⑤

2 Which is the best choice for the blank? 빈칸에 들어갈 말로 가장 적절한 것은?

① Otherwise 그렇지 않으면　　　　② However 하지만
③ Nevertheless 그럼에도 불구하고　　④✓ In other words 다시 말해서
⑤ Furthermore 게다가

3 Choose ALL of the people who are explaining the correct examples of the Pareto Principle. 파레토 법칙의 바른 사례를 설명하고 있는 사람을 모두 고르시오.

> Jiwoo: Two of my 10 apps use 80% of my phone battery.
> 　내 10개 앱들 중 두 개가 휴대폰 배터리의 80퍼센트를 사용해.
> Daniel: I listen to 20 of the top 100 songs on the chart every day.
> 　나는 매일 순위표상의 상위 100곡 중 20곡을 들어.
> Haeun: I have a hundred books on my shelves, but I don't read 20% of them.
> 　내 책장에는 100권의 책이 있지만, 나는 그것들 중 20퍼센트는 읽지 않아.
> Risa: About 80% of the game company's profit comes from 20% of its users.
> 　게임 회사의 이익 중 약 80퍼센트가 사용자들의 20퍼센트에서 나와.

① Jiwoo, Daniel　　②✓ Jiwoo, Risa　　③ Daniel, Haeun
④ Daniel, Risa　　⑤ Haeun, Risa

4 Complete the table with words from the passage. 이 글에서 알맞은 말을 찾아 표를 완성하시오.

Causes 원인	Effects 결과
20% of (1) _____ pea _____ plants (1) 완두콩 식물의 20퍼센트	80% of peas 완두콩의 80퍼센트
20% of Italy's (2) _____ population 이탈리아의 (2) 인구의 20퍼센트	ownership of 80% of Italy's (3) _____ land 이탈리아의 (3) 땅의 80퍼센트의 소유권
20% of the ants 개미들의 20퍼센트	(4) _____ food _____ for the remaining ants 남아 있는 개미들을 위한 (4) 먹이

정답 1 ③　2 ④　3 ②　4 (1) pea plants (2) population (3) land (4) food

---

문제 해설

1 주어진 문장의 the same pattern은 문장 ❸에서 언급한 완두콩에서 발견한 80/20 패턴을 가리키고, 문장 ❺에서 이탈리아의 땅과 인구에서 발견했다고 한 80/20 패턴은 주어진 문장의 예시에 해당한다. 따라서 주어진 문장은 문장 ❸과 ❺ 사이에 오는 것이 자연스러우므로, ③이 가장 적절하다.

2 빈칸 앞에서 파레토 법칙이 열심히 일하는 개미만 분리하여 만든 새 집단에도 적용될 것이라고 했고, 빈칸이 있는 문장에서 구성원들의 20퍼센트만이 생산적일 것이라고 하며 앞 문장과 같은 내용을 반복하여 설명하고 있다. 따라서 빈칸에는 ④ '다시 말해서'가 가장 적절하다.

3 파레토 법칙은 원인의 20퍼센트에서 결과의 80퍼센트가 발생한다는 법칙이다. 지우는 10개의 앱들(원인) 중 두 개, 즉 20퍼센트가 휴대폰 배터리 사용량(결과)의 80퍼센트를 발생시켰다고 했고, Risa는 사용자들(원인)의 20퍼센트가 게임 회사의 이익(결과)의 약 80퍼센트를 만들었다고 했다. 따라서 파레토 법칙의 바른 사례를 설명하고 있는 사람은 지우와 Risa이다.

4 문제 해석 참고

→ 과학적/일반적 사실, 현재의 습관, 속담/격언은 항상 현재 시제로 쓴다. 이 문장에서는 that절의 내용이 과학적/일반적 사실에 해당하므로, 주절의 과거 시제(concluded)와 상관없이 현재 시제(come)가 쓰였다.

❿ If you **observe** ~ ants, you will see [that just 20% of the ants work hard *to get food* for the remaining 80% of the ants].
→ 조건을 나타내는 if절(만약 ~한다면)에서는 미래를 나타낼 때도 현재 시제(observe)를 쓴다.
→ [ ]는 will see의 목적어 역할을 하는 명사절이다. 이때 명사절 접속사 that은 생략할 수 있다.
→ to get food는 '먹이를 구하기 위해'라는 의미로, [목적]을 나타내는 to부정사의 부사적 용법으로 쓰였다.

⓫ You might think that **if** you **separated** these active ants ~, the new group **would be** composed of only hard-working ants.
→ 「If + 주어 + 동사의 과거형(be동사는 were) ~, 주어 + would/could/should/might + 동사원형 …」은 가정법 과거로, '만약 ~한다면 …할 텐데'라는 의미이다. 이 문장에서는 활동적인 개미만 분리하여 만든 새로운 집단이 오직 열심히 일하는 개미로만 구성될 것이라는 현재 사실의 반대를 가정하고 있다.

본문 해석

❶ 당신은 막 로션을 사려고 하는 참이다. ❷ A사의 상품은 동물에게 실험된다. ❸ 반면에, B사는 동물 실험을 하지 않고, 정기적으로 동물 보호소에 기부를 한다. ❹ 만약 동물을 좋아한다면, 당신은 A사의 로션은 피하고 대신 B사의 로션을 살 것이다. ❺ 이 경우, 전자는 보이콧이라고 불리고 후자는 바이콧이라고 불린다.

❻ 그것들 둘 다 항의 또는 지지를 표현하기 위한 소비자들의 적극적인 행동이다. ❼ 보이콧 동안, 사람들은 환경적, 정치적, 또는 도덕적인 문제가 있는 특정 회사의 상품을 사는 것을 거부한다. ❽ 한편, 바이콧은 회사를 지지하기 위해 그들의 상품을 사는 행동이다. ❾ 이것은 보통 사람들이 회사의 정책에 동의할 때 일어난다. (❿ 회사는 더 많은 고객을 끌어들이기 위해 새로운 상품을 개발하려고 노력한다.) ⓫ 바이콧은 또한 태풍에 의해 손상된 과일을 파는 사람들과 같이 도움이 필요한 판매자들을 도와주는 행동이 될 수 있다.

⓬ 보이콧이든 바이콧이든, 그것은 소비자들에게 변화를 만드는 결정을 내릴 수 있는 힘을 준다.

---

❶ You are about to buy lotion. / ❷ Company A's product is tested on
당신은 막 로션을 사려고 하는 참이다   A사의 상품은 동물들에게 실험된다

animals. / ❸ Company B, / on the other hand, / doesn't do animal testing, /
           B사는   반면에   동물 실험을 하지 않는다

and it regularly donates to animal shelters. / ❹ If you love animals, / you
그리고 그곳은 정기적으로 동물 보호소에 기부를 한다   만약 당신이 동물들을 좋아한다면

would avoid Company A's lotion / and buy B's lotion instead. / ❺ In
당신은 A사의 로션은 피할 것이다   그리고 대신 B사의 로션을 살 것이다

this case, / the former is called a (A) boycott / and the latter is called a
이 경우   전자는 보이콧이라고 불린다   그리고 후자는 바이콧이라고 불린다

(B) buycott. /

❻ Both of them are active behaviors of consumers / to express protest
그것들 둘 다 소비자들의 적극적인 행동이다   항의 또는 지지를

or support. / ❼ During boycott, / people refuse to buy products from
표현하기 위한   보이콧 동안   사람들은 특정 회사들의 상품을 사는 것을 거부한다

certain companies / that have environmental, political, or moral issues. /
                  환경적, 정치적, 또는 도덕적인 문제가 있는

❽ Meanwhile, / a buycott is the act of buying companies' goods / to
한편   바이콧은 회사들의 상품을 사는 행동이다

support them. / ❾ This usually occurs / when people agree with a
그들을 지지하기 위해   이것은 보통 일어난다   사람들이 회사의 정책에 동의할 때

company's policies. / (d) (❿ A company tries to develop new goods / to
                          회사는 새로운 상품을 개발하려고 노력한다

attract more customers. /) ⓫ A buycott can also be the act / of helping
더 많은 고객을 끌어들이기 위해   바이콧은 또한 행동이 될 수 있다   도움이 필요한

out sellers in need, / such as those selling fruit damaged by a typhoon. /
판매자들을 도와주는   태풍에 의해 손상된 과일을 파는 사람들과 같이

⓬ Whether it's a boycott or a buycott, / it gives consumers the power /
그것이 보이콧이든 바이콧이든   그것은 소비자들에게 힘을 준다

to make a decision to create change. /
변화를 만드는 결정을 내릴 수 있는

구문 해설

❶ be about to는 '막 ~하려고 하는 참이다'라는 의미로, 예정된 일을 막 하려는 상황을 나타낸다. *cf.* be going to: ~할 것이다

❻ **Both of them** are active behaviors of consumers *to express protest or support*.
→ both (of) 뒤에는 반드시 복수명사(them)가 와야 하며, 「both (of) + 복수명사(~ 둘 다)」는 항상 복수 취급하므로 뒤에 복수동사 are가 쓰였다. *cf.* both A and B: A와 B 둘 다 (복수 취급)
→ to express 이하는 '항의 또는 지지를 표현하기 위한'이라는 의미로, to부정사의 형용사적 용법으로 쓰여 active behaviors of consumers를 수식하고 있다.

❼ 「refuse + to-v」는 '~하는 것을 거부하다'라는 의미이다.

❿ A company **tries to develop** new goods *to attract more customers*.
→ 「try + to-v」는 '~하려고 노력하다'라는 의미이다. *cf.* 「try + v-ing」: (시험 삼아) ~해보다
→ to attract 이하는 '더 많은 고객을 끌어들이기 위해'라는 의미로, [목적]을 나타내는 to부정사의 부사적 용법으로 쓰였다.

1 이 글의 제목으로 가장 적절한 것은?

① Don't Boycott; Buycott Instead! 보이콧하지 말고, 대신 바이콧을 해라!
② Efforts to Protect Consumer Rights 소비자의 권리를 보호하기 위한 노력들
③ How Consumers Support Companies 소비자들은 어떻게 회사를 지지하는가
④ Two Different Active Choices of Consumers 소비자들의 두 가지의 다른 적극적인 선택들
⑤ The Power of Boycotts Compared to Buycotts 바이콧과 비교할 때 보이콧의 힘

2 이 글의 빈칸 (A)와 (B)에 들어갈 말을 글에서 찾아 쓰시오.

(A): _____boycott_____ 보이콧   (B): _____buycott_____ 바이콧

3 이 글의 (a)~(e) 중, 전체 흐름과 관계없는 문장은?

① (a)   ② (b)   ③ (c)   ④ (d)   ⑤ (e)

4 다음 중, buycott에 해당하는 사례를 말한 사람을 <u>모두</u> 고르시오.

① 혜리: 친구들이 좋다고 추천해준 상품을 샀어.
② 태민: 오래전부터 사용해와서 익숙한 상품을 재구매했어.
③ 기범: 지난달 홍수로 상황이 어려워진 농가를 돕고 싶어서 이 상품을 선택했어.
④ 지수: 사고 싶었던 상품을 대폭 할인된 가격으로 판매하고 있어서 샀어.
⑤ 민호: 환경에 관심이 많아서 재활용품을 사용하는 회사의 상품을 구매했어.

5 다음 영영 풀이에 해당하는 단어를 글에서 찾아 쓰시오.

relating to the principles of right or wrong
옳거나 잘못된 것의 원칙과 관련된

_____moral_____
도덕적인

정답 **1** ④ **2** (A) boycott (B) buycott **3** ④ **4** ③, ⑤ **5** moral

문제 해설

1 소비자들이 항의나 지지를 표현하기 위해 하는 행동인 보이콧과 바이콧을 비교하여 설명하는 글이므로, 제목으로 ④ '소비자들의 두 가지의 다른 적극적인 선택들'이 가장 적절하다.

2 빈칸이 있는 문장에서 전자는 문장 ❹의 A사의 로션을 피하는 행동을, 후자는 B사의 로션을 사는 행동을 가리킨다. 또한, 빈칸 뒤에서 보이콧은 상품을 사지 않는 것이고 바이콧은 반대로 상품을 사는 것이라고 설명했으므로, 전자에 해당하는 빈칸 (A)에는 '보이콧'이, 후자에 해당하는 빈칸 (B)에는 '바이콧'이 가장 적절하다.

3 보이콧과 바이콧을 비교하는 내용 중에, '회사는 더 많은 고객을 끌어들이기 위해 새로운 상품을 개발하려고 노력한다'라는 내용의 (d)는 전체 흐름과 관계없다.

4 문장 ❾, ⓫에서 사람들이 회사의 정책에 동의하거나 도움이 필요한 판매자를 도와주려 할 때 바이콧을 한다고 했으므로, 어려워진 농가를 도우려는 기범과 회사의 환경 정책에 동의하는 민호의 사례가 바이콧에 해당한다.

5 '옳거나 잘못된 것의 원칙과 관련된'이라는 뜻에 해당하는 단어는 moral (도덕적인)이다.

⓫ A buycott can also be **the act of helping out sellers in need**, such as those [(who are) selling fruit {*damaged* by a typhoon}].
→ the act와 helping out sellers in need는 전치사 of로 연결된 동격 관계이다.
→ [ ]는 앞에 온 those를 수식하는 현재분사구로, 이때 selling은 '파는'이라고 해석한다. 현재분사 앞에 「주격 관계대명사 + be동사」가 생략되어 있으며, those who는 '~하는 사람들'이라고 해석한다.
→ { }는 앞에 온 fruit를 수식하는 과거분사구이다. 이때 damaged는 '손상된'이라고 해석한다.

⓬ **Whether** it's a boycott **or** a buycott, it *gives consumers the power* to make a decision to create change.
→ 「Whether A or B」는 'A이든 B이든'이라는 의미로, 이때 whether는 부사절 접속사이다.
　cf. 명사절 접속사 whether: ~인지 (아닌지) *ex.* I'm not sure **whether** the rumor is true. (나는 그 소문이 사실인지 확신하지 못한다.)
→ 「give + 간접목적어 + 직접목적어」는 '~에게 …을 주다'라는 의미이다. = 「give + 직접목적어 + to + 간접목적어」
→ to create change는 '변화를 만드는'이라는 의미로, to부정사의 형용사적 용법으로 쓰여 a decision을 수식하고 있다.

본문 해석

❶ 당신은 날개 없는 선풍기를 본 적이 있는가? ❷ 그것은 날개가 있는 보통 선풍기보다 많은 장점을 가지고 있다. ❸ 날개 없는 선풍기는 당신의 열기를 더 잘 식혀줄 뿐만 아니라, 더 적은 전력을 사용하기도 한다. ❹ 게다가, 그것은 더 안전하다. ❺ 당신은 회전하는 날개에 의해 다치는 것에 대해 걱정하지 않아도 된다.

❻ 하지만 날개 없는 선풍기는 어떻게 날개 없이 시원한 바람을 만들까? ❼ 그 선풍기는 받침대와 위쪽의 고리라는 두 개의 주요 부품으로 구성되어 있다. ❽ 받침대에는 숨겨진 날개가 있는 전기 모터가 들어 있다. ❾ 모터가 작동하면, 날개가 돌아가고, 모터는 구멍을 통해 주변의 공기를 빨아들인다. ❿ 그 다음, 받침대는 고리를 통해 공기를 밀어낸다. ⓫ 이것은 매우 강력한 기류를 만들어낸다. ⓬ 실제로, 밖으로 나오는 공기의 양은 받침대에 빨아들여진 양보다 15배 더 많다! ⓭ 그래서, 날개 없는 선풍기는 더운 여름날에 좋은 대안이 될 수 있다.

❶ Have you ever seen a bladeless fan? / ❷ ⓐ It has many advantages /
당신은 날개 없는 선풍기를 본 적이 있는가   그것은 많은 장점들을 가지고 있다

over a regular fan with blades. / ❸ Not only does a bladeless fan cool you
날개가 있는 보통의 선풍기보다   날개 없는 선풍기는 당신(의 열기)을 더 잘 식혀줄

off better, / but ⓑ it also uses less electricity. / ❹ In addition, / it's safer. /
뿐만 아니라   그것은 또한 더 적은 전력을 사용한다   게다가   그것은 더 안전하다

❺ You don't have to worry / about getting hurt by the rotating blades. /
당신은 걱정하지 않아도 된다   회전하는 날개에 의해 다치는 것에 대해

❻ But how does a bladeless fan create a cool breeze / without blades? /
하지만 날개 없는 선풍기는 어떻게 시원한 바람을 만들까   날개 없이

❼ ⓒ The fan consists of two main parts: / a base and an upper ring. / ❽ The
그 선풍기는 두 개의 주요 부품들로 구성되어 있다   받침대와 위쪽의 고리

base contains an electric motor with hidden blades. / ❾ When the motor
그 받침대에는 숨겨진 날개가 있는 전기 모터가 들어 있다   모터가 작동하면

is activated, / the blades spin, / and ⓓ it sucks in the surrounding air /
날개가 돌아간다   그리고 그것(모터)은 주변의 공기를 빨아들인다

through holes. / ❿ Then, / the base pushes the air out / through the ring. /
구멍을 통해   그 다음   받침대는 공기를 밀어낸다   고리를 통해

⓫ This creates a very strong airflow. / ⓬ In fact, / the volume of air that
이것은 매우 강력한 기류를 만들어낸다   실제로   밖으로 나오는 공기의 양은

comes out / is 15 times higher / than the amount taken in at the base! /
15배 더 많다   받침대에 빨아들여진 양보다

⓭ So, / ⓔ a bladeless fan can be a good alternative / on a hot summer day. /
그래서   날개 없는 선풍기는 좋은 대안이 될 수 있다   더운 여름날에

구문 해설

❶ 「Have/Has + 주어 + p.p. ~?」의 현재완료 시제가 쓰인 의문문으로, 과거의 [경험]을 물을 때 쓴다. 현재완료 시제로 과거의 경험을 나타낼 때는 주로 ever, never, before 등이 함께 쓰인다.

❷ over는 '~보다, ~에 비해'라는 의미의 전치사이다.

❸ ***Not only*** *does a bladeless fan cool* you off better, **but** it **also** uses less electricity.
　→ 「not only A but also B」는 'A뿐만 아니라 B도'라는 의미이다. 이 문장에서는 '당신의 열기를 더 잘 식혀줄 뿐만 아니라 더 적은 전력을 사용하기도 한다'라고 해석한다.
　　= 「B as well as A」 *ex.* A bladeless fan uses less electricity **as well as** cools you off better.
　→ not only, never 등 부정의 의미를 가진 부사(구)가 강조를 위해 문장 맨 앞으로 올 때, 문장의 주어와 동사가 도치된다. 이때 문장에 쓰인 동사에 따라 「do동사/조동사 + 주어 + 동사원형」 또는 「be동사 + 주어」로 도치된다. = A bladeless fan **not only** cools you off better
　　ex. I am **never** exhuasted. = **Never** am I exhuasted. (나는 절대 지치지 않는다.)

1 이 글의 밑줄 친 ⓐ~ⓔ 중, 가리키는 대상이 나머지 넷과 <u>다른</u> 것은?

① ⓐ   ② ⓑ   ③ ⓒ   ④✓ ⓓ   ⑤ ⓔ

2 이 글의 빈칸에 들어갈 말로 가장 적절한 것은?

①✓ safer 더 안전한   ② stronger 더 튼튼한   ③ lighter 더 가벼운
④ faster 더 빠른   ⑤ cheaper 더 저렴한

3 날개 없는 선풍기에 관한 이 글의 내용과 일치하면 T, 그렇지 않으면 F를 쓰시오.

(1) It saves less electricity than a fan with blades.
그것은 날개가 있는 선풍기보다 더 적은 전력을 절약한다.   F

(2) It has blades in its base, which are not noticeable from
the outside.
그것의 받침대에는 날개가 있는데, 이것은 바깥쪽에서는 눈에 잘 띄지 않는다.   T

4 이 글의 내용으로 보아, 다음 빈칸에 들어갈 말을 글에서 찾아 쓰시오.

How a Bladeless Fan Works
날개 없는 선풍기가 작동하는 방식

The electric (1) ____motor____ in the base is turned on.
받침대의 전기 (1) 모터가 켜진다.

⬇

The (2) ____blades____ start to rotate, and the air is taken in at the base.
(2) 날개들이 회전하기 시작하고, 공기가 받침대에 빨아들여진다.

⬇

The fan creates a strong (3) ____airflow____ through its (4) ____ring____.
선풍기는 (4) 고리를 통해 강력한 (3) 기류를 만들어낸다.

---

1 ⓓ는 (날개 없는 선풍기의 받침대 안에 든) 모터를 가리키고, 나머지는 모두 날개 없는 선풍기를 가리킨다.

2 빈칸 뒤에서 회전하는 날개에 의해 다치는 것에 대해 걱정하지 않아도 된다고 했으므로, 빈칸에는 ① '더 안전한'이 가장 적절하다.

3 (1) 문장 ❸에서 날개 없는 선풍기가 날개가 있는 선풍기보다 더 적은 전력을 사용한다고 했다.
(2) 문장 ❽에서 받침대에 들어 있는 전기 모터에 숨겨진 날개가 있다고 했다.

4 문제 해석 참고

정답 1 ④   2 ①   3 (1) F (2) T   4 (1) motor (2) blades (3) airflow (4) ring

---

❺ You **don't have to** worry about [*getting* hurt by the <u>rotating</u> blades].
→ don't have to는 '~하지 않아도 된다, ~할 필요가 없다'라는 의미이다. *cf.* have to: ~해야 한다
→ [ ]는 전치사 about(~에 대해)의 목적어 역할을 하는 동명사구이다.
→ rotating은 뒤에 온 blades를 수식하는 현재분사이다. 이때 rotating은 '회전하는'이라고 해석한다.

⑫ In fact, the volume of air [that comes out] is **15 times higher than** the amount {*taken in* at the base}!
→ [ ]는 앞에 온 선행사 air를 수식하는 주격 관계대명사절이다.
→ 「배수사 + 비교급 + than」은 '~보다 몇 배 더 …한/하게'라는 의미이다. 이 문장에서는 '받침대에 빨아들여진 양보다 15배 더 많은'이라고 해석한다.
→ { }는 앞에 온 the amount를 수식하는 과거분사구이다. 이때 taken in은 '빨아들여진'이라고 해석한다.

본문 해석

❶ 약 6천 6백만 년 전에, 거대한 소행성이 지구를 강타했다. ❷ 그 충돌은 멕시코만 아래에 거대한 분화구를 만들었다. ❸ 많은 이들이 이것이 공룡의 멸종을 야기했다고 믿었지만, 정확히 그것이 어떻게 일어났는지는 불명확했다. ❹ 하지만, 최근에, 과학자들은 그 수수께끼를 풀어줄 수도 있는 새로운 정보를 알아냈다.

❺ 그들은 먼저 분화구에서 암석 표본을 수집하고 분석했다. ❻ 그 후, 그들은 암석 표본에는 황이 없는데, 반면에 그 분화구를 둘러싼 지역에는 황이 많았다는 것을 발견했다. ❼ 이것은 그들로 하여금 그 충돌이 분화구로부터 막대한 양의 황이 대기로 증발하도록 만들었다고 추정하게 했다. ❽ 거대한 황 구름이 태양을 가렸을 것이고, 지구의 평균 기온이 약 15도 정도 떨어졌을 수도 있다. ❾ 이러한 지구의 겨울은 수십 년 동안 지속되었을 것이다. ❿ 이 기간 동안, 식물이 죽고, 먹이사슬은 붕괴되었을 것이다. ⓫ 과학자들은 이 사건이 공룡뿐만 아니라 지구상의 모든 생명체의 약 75퍼센트를 몰살시켰을 것이라고 추정한다!

❶ Around 66 million years ago, / a giant asteroid hit the Earth. /
약 6천 6백만 년 전에   거대한 소행성이 지구를 강타했다

❷ The impact created a massive crater / beneath the Gulf of Mexico. /
그 충돌은 거대한 분화구를 만들었다   멕시코만 아래에

❸ Many believed / that this caused the extinction of the dinosaurs, /
많은 이들이 믿었다   이것이 공룡의 멸종을 야기했다고

but it was unclear / exactly how it happened. / ❹ However, / recently, /
하지만 불명확했다   정확히 그것이 어떻게 일어났는지는   하지만   최근에

scientists uncovered new information / that might solve the mystery. /
과학자들은 새로운 정보를 알아냈다   그 수수께끼를 풀어줄 수도 있는

❺ They first collected and analyzed rock samples from the crater. /
그들은 먼저 그 분화구에서 암석 표본을 수집하고 분석했다

❻ Then, / they found out / that there was no sulfur in them, / while the
그 후   그들은 발견했다   그것들(암석 표본)에 황이 없다는 것을   반면에

area surrounding the crater / was rich in sulfur. / ❼ This led them to
그 분화구를 둘러싼 지역에는   황이 많았다   이것은 그들로 하여금 추정하게 했다

assume / the impact caused / a (c) small (→ huge) amount of sulfur from
그 충돌이 ~하도록 만들었다고   그 분화구로부터 적은(→ 막대한) 양의 황이

the crater / to evaporate into the atmosphere. / ❽ A large cloud of
대기로 증발하도록   거대한 황 구름이

sulfur would have blocked the sun, / and the average temperature of the
태양을 가렸을 것이다   그리고 지구의 평균 기온이

planet / may have decreased by about 15°C. / ❾ This global winter would
약 15도 정도 떨어졌을 수도 있다   이러한 지구의 겨울은 지속되었을

have lasted / for decades. / ❿ During this period, / plants would have
것이다   수십 년 동안   이 기간 동안   식물은 죽었을 것이다

died, / and the food chain would have broken down. / ⓫ The scientists
그리고 먹이사슬이 붕괴되었을 것이다   과학자들은

assume / this event killed off / not only the dinosaurs / but also about
추정한다   이 사건이 몰살시켰을 것이라고   공룡뿐만 아니라   지구상의 모든

75% of all life on the planet! /
생명체의 약 75퍼센트를

구문 해설

❸ Many believed [that this caused the extinction of the dinosaurs], but **it** was unclear exactly {how it happened}.

→ [ ]는 believed의 목적어 역할을 하는 명사절이다. 이때 명사절 접속사 that은 생략할 수 있다.

→ it은 가주어이고, 의문사 how가 이끄는 간접의문문 { }가 진주어이다. 이때 가주어 it은 따로 해석하지 않는다.

❻ Then, they found out [that there was no sulfur in them, **while** the area {*surrounding* the crater} was rich in sulfur].

→ [ ]는 found out의 목적어 역할을 하는 명사절이다. 이때 명사절 접속사 that은 생략할 수 있다.

→ while은 부사절을 이끄는 접속사로, '~하는 반면에'라는 의미이다. *cf.* while의 두 가지 의미: ① ~하는 반면에 ② ~하는 동안

→ { }는 앞에 온 the area를 수식하는 현재분사구이다. 이때 surrounding은 '~을 둘러싼'이라고 해석한다.

❼ This **led them to assume** [(that) the impact *caused* {a huge amount of sulfur from the crater} *to evaporate* ~].

→ 「lead + 목적어 + to-v」는 '~로 하여금 …하게 하다, 이끌다'라는 의미이다.

→ [ ]는 to assume의 목적어 역할을 하는 명사절로, 명사절 접속사 that이 생략되어 있다.

문제 해설

1 이 글의 요지로 가장 적절한 것은?

① What killed dinosaurs still remains a mystery.
무엇이 공룡을 죽였는지는 여전히 수수께끼로 남아 있다.

② The analysis of rock samples predicts the weather.
암석 표본에 대한 분석은 날씨를 예측한다.

③ Sulfur clouds may have led to the extinction of the dinosaurs.
황 구름이 공룡의 멸종을 야기했을 수도 있다.

④ Global climate change is the greatest threat to life on the Earth.
지구의 기후 변화는 지구상의 생명체에 가장 큰 위협이다.

⑤ An asteroid impact did not cause dinosaurs to become extinct.
소행성 충돌은 공룡이 멸종되도록 만들지 않았다.

2 과학자들의 발견과 이에 따른 가설을 다음과 같이 나타낼 때, 빈칸에 들어갈 말을 글에서 찾아 쓰시오. (단, 필요시 알맞은 형태로 고쳐 쓰시오.)

Discovery 발견	Rock samples from the crater didn't contain (1) ____sulfur____, unlike the samples from the area (2) ___surrounding___ it. 분화구를 (2) 둘러싼 지역에서 나온 표본과 달리, 분화구에서 나온 암석 표본에는 (1) 황이 들어 있지 않았다.
Assumption 가설	The sulfur in the crater might have (3) ___evaporated___ into the atmosphere. 분화구에 있는 황은 대기로 (3) 증발했을 수도 있다.

3 이 글의 밑줄 친 (a)~(e) 중, 단어의 쓰임이 적절하지 않은 것은?

① (a)　　② (b)　　③ (c)　　④ (d)　　⑤ (e)

4 이 글의 내용과 일치하도록 (A)~(D)를 알맞은 순서대로 배열하시오.

> (A) A huge cloud blocked the sun. 거대한 구름이 태양을 가렸다.
> (B) Global temperature dropped and living things died.
> 지구의 기온이 떨어졌고 생명체들이 죽었다.
> (C) A crater was made after an asteroid struck the Earth.
> 소행성이 지구에 부딪친 후 분화구가 만들어졌다.
> (D) Sulfur was released into the atmosphere. 황이 대기로 방출되었다.

____(C)____ ➡ ____(D)____ ➡ ____(A)____ ➡ ____(B)____

정답 **1** ③　**2** (1) sulfur (2) surrounding (3) evaporated　**3** ③
4 (C) → (D) → (A) → (B)

1 소행성 충돌로 증발된 막대한 양의 황 때문에 공룡이 멸종했을 수도 있다고 설명하는 글이므로, 요지로 ③ '황 구름이 공룡의 멸종을 야기했을 수도 있다.'가 가장 적절하다.

2 (1), (2) 문장 ❻에서 분화구를 둘러싼 지역에는 황이 많은 반면 분화구의 암석 표본에는 황이 없다는 것을 과학자들이 발견했다고 했다.
(3) 문장 ❼에서 과학자들은 소행성 충돌이 분화구의 황을 대기로 증발시켰다고 추정했다고 했다. (이때 과거 사실에 대한 약한 추측을 나타내는 「might have p.p.」가 되도록 과거분사 evaporated로 고쳐 써야 한다.)

3 문장 ❽에서 거대한 황 구름이 태양을 가렸을 것이라고 했으므로, (c) small(적은)을 huge(막대한)로 고쳐야 한다.

4 문장 ❶-❷에서 소행성이 지구를 강타해서 거대한 분화구를 만들었다고 한 뒤, 문장 ❼에서 그 충돌로 황이 대기로 증발했고, 문장 ❽에서 그 결과 거대한 황 구름이 태양을 가려 지구의 기온이 떨어졌다고 했고, 문장 ❿-⓫에서 이 기간 동안 먹이사슬이 붕괴되어 많은 생명체가 죽었다고 했다. 따라서 (C) → (D) → (A) → (B)의 순서가 가장 적절하다.

→ 「cause + 목적어 + to-v」는 '~가 …하도록 만들다, 야기하다'라는 의미이다. 여기서는 { }가 목적어에 해당한다.

❽ A large cloud of sulfur **would have blocked** the sun, and the average temperature ~ **may have decreased** *by* about 15°C.

→ 「조동사 + have p.p.」는 과거 사실에 대한 추측이나 후회를 나타낸다. 이 문장에서는 조동사 would와 may가 쓰여 각각 '~했을 것이다', '~했을 수도 있다'라고 해석한다. 둘 다 과거 사실에 대한 추측을 나타내지만, 「may have p.p.」가 더 약한 추측을 나타낸다.
cf. 「must have p.p.」: ~했음에 틀림없다 [과거 사실에 대한 강한 추측]
ex. You **must have forgotten** your homework. (너는 숙제를 잊어버렸음에 틀림없다.)
→ 전치사 by는 '~ 정도(로), ~만큼'이라는 의미로 수량, 정도, 비율을 나타낸다.

⓫ The scientists assume [(that) this event killed off **not only** the dinosaurs **but also** about 75% of all life on the planet]!

→ 「not only A but also B」는 'A뿐만 아니라 B도'라는 의미이다.
= 「B as well as A」　*ex.* this event killed off about 75% of all life on the planet **as well as** the dinosaurs

본문 해석

❶ Jordi Roca 셰프에게는 암 치료 후에 더 이상 음식의 맛을 느낄 수 없게 된 친구가 있었다. ❷ Roca는 그의 친구와 같은 사람들을 위해 무언가를 하기로 결심했고 하나의 분명한 목표를 가진 특별한 프로젝트를 시작했는데, 바로 사람들이 다시 맛을 느끼도록 돕는 것이었다!

❸ 이 목표를 달성하기 위해, Roca는 대부분의 사람들이 강렬하고 행복한 기억을 가진 음식을 찾으려고 노력했다. ❹ 그는 마침내 초콜릿을 선택했고 사람들에게 그것에 대해 어떤 기억을 가지고 있는지 물었다. ❺ 그 후, 그는 각 사람을 위해 특별히 제작된 초콜릿을 만들었다. ❻ Javier라는 이름의 참가자는 산에서 캠핑을 하면서 초콜릿을 먹었던 어린 시절 기억을 공유했다. ❼ 그래서, Roca는 초콜릿을 카카오 잎으로 장식했고 마른 땅 위의 비 냄새를 첨가했다. ❽ Javier가 초콜릿을 한 입 베어 물었을 때, 그것은 그에게 그 기억들이 생각나게 했다. ❾ 이것은 그의 신경 세포가 그 당시에 그가 맛봤던 것을 느끼도록 자극했다. ❿ 그는 감격하며, "초콜릿을 먹는 것은 금속을 씹는 것 같은 느낌이 들곤 했어요. ⓫ 하지만 이제 드디어 그 맛을 다시 느낄 수 있어요!"라고 말했다.

---

❶ Chef Jordi Roca had a friend / who could no longer taste food / after
Jordi Roca 셰프에게는 친구가 있었다   더 이상 음식의 맛을 느낄 수 없게 된

cancer treatment. / ❷ Roca decided to do something / for people like his
암 치료 후에   Roca는 무언가를 하기로 결심했다   그의 친구와 같은 사람들을

friend / and began a special project / that had one clear goal: / helping
위해   그리고 특별한 프로젝트를 시작했다   하나의 분명한 목표를 가진   사람들이

people taste again! /
다시 맛을 느끼도록 돕는 것

❸ To achieve this goal, / Roca tried to find a food / that most people
이 목표를 달성하기 위해   Roca는 음식을 찾으려고 노력했다   대부분의 사람들이

have strong and happy memories about. / ❹ He finally chose chocolate /
강렬하고 행복한 기억을 가진   그는 마침내 초콜릿을 선택했다

and asked people / what memories they had of it. / ❺ Then, / he
그리고 사람들에게 물었다   그들이 그것에 대해 어떤 기억을 가지고 있는지   그 후   그는

made chocolate / that was specifically created for each person. / ❻ One
초콜릿을 만들었다   각 사람을 위해 특별히 제작된

participant named Javier / shared his childhood memories of eating
Javier라는 이름의 한 참가자는   초콜릿을 먹었던 그의 어린 시절 기억을 공유했다

chocolate / while camping in the mountains. / ❼ So, / Roca decorated the
            산에서 캠핑을 하면서   그래서   Roca는 초콜릿을 카카오

chocolate with cacao leaves / and added the scent of rain on dry soil. /
잎으로 장식했다   그리고 마른 땅 위의 비 냄새를 첨가했다

❽ When Javier took a bite of the chocolate, / it reminded him of those
Javier가 초콜릿을 한 입 베어 물었을 때   그것은 그에게 그 기억들이

memories. / ❾ This stimulated his nerve cells to feel / what he had tasted
생각나게 했다   이것은 그의 신경 세포가 느끼도록 자극했다   그 당시에 그가 맛봤던 것을

back then. / ❿ He was thrilled and said, / "Eating chocolate used to feel
그는 감격하며 말했다   초콜릿을 먹는 것은 금속을 씹는 것 같은

like chewing metal. / ⓫ But now I can finally taste it again!" /
느낌이 들곤 했어요   하지만 이제 나는 드디어 그것의 맛을 다시 느낄 수 있어요

구문 해설

❶ Chef Jordi Roca had a friend [who could no longer taste food after cancer treatment].
→ [ ]는 앞에 온 선행사 a friend를 수식하는 주격 관계대명사절이다.

❸ 「try + to-v」는 '~하려고 노력하다'라는 의미이다.   cf. 「try + v-ing」: (시험 삼아) ~해보다

❹ He finally chose chocolate and **asked people [**what memories they had of it**]**.
→ 「ask + 간접목적어 + 직접목적어」는 '~에게 …을 묻다'라는 의미이다. 여기서는 간접의문문 [ ]가 직접목적어 역할을 하고 있다.
→ [ ]는 「의문사 + 주어 + 동사」의 간접의문문으로, asked의 직접목적어 역할을 하고 있다. 이 문장에서 memories는 간접의문문의 목적어에 해당하며, '어떤, 무슨'이라는 의미로 쓰이는 what의 수식을 받고 있다.

❻ One participant [**named** Javier] shared ~ memories of eating chocolate while (he was) camping in the mountains.
→ [ ]는 앞에 온 One participant를 수식하는 과거분사구이다. 이때 named는 '~라는 이름의'라고 해석한다.
→ 부사절의 주어가 주절의 주어와 같을 때, 「주어 + be동사」는 생략할 수 있다.

1 What is the best title for the passage? 이 글의 제목으로 가장 적절한 것은?

① Chocolate Can Improve Your Memory 초콜릿은 당신의 기억력을 향상시킬 수 있다
② A Great Chef Who Overcame an Illness 병을 극복한 위대한 셰프
③ The Importance of Childhood Memories 어린 시절의 기억의 중요성
④ A Project on How Decoration Affects Taste 장식이 어떻게 맛에 영향을 주는지에 대한 프로젝트
✓⑤ Recovering a Lost Sense through Memories 기억을 통해 잃어버린 감각을 회복하기

2 Which is the best choice for the blank? 빈칸에 들어갈 말로 가장 적절한 것은?

✓① helping people taste again 사람들이 다시 맛을 느끼도록 돕는 것
② sharing memories with others 다른 사람들과 기억을 공유하는 것
③ making the best dessert for his friend 그의 친구를 위해 최고의 디저트를 만드는 것
④ finding foods that increase memory 기억력을 증진시키는 음식을 찾는 것
⑤ treating cancer patients with foods 음식으로 암 환자들을 치료하는 것

3 Why did Roca choose chocolate for the project? Write the answer in Korean.
Roca가 프로젝트를 위해 초콜릿을 선택한 이유는 무엇인가? 우리말로 쓰시오.

대부분의 사람들이 강렬하고 행복한 기억을 가진 음식이기 때문에

4 Which is NOT true about the Roca's project? Roca의 프로젝트에 관해 일치하지 않는 것은?

① A friend inspired Roca to start it. 한 친구가 Roca가 그것을 시작하도록 영감을 주었다.
② Participants were asked what memories they had about chocolate.
참가자들은 그들이 초콜릿에 대해 어떤 기억을 가지고 있는지 질문을 받았다.
③ Each participant was given a different chocolate dish.
각 참가자는 서로 다른 초콜릿 요리를 받았다.
④ Javier's experience was used as inspiration for Roca's food.
Javier의 경험은 Roca의 음식을 위한 영감으로 쓰였다.
✓⑤ Javier tasted chocolate for the first time in Roca's food.
Javier는 Roca의 음식에서 처음으로 초콜릿의 맛을 느꼈다.

정답 1 ⑤   2 ①   3 대부분의 사람들이 강렬하고 행복한 기억을 가진 음식이기 때문에
4 ⑤

문제 해설

1 미각을 잃은 사람들이 초콜릿에 대한 기억으로 다시 그 맛을 느끼게 만든 Roca의 프로젝트를 소개하는 글이므로, 제목으로 ⑤ '기억을 통해 잃어버린 감각을 회복하기'가 가장 적절하다.

2 빈칸이 있는 문장에서 Roca는 맛을 느낄 수 없게 된 친구와 같은 사람들을 위해 프로젝트를 시작했다고 했고, 빈칸 뒤의 단락에서 초콜릿의 맛을 다시 느끼게 된 Javier의 사례가 소개되었다. 따라서 빈칸에는 ① '사람들이 다시 맛을 느끼도록 돕는 것'이 가장 적절하다.

3 문장 ❸-❹에서 Roca는 대부분의 사람들이 강렬하고 행복한 기억을 가진 음식으로 초콜릿을 선택했다고 했다.

4 ⑤: 문장 ❽-❾에서 Roca의 초콜릿을 먹고 Javier가 과거 초콜릿을 먹었던 기억과 그 맛을 떠올렸다고 했으므로, Roca의 음식을 먹기 전에 이미 초콜릿을 맛보았음을 알 수 있다.
①: 문장 ❶-❷에 언급되어 있다.
②: 문장 ❹에 언급되어 있다.
③: 문장 ❺에 언급되어 있다.
④: 문장 ❻-❼에서 Javier가 산에서 초콜릿을 먹었던 기억에 대해 듣고 Roca는 초콜릿을 잎으로 장식하고 비 냄새를 첨가했다고 했다.

❽ 「remind + 목적어 + of + (동)명사」는 '~에게 …이 생각나게 하다, …을 상기시키다'라는 의미이다.
cf. 「remind + 목적어 + that절」: ~에게 …을 상기시키다   *cf.* 「remind + 목적어 + to-v」: ~에게 …할 것을 상기시키다

❾ This **stimulated his nerve cells to feel** [what he *had tasted* back then].
→ 「stimulate + 목적어 + to-v」는 '~이 …하도록 자극하다'라는 의미이다.
→ [ ]는 「의문사 + 주어 + 동사」의 간접의문문으로, to feel의 목적어 역할을 하고 있다.
→ had tasted는 과거완료 시제(had p.p.)로, 이 문장에서는 과거의 특정 시점보다 더 이전에 발생한 일, 즉 [대과거]를 나타낸다.

❿ used to는 '~하곤 했다' 또는 '전에는 ~이었다'라는 의미로 과거의 습관이나 상태를 나타낸다.
cf. 「be used + to-v」: ~하는 데 사용되다   *ex.* The ruler **is used to measure** the size. (자는 크기를 측정하는 데 사용된다.)
「be used to + (동)명사」: ~에 익숙하다   *ex.* I **am used to speaking** in English. (나는 영어로 말하는 것에 익숙하다.)

본문 해석

① 당신은 경기에서 심각하게 지고 있던 팀을 응원해본 적이 있는가? **②** 그렇다면 당신은 언더독 효과를 경험해본 것이다.

③ 경기에서 이길 것 같은 팀이나 사람은 탑독(강자)이라고 불린다. **④** 반면에, 질 것 같은 팀이나 사람은 언더독(약자)이라고 불린다. **⑤** 흥미롭게도, 그 둘이 서로 경쟁할 때, 우리는 보통 언더독을 응원한다. **⑥** 탑독이 이기는 것은 그렇게 흥미진진하지 않은 반면, 언더독이 이기는 것은 훨씬 더 놀랍고 만족스럽다. **⑦** 이것은 우리의 뇌가 예상된 사건보다 예상치 못한 것들에 더 민감하게 반응하기 때문이다. **⑧** 게다가, 우리는 강자만이 이기면, 그것이 불공평하다고 생각한다. **⑨** 언더독이 장애를 이겨내고 성공을 거두는 것은 공정하다고 느껴진다. **⑩** 이러한 이유들로, 우리는 언더독을 지지하는 경향이 있고 그들이 이길 때마다 그들의 기쁨에 공감한다.

① Have you ever cheered for a team / that was losing badly in a
당신은 팀을 응원해본 적이 있는가   경기에서 심각하게 지고 있던

match? / **②** Then / you've experienced the underdog effect. /
         그렇다면   당신은 언더독 효과를 경험해본 것이다

③ A team or person that is likely to win in a match / is called a top
경기에서 이길 것 같은 팀이나 사람은   탑독(강자)이라고 불린다

dog. / **④** (A) On the other hand, / the one that is likely to lose / is called
              반면에   질 것 같은 것(팀이나 사람)은   언더독(약자)이라고

an underdog. / **⑤** Interestingly, / we usually cheer for the underdog /
불린다   흥미롭게도   우리는 보통 언더독을 응원한다

when the two compete against each other. / **⑥** While the top dog winning
그 둘이 서로 경쟁할 때   탑독이 이기는 것은

is not that exciting, / the underdog winning is far more surprising
그렇게 흥미진진하지 않은 반면   언더독이 이기는 것은 훨씬 더 놀랍고 만족스럽다

and pleasing. / **⑦** This is because / our brains react more sensitively /
               이것은 ~ 때문이다   우리의 뇌가 더 민감하게 반응하기

to unexpected events / than to expected ones. / **⑧** (B) Moreover, /
예상치 못한 사건들에   예상된 것들보다   게다가

when only the strong win, / we think it unfair. / **⑨** It feels just / for the
강자만이 이기면   우리는 그것을 불공평하다고 생각한다   공정하다고 느껴진다   언더독이

underdog / to overcome obstacles and achieve success. / **⑩** For these
          장애를 이겨내고 성공을 거두는 것은   이러한

reasons, / we tend to support the underdog / and relate to their joy /
이유들로   우리는 언더독을 지지하는 경향이 있다   그리고 그들의 기쁨에 공감한다

whenever they win. /
그들이 이길 때마다

구문 해설

① **Have you** ever **cheered** for a team [that *was losing* badly in a match]?
  → 「Have/Has + 주어 + p.p. ~?」의 현재완료 시제가 쓰인 의문문으로, 과거의 [경험]을 물을 때 쓴다.
  → [ ]는 앞에 온 선행사 a team을 수식하는 주격 관계대명사절이다.
  → 「be동사의 과거형 + v-ing」는 과거진행 시제로, '~하고 있었다, ~하는 중이었다'라고 해석한다.

③ be likely to는 '~할 것 같다, ~할 가능성이 있다'라는 의미이다. *cf.* be more/less likely to: ~할 가능성이 더 높다/낮다

⑥ **While** *the top dog* winning is not that exciting, *the underdog* winning is far more surprising and pleasing.
  → While은 부사절을 이끄는 접속사로, '~하는 반면에'라는 의미이다. *cf.* while의 두 가지 의미: ① ~하는 반면에 ② ~하는 동안
  → the top dog과 the underdog은 동명사의 의미상 주어로, 동명사(winning)가 나타내는 동작의 주체이다. 동명사의 의미상 주어는 사람일 경우 소유격으로, 무생물일 경우 목적격으로 나타낸다.

⑦ This is because는 '이것은 ~ 때문이다'라는 의미로, because 뒤에 오는 내용이 앞 문장에 대한 이유가 된다.

문제 해설

1 이 글의 제목으로 가장 적절한 것은?

☑ ① Why We Cheer for the Weak 우리는 왜 약자를 응원하는가
② Underdogs: Why They Always Lose 언더독: 그들은 왜 항상 지는가
③ How to Predict the Top Dog in a Match 경기에서 탑독을 예측하는 방법
④ People's Support Can Change Who Wins 사람들의 지지가 누가 이기는지를 바꿀 수 있다
⑤ Losing Is Sometimes More Important than Winning 가끔은 이기는 것보다 지는 것이 더 중요하다

2 이 글의 밑줄 친 the underdog effect를 다음과 같이 나타낼 때, 빈칸에 들어갈 말을 글에서 찾아 쓰시오.

> The phenomenon in which people hope a team or person that is likely to _____lose_____ will _____win_____ 사람들이 질 것 같은 팀이나 사람이 이길 것을 바라는 현상

3 이 글의 빈칸 (A)와 (B)에 들어갈 말로 가장 적절한 것은?

(A)		(B)
① Instead	......	Nevertheless 대신에 … 그럼에도 불구하고
② As a result	......	For example 결과적으로 … 예를 들어
③ As a result	......	Nevertheless 결과적으로 … 그럼에도 불구하고
☑ ④ On the other hand	......	Moreover 반면에 … 게다가
⑤ On the other hand	......	Therefore 반면에 … 따라서

4 이 글의 내용으로 보아, top dog과 underdog 중 다음 빈칸에 들어갈 말을 골라 쓰시오.
(1) What is more likely to happen: _____top dog_____ winning
일어날 가능성이 더 높은 것: 탑독이 이기는 것
(2) What excites you more: _____underdog_____ winning
당신을 더 흥미진진하게 하는 것: 언더독이 이기는 것
(3) What seems to be fairer: _____underdog_____ winning
더 공평하게 보이는 것: 언더독이 이기는 것

1 강자와 약자의 대결에서 약자인 언더독을 응원하게 되는 언더독 효과를 설명하는 글이므로, 제목으로 ① '우리는 왜 약자를 응원하는가'가 가장 적절하다.

2 문장 ❸-❺를 통해 언더독 효과란 강자인 탑독과 약자인 언더독이 경쟁할 때 질 가능성이 높은 언더독이 이기기를 응원하는 현상임을 알 수 있다.

3 (A) 빈칸 앞에서 경기에서 이길 것 같은 팀이나 사람은 탑독이라고 했고, 빈칸이 있는 문장에서 질 것 같은 팀이나 사람은 언더독이라며 대조되는 내용을 설명했다. 따라서 빈칸 (A)에는 '반면에'가 가장 적절하다.
(B) 빈칸 앞에서 언더독이 이기는 것이 더 만족스러운 이유로 뇌가 예상치 못한 사건에 더 민감하게 반응하기 때문이라고 했고, 빈칸이 있는 문장에서 강자만 이기는 것을 불공평하다고 생각한다며 또 다른 이유를 추가했다. 따라서 빈칸 (B)에는 '게다가'가 가장 적절하다.

4 (1) 문장 ❸에 언급되어 있다.
(2) 문장 ❻에서 탑독이 이기는 것보다 언더독이 이기는 것이 더 놀랍고 만족스럽다고 했다.
(3) 문장 ❾에서 언더독의 성공이 공정하게 느껴진다고 했다.

정답 **1** ① **2** lose, win **3** ④ **4** (1) top dog (2) underdog (3) underdog

---

❽ Moreover, when only **the strong** win, we *think it unfair*.
→ 「the + 형용사」는 '~한 사람들'이라는 의미이다. 「the + 형용사」는 복수 취급하므로, 뒤에 복수동사 win이 쓰였다.
→ 「think + 목적어 + 형용사」는 '~을 …하다고 생각하다, 여기다'라는 의미이다.

❾ **It** feels just *for the underdog* **to overcome obstacles and achieve success**.
→ It은 가주어이고, to overcome 이하가 진주어이다. 이때 가주어 it은 따로 해석하지 않는다.
→ 「for + 목적격」은 to부정사의 의미상 주어로, to부정사(to overcome, (to) achieve)가 나타내는 동작의 주체이다.
cf. 「of + 목적격」: 사람의 성격/태도를 나타내는 형용사가 있을 때 *ex.* It's silly **of him** to trust you. (너를 믿다니 그는 어리석다.)

❿ For these reasons, we **tend to support** the underdog and relate to their joy *whenever* they win.
→ 「tend + to-v」는 '~하는 경향이 있다'라는 의미이다.
→ whenever는 복합관계부사로, '~할 때마다'라는 의미이다. 여기서는 whenever 대신 at any time (when)으로 바꿔 쓸 수 있다.
cf. whenever의 두 가지 의미: ① ~할 때마다 ② 언제 ~하더라도 (= no matter when)

본문 해석

❶ 꿀벌이 전 세계적으로 사라지고 있다. ❷ 수만 마리의 일벌이 꽃을 찾기 위해 벌집을 떠나지만, 다시 돌아오지 않는다. ❸ 여왕벌과 어린 벌을 포함하여, 남아 있는 벌은 굶어 죽는다. ❹ 결국, 꿀벌 군집 전체가 붕괴된다.

❺ 이 현상이 2006년에 처음 보고되었을 때, 80만 개가 넘는 군집이 이미 자취를 감췄다. ❻ 이것은 심각한 문제를 야기할 수 있는데, 왜냐하면 꿀벌이 식물이 번식하도록 돕는 것에 있어 중요한 역할을 하기 때문이다. ❼ 실제로, 꿀벌은 대부분의 과일과 채소를 포함하여 주요 식량 작물의 70퍼센트를 수분시킨다. ❽ 꿀벌이 없다면, 우리는 과일과 채소를 기를 수 없을 것이다!

❾ 왜 그러한 현상이 일어나고 있는지에 대해 수많은 이론이 있다. ❿ 그 중 많은 것이 환경 오염, 질병, 또는 해로운 농약에의 노출이 주요 원인일 수 있다고 제시한다. ⓫ 몇몇 연구원들은 휴대폰의 전자 신호를 탓하기도 한다. ⓬ 그것이 벌의 방향 감각을 방해해서, 벌은 집으로 가는 길을 찾는 데 어려움을 겪는다.

❶ Honey bees are (A) <u>disappearing</u> / all over the world. / ❷ Tens of
꿀벌들이 사라지고 있다　　　　　전 세계적으로　　　　수만 마리의

thousands of worker bees leave their hive / to search for flowers / but
일벌들이 그것들의 벌집을 떠난다　　　　　꽃을 찾기 위해　　　　하지만

never return. / ❸ The remaining bees, / including the queen and the
다시 돌아오지 않는다　　남아 있는 벌들은　　　여왕벌과 어린 벌들을 포함하여

young bees, / starve to death. / ❹ Eventually, / the entire honey bee
굶어 죽는다　　　　결국　　　꿀벌 군집 전체가 붕괴된다

colony collapses. /

❺ When this phenomenon was first reported / in 2006, / over 800,000
이 현상이 처음 보고되었을 때　　　　2006년에　　80만 개가 넘는

colonies had already died out. / ❻ This can cause a serious problem /
군집들이 이미 자취를 감췄다　　　이것은 심각한 문제를 야기할 수 있다

because honey bees play a vital role / in helping plants (B) <u>reproduce</u>. /
왜냐하면 꿀벌이 중요한 역할을 하기 때문이다　　식물이 번식하도록 돕는 것에 있어

❼ As a matter of fact, / honey bees pollinate 70% of our main food crops, /
실제로　　　꿀벌은 우리의 주요 식량 작물의 70퍼센트를 수분시킨다

including most fruits and vegetables. / ❽ Without them, / we wouldn't be
대부분의 과일과 채소를 포함하여　　　그것들(꿀벌)이 없다면　우리는

able to grow fruits and vegetables! /
과일과 채소를 기를 수 없을 것이다

❾ There are numerous theories / about why such a phenomenon is
수많은 이론들이 있다　　　　왜 그러한 현상이 일어나고 있는지에 대해

occurring. / ❿ Many of them suggest / that environmental pollution,
그것들 중 많은 것이 제시한다　　환경 오염,

diseases, or exposure to harmful agricultural chemicals / could be the
질병, 또는 해로운 농약에의 노출이　　　　　　주요 원인일 수

main causes. / ⓫ Some researchers also blame electronic signals from
있다고　　　　몇몇 연구원은 휴대폰의 전자 신호를 탓하기도 한다

mobile phones. / ⓬ They disrupt the bees' sense of direction, / so the bees
그것들은 벌들의 방향 감각을 방해한다　　　　　그래서 벌들은

have (C) <u>difficulty</u> finding their way home. /
그것들의 집으로 가는 길을 찾는 데 어려움을 겪는다

구문 해설

❸ The remaining bees, [**including** the queen and the young bees], starve to death.
→ including은 '~을 포함하여'라는 의미의 전치사로, 전치사구 [ ]가 부연 설명을 하기 위해 문장 중간에 삽입되었다.

❺ had died는 과거완료 시제(have p.p.)로, 여기서는 과거의 특정 시점보다 더 이전에 시작된 일이 과거의 특정 시점에 끝난 [완료]를 나타낸다.

❻ This can cause a serious problem because honey bees play a vital role in [***helping*** plants reproduce].
→ [ ]는 전치사 in(~에 있어)의 목적어 역할을 하는 동명사구이다.
→ 「help + 목적어 + 동사원형」은 '~이 …하도록 돕다'라는 의미이다.　= 「help + 목적어 + to-v」

❽ **Without** them, we **would**n't **be** able to grow fruits and vegetables!
→ 「Without + 명사, 주어 + would/could/should/might + 동사원형 …」은 가정법 과거로, '~이 없다면 …할 텐데'라는 의미이다. 이 문장에서는 꿀벌이 있는 현재 사실의 반대를 가정하고 있다.
　= 「But for + 명사, ~」 = 「If it were not for + 명사, ~」　*ex.* **But[If it were not] for** them, we wouldn't be able to grow fruits ~!

1 이 글의 주제로 가장 적절한 것은?

① the short lifespan of honey bees 꿀벌의 짧은 수명
✓ the problem of dying honey bees 꿀벌이 죽어가는 문제
③ how honey bees live and move in groups 꿀벌이 어떻게 무리 지어 살고 움직이는지
④ impacts of plant extinctions on honey bees 식물 멸종이 꿀벌에 끼치는 영향
⑤ why honey bees have trouble making honey 꿀벌이 왜 꿀을 만드는 데 문제를 겪는지

2 이 글의 내용과 일치하면 T, 그렇지 않으면 F를 쓰시오.

(1) Honey bee colonies are collapsing because queens are leaving their hives.
여왕벌이 그것들의 벌집을 떠나고 있기 때문에 꿀벌 군집이 붕괴되고 있다.   F

(2) The decline of honey bees was identified for the first time in 2006. 꿀벌의 감소는 2006년에 처음으로 확인되었다.   T

(3) Honey bees help produce about one-third of the crops we eat. 꿀벌은 우리가 먹는 작물의 약 3분의 1을 생산하는 것을 돕는다.   F

3 이 글의 밑줄 친 <u>a phenomenon</u>의 원인 네 가지를 우리말로 쓰시오.

환경 오염, 질병, 해로운 농약에의 노출, 휴대폰의 전자 신호

4 (A), (B), (C)의 각 네모 안에서 문맥에 알맞은 말로 가장 적절한 것은?

	(A)		(B)		(C)	
①	appearing	......	reproduce	......	ease	나타나는 … 번식하다 … 쉬움
②	appearing	......	reduce	......	difficulty	나타나는 … 줄이다 … 어려움
③	disappearing	......	reproduce	......	ease	사라지는 … 번식하다 … 쉬움
④	disappearing	......	reduce	......	difficulty	사라지는 … 줄이다 … 어려움
✓	disappearing	......	reproduce	......	difficulty	사라지는 … 번식하다 … 어려움

1 꿀벌이 사라지는 현상과 그 원인 및 이로 인해 발생할 수 있는 문제점을 설명하는 글이므로, 주제로 ② '꿀벌이 죽어가는 문제'가 가장 적절하다.

2 (1) 문장 ❷-❹에서 일벌이 벌집을 떠난 후 다시 돌아오지 않아서 남아 있는 벌이 굶어 죽게 되어 결국 꿀벌 군집이 붕괴된다고 했다.
(2) 문장 ❺에 언급되어 있다.
(3) 문장 ❼에서 꿀벌이 주요 식량 작물의 70퍼센트를 수분시킨다고 했다.

3 문장 ❿-⓫에서 꿀벌이 사라지는 현상의 원인으로 환경 오염, 질병, 해로운 농약에의 노출, 휴대폰의 전자 신호를 제시했다.

4 (A) 네모 뒤에서 수만 마리의 일벌이 벌집을 떠나 다시 돌아오지 않는다고 했으므로, 네모 (A)에는 '사라지는'이 문맥상 적절하다.
(B) 네모 뒤에서 꿀벌이 주요 식량 작물을 수분시킨다고 했으므로, 네모 (B)에는 '번식하다'가 문맥상 적절하다.
(C) 네모가 있는 문장에서 휴대폰의 전자 신호가 벌의 방향 감각을 방해한다고 했으므로, 네모 (C)에는 '어려움'이 문맥상 적절하다.

정답   **1** ②   **2** (1) F (2) T (3) F
3 환경 오염, 질병, 해로운 농약에의 노출, 휴대폰의 전자 신호   **4** ⑤

❾ There are numerous theories about [why such a phenomenon is occurring].
→ [ ]는 「의문사 + 주어 + 동사」의 간접의문문으로, about의 목적어 역할을 하고 있다.

❿ Many of them suggest [that **environmental pollution, diseases, or exposure** ~ could be the main causes].
→ [ ]는 suggest의 목적어 역할을 하는 명사절이다. 이때 명사절 접속사 that은 생략할 수 있다.
→ 세 가지 이상의 단어를 나열할 때는 콤마와 함께 마지막 단어 앞에 or[and]를 써서 「A, B, or[and] C」로 나타낸다.

⓬ They disrupt the bees' sense of direction, so the bees **have difficulty finding** their way home.
→ 「have difficulty[trouble/a hard time] + (in) + v-ing」는 '~하는 데 어려움/문제/힘든 시간을 겪다'라는 의미이다.

본문 해석

❶ 모든 검은색이 같을까? ❷ 사실, 각각 다른 정도의 어두움을 가진 다양한 종류의 검은색이 있다. ❸ 최근에, 과학자들은 가장 어두운 검은색을 만들려고 노력해오고 있다.

❹ 색의 어두움은 얼마나 많은 가시광선이 그것에 의해 흡수되는지에 달려있다. ❺ 평범한 검은색은 빛의 약 90퍼센트를 흡수한다. ❻ 하지만 새롭게 개발된 검은색 물질들은 더 많은 빛을 흡수할 수 있어서, 더 어둡게 보인다. ❼ 예를 들어, 반타블랙이라고 불리는 색은 빛의 99.965퍼센트까지 흡수한다. ❽ 2019년에, MIT 공학자들은 빛의 99.995퍼센트를 담을 수 있는 검은색 물질을 만들어냈다. ❾ 그것은 반타블랙보다 10배 더 어둡다. ❿ 반짝이는 다이아몬드가 이 물질로 칠해졌을 때, 그것은 눈에 보이지 않게 된 것처럼 보였다!

⓫ 이러한 새로운 검은색은 다양한 용도로 쓰일 수 있다. ⓬ 우주 망원경에 발리면, 그것들은 원치 않는 어떤 빛이라도 흡수할 수 있다. ⓭ 이것은 별을 관찰하는 것을 더 쉽게 만든다. ⓮ 또한, 그것들은 훌륭한 예술 작품들을 만들기 위해 조각상에 그리고 독특한 디자인을 만들기 위해 옷에 쓰일 수 있다.

❶ Are all black colors the same? / ❷ Actually, / there are various kinds
모든 검은색들이 같을까   사실   다양한 종류의 검은색이 있다

of black / with different levels of darkness. / ❸ Recently, / scientists have
각각 다른 정도의 어두움을 가진   최근에   과학자들은

been trying to create the darkest black color. /
가장 어두운 검은색을 만들려고 노력해오고 있다

❹ The darkness of a color depends on / how much visible light
색의 어두움은 ~에 달려있다   얼마나 많은 가시광선이

is absorbed by it. / ❺ Normal black paint takes in about 90% of light. /
그것에 의해 흡수되는지   평범한 검은색은 빛의 약 90퍼센트를 흡수한다

❻ But newly developed black materials / can take in more light, / so they
하지만 새롭게 개발된 검은색 물질들은   더 많은 빛을 흡수할 수 있다   그래서 그것들은

look darker. / ❼ For example, / a color called Vantablack absorbs / up to
더 어둡게 보인다   예를 들어   Vantablack(반타블랙)이라고 불리는 색은 흡수한다

99.965% of light. / ❽ In 2019, / MIT engineers created a black material /
빛의 99.965퍼센트까지   2019년에   MIT 공학자들은 검은색 물질을 만들어냈다

that can capture 99.995% of light. / ❾ It is 10 times (c) brighter (→ darker)
빛의 99.995퍼센트를 담을 수 있는   그것은 반타블랙보다 10배 더 밝다(→ 더 어둡다)

than Vantablack. / ❿ When a sparkling diamond was coated with this
                          반짝이는 다이아몬드가 이 물질로 칠해졌을 때

material, / it seemed to become invisible! /
          그것은 눈에 보이지 않게 된 것처럼 보였다

⓫ These new black colors can be used / for different purposes. /
이러한 새로운 검은색들은 쓰일 수 있다   다양한 용도로

⓬ When applied to a space telescope, / they can absorb any unwanted
우주 망원경에 발리면   그것들은 원치 않는 어떤 빛이라도 흡수할 수 있다

light. / (⑤ ⓭ This makes it easier / to observe stars. /) ⓮ Also, / they can
          이것은 더 쉽게 만든다   별을 관찰하는 것을   또한   그것들은

be used on sculptures / to create wonderful pieces of art / and on clothes /
조각상에 쓰일 수 있다   훌륭한 예술 작품들을 만들기 위해   그리고 옷에

to make unique designs. /
독특한 디자인을 만들기 위해

구문 해설

❸ Recently, scientists **have been** *trying* *to create* the darkest black color.
→ 「have/has been + v-ing」는 현재완료진행 시제로, 과거에 시작된 일이 현재까지도 계속 진행 중임을 강조하여 나타낸다.
→ 「try + to-v」는 '~하려고 노력하다'라는 의미이다.
cf. 「try + v-ing」: (시험 삼아) ~해보다 *ex.* Demian **tried ordering** from a new pizza place. (Demian은 새로운 피자집에서 주문해봤다.)

❹ The darkness of a color depends on [how much visible light is absorbed by it].
→ [ ]는 「how + 형용사 + 주어 + 동사」의 간접의문문으로, depends on의 목적어 역할을 하고 있다. 이때 how는 '얼마나'라고 해석한다.
cf. 「how + 주어 + 동사」: 어떻게 ~하는지 *ex.* I heard **how she dances** well. (나는 그녀가 어떻게 춤을 잘 추는지 들었다.)

❼ called Vantablack은 앞에 온 a color를 수식하는 과거분사구이다. 이때 called는 '~이라고 불리는'이라고 해석한다.

❽ In 2019, MIT engineers created a black material [that can capture 99.995% of light].
→ [ ]는 앞에 온 선행사 a black material을 수식하는 주격 관계대명사절이다.

1 이 글의 밑줄 친 (a)~(e) 중, 단어의 쓰임이 적절하지 <u>않은</u> 것은?

① (a)　　　② (b)　　　③ (c)　　　④ (d)　　　⑤ (e)

2 이 글의 흐름으로 보아, 다음 문장이 들어가기에 가장 적절한 곳은?

> This makes it easier to observe stars. 이것은 별을 관찰하는 것을 더 쉽게 만든다.

①　　　②　　　③　　　④　　　⑤

3 이 글의 내용과 일치하지 <u>않는</u> 것은?

① Black colors vary according to the level of darkness.
　검은색은 어두움의 정도에 따라 각기 다르다.

② Ordinary black paint can absorb 90% of visible light.
　평범한 검은색은 가시광선의 90퍼센트를 흡수할 수 있다.

③ Vantablack is the darkest material that has ever been created.
　반타블랙이 여태까지 만들어진 가장 어두운 물질이다.

④ MIT engineers invented a material that can absorb 99.995% of light.
　MIT 공학자들은 빛의 99.995퍼센트를 흡수할 수 있는 물질을 발명했다.

⑤ Newly created black substances can be applied to artwork and clothing.
　새롭게 만들어진 검은색 물질은 예술 작품이나 의류에 발릴 수 있다.

4 이 글의 내용으로 보아, 다음 빈칸에 들어갈 말을 보기에서 골라 쓰시오.

보기	uses	sparkling	absorb	darkest	create
	용도들	반짝이는	흡수하다	가장 어두운	만들다

Researchers are working to develop the ____darkest____ black. They have created blacks that ____absorb____ more than 99.9% of visible light. These darker blacks have several ____uses____, such as improving telescopes and creating art.

연구원들은 가장 어두운 검은색을 개발하기 위해 노력하고 있다. 그들은 가시광선의 99.9퍼센트를 넘게 흡수하는 검은색을 만들어냈다. 이러한 더 어두운 검은색은 망원경을 개선하는 것과 예술을 창작하는 것 같은 몇 가지의 용도들을 가지고 있다.

정답 1 ③　2 ⑤　3 ③　4 darkest, absorb, uses

문제 해설

1 문장 ❹에서 색의 어두움은 얼마나 많은 가시광선이 흡수되는지에 달려있다고 했고, 문장 ❺-❼에서 평범한 검은색은 90퍼센트, 새로 개발된 더 어두운 반타블랙은 99.965퍼센트의 빛을 흡수한다고 했으므로 빛을 더 많이 흡수할수록 더 어두운 검은색이 된다는 것을 알 수 있다. 따라서 문장 ❽에서 MIT에서 개발된 검은색 물질은 99.995퍼센트로 반타블랙보다 더 많은 빛을 흡수한다고 했으므로, (c) brighter(더 밝은)를 darker(더 어두운)로 고쳐야 한다.

2 주어진 문장은 새로운 검은색이 우주 망원경에 발리면 원치 않는 어떤 빛이라도 흡수할 수 있다는 내용의 문장 ⓬의 효과에 해당하여 문장 ⓬의 뒤에 오는 것이 자연스러우므로, ⑤가 가장 적절하다.

3 ③: 문장 ❼-❽에서 반타블랙은 빛의 99.965퍼센트를, MIT에서 개발된 검은색 물질은 빛의 99.995퍼센트를 흡수한다고 했으므로, 반타블랙보다 MIT의 검은색 물질이 더 어두운 색임을 알 수 있다.
①은 문장 ❷에, ②는 문장 ❺에, ④는 문장 ❽에, ⑤는 문장 ⓮에 언급되어 있다.

4 문제 해석 참고

---

❾ It is **10 times darker than** Vantablack.
→ 「배수사 + 비교급 + than」은 '~보다 몇 배 더 …한/하게'라는 의미이다. 이 문장에서는 '반타블랙보다 10배 더 어두운'이라고 해석한다.

❿ When a sparkling diamond **was coated with** this material, it *seemed to become* invisible!
→ be coated with는 '~으로 칠해지다, 덮이다'라는 의미의 수동태 표현이다.
→ 「seem + to-v」는 '~하는 것처럼 보이다, ~하는 것 같다'라는 의미이다. 이 문장에서는 '눈에 보이지 않게 된 것처럼 보였다'라고 해석한다.

⓬ When (they are) applied to a space telescope, they can absorb any unwanted light.
→ 부사절의 주어가 주절의 주어와 같을 때, 「주어 + be동사」는 생략할 수 있다.

⓭ This **makes it easier** to observe stars.
→ 「make + 목적어 + 형용사」는 '~을 …하게 만들다'라는 의미이다. 여기서는 목적어 it 뒤에 형용사의 비교급 easier가 쓰였다.
→ it은 가목적어이고, to observe stars가 진목적어이다. 이때 가목적어 it은 따로 해석하지 않는다.

본문 해석

❶ Erick과 그의 반 친구들은 케이팝의 열렬한 팬이다. ❸ 어느 날, Erick은 학교에 그가 가장 좋아하는 소장품들을 가져왔는데, 이것들은 Redpink와 Black Velvet에게 사인을 받은 앨범이었다. ❹ 그는 앨범을 친구들에게 자랑하고 나서 사물함에 넣었다. ❷ 하지만, 체육 수업 후에, 그는 Redpink 앨범이 사라진 것을 발견했다! ❺ Erick은 모두 체육 수업에 늦었던 Spencer, Tate, 그리고 James, 이 세 명의 반 친구들이 의심스러웠다. ❻ 그는 "내 앨범 중 하나가 사라졌어. ❼ 너희들 왜 늦었어?"라고 말했다. ❽ 이것들이 그들의 답변이었다.

Spencer: ❾ "나는 네 앨범에 손대지 않았어. ❿ 난 그냥 체육복을 빌려야 했어!"

Tate: ⓫ "나는 보건실에 갔었어. ⓬ 난 심지어 Redpink의 팬도 아니야!"

James: ⓭ "나는 복통 때문에 오랜 시간 동안 화장실에 있었어."

⓮ Erick은 그들의 진술로부터 누가 앨범을 가져갔었는지 알아냈다. ⓯ 그들 중 한 명은 Erick이 그들에게 말하지 않았던 무언가를 아는 것 같았다. ⓰ 마침내, Erick은 그에게서 사과와 함께, 앨범을 돌려받았다.

---

❶ Erick and his classmates are big fans of K-pop. / ❸ (B) One day, /
Erick과 그의 반 친구들은 케이팝의 열렬한 팬이다   어느 날

Erick brought to school / his favorite possessions, / which were signed
Erick은 학교에 가져왔다   그가 가장 좋아하는 소장품들을   그런데 이것들은 Redpink와

albums by Redpink and Black Velvet. / ❹ (C) He showed off the albums
Black Velvet에게 사인을 받은 앨범들이었다   그는 그 앨범들을 그의 친구들에게

to his friends / and then put them in his locker. / ❷ (A) But, / after
자랑했다   그리고 나서 그것들을 그의 사물함에 넣었다   하지만

gym class, / he discovered / that his Redpink album was missing! /
체육 수업 후에   그는 발견했다   그의 Redpink 앨범이 사라진 것을

❺ Erick was suspicious of three classmates / —Spencer, Tate, and
Erick은 세 명의 반 친구들이 의심스러웠다   Spencer, Tate, 그리고

James— / who were all late to gym class. / ❻ He said, / "One of my albums
James   모두 체육 수업에 늦었던   그는 말했다   내 앨범들 중 하나가

is missing. / ❼ Why were you guys late?" / ❽ These were their responses: /
사라졌어   너희들 왜 늦었어   이것들이 그들의 답변들이었다

Spencer: ❾ "I didn't touch your albums. / ❿ I just had to borrow a gym
나는 네 앨범에 손대지 않았어   난 그냥 체육복을 빌려야 했어

uniform!" /

Tate: ⓫ "I went to the nurse's office. / ⓬ I'm not even a fan of Redpink!" /
나는 보건실에 갔었어   난 심지어 Redpink의 팬도 아니야

James: ⓭ "I was in the restroom for a long time / because of a
나는 오랜 시간 동안 화장실에 있었어   복통 때문에

stomachache." /

⓮ Erick figured out / who had taken his album / from their statements. /
Erick은 알아냈다   누가 그의 앨범을 가져갔었는지   그들의 진술로부터

⓯ It seemed one of them knew something / that Erick hadn't told them. /
그들 중 한 명은 무언가를 아는 것 같았다   Erick이 그들에게 말하지 않았던

⓰ Finally, / he got the album back, / along with an apology from him. /
마침내   그(Erick)는 앨범을 돌려받았다   그에게서 사과와 함께

구문 해설

❸ One day, Erick brought to school his favorite possessions[, **which** were *signed* albums by Redpink and Black Velvet].
→ [ ]는 앞에 온 his favorite possessions를 선행사로 가지는 계속적 용법의 관계대명사절이다. 여기서는 '그런데 이것들(그가 가장 좋아하는 소장품들)은 ~하다'라고 해석한다.
→ signed는 뒤에 온 albums를 수식하는 과거분사이다. 이때 signed는 '사인을 받은'이라고 해석한다.

❷ But, after gym class, he discovered [that his Redpink album was missing]!
→ [ ]는 discovered의 목적어 역할을 하는 명사절이다. 이때 명사절 접속사 that은 생략할 수 있다.

❺ Erick was suspicious of three classmates—Spencer, Tate, and James—[who were all late to gym class].
→ [ ]는 앞에 온 선행사 three classmates를 수식하는 주격 관계대명사절이다.

⓮ Erick figured out [who **had taken** his album] from their statements.
→ [ ]는 주어가 의문사인 간접의문문으로, figured out의 목적어 역할을 하고 있다.

1 What is the best order for sentences (A)~(C)? 문장 (A)~(C)의 순서로 가장 적절한 것은?

① (A) – (C) – (B)　　　　② (B) – (A) – (C)　　　　✓③ (B) – (C) – (A)

④ (C) – (A) – (B)　　　　⑤ (C) – (B) – (A)

2 Which is NOT true about the passage? 이 글의 내용과 일치하지 않는 것은?

① Erick had a signed album from the K-pop group Redpink.
Erick은 케이팝 그룹인 Redpink의 사인을 받은 앨범을 가지고 있었다.

② One of Erick's classmates didn't bring a gym uniform.
Erick의 반 친구들 중 한 명은 체육복을 가져오지 않았다.

③ Erick suspected that a student who was late to class had taken his album.
Erick은 수업에 지각한 학생이 그의 앨범을 가져갔다고 의심했다.

✓④ One classmate was absent from gym class because he was sick.
반 친구 한 명이 아파서 체육 수업에 결석했다.

⑤ The student who stole the album apologized to Erick.
앨범을 훔친 학생은 Erick에게 사과했다.

3 Who does the underlined him refer to? Write the answer in English.
밑줄 친 him이 가리키는 사람은 누구인가? 영어로 쓰시오.

＿＿＿＿＿＿ Tate ＿＿＿＿＿＿

4 Which saying best describes the passage? 이 글의 내용을 가장 잘 설명하는 속담은 무엇인가?

① Walls have ears. 벽에도 귀가 있다. (낮말은 새가 듣고 밤말은 쥐가 듣는다.)

② Even a worm will turn. 벌레조차도 돌아설 것이다. (지렁이도 밟으면 꿈틀한다.)

✓③ The guilty dog barks first. 죄가 있는 개가 먼저 짓는다. (도둑이 제 발 저린다.)

④ Actions speak louder than words.
말보다 행동이 더 크게 말한다. (백 마디 말보다 한 가지 행동이 더 중요하다.)

⑤ The best defense is a good offense. 최선의 방어는 (좋은) 공격이다.

문제 해설

1 Erick의 반 친구들이 케이팝의 팬이라고 설명한 후, 그가 케이팝 그룹의 사인을 받은 앨범을 학교에 가져왔다는 내용의 (B), 그 앨범을 친구들에게 자랑한 후 사물함에 넣었다는 (C), 체육 수업 후에 앨범 하나가 사라졌다는 (A)의 흐름이 가장 적절하다.

2 ④: 문장 ❺에서 Spencer와 Tate, James가 체육 수업에 늦었다고는 했지만, 체육 수업에 결석한 사람에 대한 언급은 없다.

②: 문장 ❿에서 Spencer가 체육복을 빌려야 했다고 했으므로, 그가 체육복을 가져오지 않았음을 알 수 있다.

①은 문장 ❸에, ③은 문장 ❺에, ⑤는 문장 ⓰에 언급되어 있다.

3 문장 ⓬에서 Tate가 자신이 Redpink의 팬이 아니라고 했고, 문장 ⓮-⓯를 통해 Erick이 말하지 않은 것을 아는 사람이 앨범을 가져갔음을 알 수 있다. 따라서 누구의 앨범이 사라졌는지 말하기 전에 미리 알았던 Tate가 him에 해당한다.

4 Erick이 어떤 앨범이 사라졌는지 말하지 않았는데도 먼저 Redpink를 언급한 Tate가 범인이었으므로, 속담으로 ③ '죄가 있는 개가 먼저 짓는다.(도둑이 제 발 저린다.)'가 가장 적절하다.

→ had taken은 과거완료 시제(had p.p.)로, 이 문장에서는 과거의 특정 시점보다 더 이전에 발생한 일, 즉 [대과거]를 나타낸다. Erick이 알아냈던 과거의 시점보다 더 이전에 앨범을 가져갔었다는 의미이다.

⓯ **It seemed [(that) one of them knew *something* {that Erick hadn't *told them*}].**

→ 「It seems + that절」은 '~인 것 같다'라는 의미이다.

＝「주어 + seems + to-v」 *ex.* **One of them seemed to know** something that Erick hadn't told them.

→ { }는 앞에 온 선행사 something을 수식하는 목적격 관계대명사절이다. 선행사에 -thing, -body, -one으로 끝나는 대명사가 쓰였을 때는 주로 that을 쓴다.

→ 「tell + 간접목적어 + 직접목적어」는 '~에게 …을 말해주다, 알려주다'라는 의미이다. 이 문장에서는 them이 간접목적어, { }의 선행사 something이 직접목적어에 해당한다. *ex.* Erick hadn't **told them something** ＝ Erick hadn't **told something to them**

→ hadn't told는 과거완료 시제(had p.p.)로, 이 문장에서는 과거의 특정 시점보다 더 이전에 발생한 일, 즉 [대과거]를 나타낸다.

Review Test

UNIT 01 본책 p.16

1 ⓒ　**2** ⓑ　**3** ⓐ　**4** ④　**5** ②　**6** when it comes to　**7** delicate　**8** fall out of favor　**9** 그러나 약 45분 후에, 카페인이 몸에 완전히 흡수됨에 따라 그 효과는 사라지기 시작한다.　**10** 빗물이 마르면서, 그것은 소금을 흥미로운 육각형 무늬로 남겨 둔다.

[1-3]

1 preserve(보존하다) - ⓒ 어떤 것을 좋은 상태로 유지하기 위해 그것을 보호하다

2 proper(올바른) - ⓑ 특정한 상황에 적합하거나 알맞은

3 steady(일정한) - ⓐ 어떤 것을 같은 수준이나 속도로 계속하는

[4-5]

4 possesses(소유한다)와 가장 비슷한 의미의 단어는 ④ 'owns(소유한다)'이다.

> Bill은 많은 호텔과 리조트를 소유한 부유한 남자이다.

① 청구한다　　　　　② 보호한다　　　　　③ 영향을 끼친다　　　　　⑤ 건설한다

5 assumed(추정된다)와 가장 비슷한 의미의 단어는 ② 'supposed(추측된다)'이다.

> 이 찻잔들은 17세기에 만들어진 것으로 추정된다.

① 증명된다　　　　　③ 밝혀진다　　　　　④ 발표된다　　　　　⑤ 상기된다

[6-8]

보기	깨어 있는	연약한	인기를 잃어버리다	생생한	~에 관해서라면

6 발레에 관해서라면 정확한 동작이 가장 중요하다.

7 이 접시들은 연약하기 때문에 이것들을 옮길 때 조심해주세요.

8 가장 인기 있는 유명인들조차 인기를 잃어버릴 수 있고 그들을 좋아하는 사람은 거의 없게 될 것이다.

[9-10]

9 go away: 사라지다

10 leave behind: (흔적·기록 등을) 남겨 두다

UNIT 02 본책 p.28

1 ⑤ **2** ② **3** resemble **4** pursue **5** influenced **6** consist of **7** stand out **8** disagree with **9** 그래서, 그것들은 땅에 떨어지기보다는 공중에 뜬다. **10** 그녀는 어린 시절 내내 수많은 병들을 앓았다.

1 determination(결의)과 가장 비슷한 의미의 단어는 ⑤ 'will(의지)'이다.

> 사람들을 도우려는 그녀의 <u>결의</u>는 그녀를 좋은 의사로 만들었다.

① 상태 ② 용도, 목적 ③ 지혜 ④ 현상

2 ② status: 지위; 상태

> • 교수로서, Adams 박사는 그의 학교에서 높은 <u>지위</u>를 갖는다.
> • 의사는 수술 후에 Edward의 <u>상태</u>가 좋다고 했다.

① 기간; 용어 ③ 표면 ④ 성향 ⑤ 예절

[3-5]

3 Michael은 그의 아버지를 (구조하지 / <u>닮지</u>) 않았지만, 그들은 비슷한 목소리를 가지고 있다.

4 그 스케이트 선수는 올림픽 대회에 참가하겠다는 그녀의 꿈을 (<u>추구하기</u> / 논쟁하기) 위해 열심히 노력했다.

5 환경에 대한 공공 캠페인은 사람들이 재활용을 더 많이 하도록 (<u>영향을 줬다</u> / 선정했다).

[6-8]

| 보기 | 눈에 띄다 | ~에 동조하다 | ~에 동의하지 않다 | ~으로 구성되다 | ~ 때문에 |

6 A: 너는 무엇이 미술관에 전시될 것인지 알고 있니?
B: 난 그 전시가 여러 현대 미술품들로 <u>구성될</u> 것이라고 들었어.

7 A: 너는 왜 항상 밝고, 선명한 색상의 옷을 입니?
B: 다른 사람들 사이에서 <u>눈에 띄고</u> 싶기 때문이야.

8 A: 난 학교가 학생들이 머리카락을 염색하는 것을 허용하지 않아야 한다고 생각해.
B: 난 너의 의견에 <u>동의하지 않아</u>. 난 그것이 허용되어야 한다고 생각해.

[9-10]

9 rather than: ~보다는

10 suffer from: ~을 앓다

Review Test

UNIT 03 본책 p.40

1 ④　**2** ⑤　**3** invade/침해하다　**4** identity/정체(성)　**5** proposal　**6** collection　**7** look up　**8** carry out　**9** 게다가, 그것은 농장에서 사육되는 동물들의 수를 줄임으로써 환경에 긍정적인 영향을 끼친다.　**10** 모두가 Brassau가 누구인지 궁금해했고 그를 정말 직접 만나고 싶어 했다.

1　①, ②, ③, ⑤는 형용사이고, ④ 'journalist(기지)'는 명사이다.

　① 중요한　　　　　② 편리한　　　　　③ 조용한　　　　　⑤ 효과적인

2　ordinary(평범한)와 가장 반대되는 의미의 단어는 ⑤ 'outstanding(뛰어난, 두드러진)'이다.

> 그 영화는 특별한 특징이 없는 <u>평범한</u> 액션 영화였다.

　① 비싼　　　　　② 주변의　　　　　③ 국제의　　　　　④ 익숙한

[3-4]

보기	돕다　　침해하다　　빨래, 세탁물　　정체(성)　　가공하다

3　어떤 사람의 개인적인 공간이나 사생활에 부정적으로 영향을 끼치다 - invade/침해하다

4　당신이 누구인지를 만드는 특징들 - identity/정체(성)

[5-8]

보기	찾아보다　　모음(집)　　사건　　수행하다　　제안　　배출하다

5　정부는 덴버에 공장을 건설하자는 그 회사의 <u>제안</u>을 거절했다.

6　Martin은 상당히 가치 있는 오래된 우표의 많은 <u>모음집</u>을 가지고 있다.

7　사서는 인터넷에서 신간 도서를 구입하는 비용을 <u>찾아봐야</u> 한다.

8　과학자들은 해결책을 찾을 때까지 실험을 <u>수행할</u> 것이다.

[9-10]

9　have an effect on: ~에 영향을 끼치다

10　in person: 직접

1 ③   **2** ③   **3** ②   **4** imitate   **5** contaminate   **6** ease   **7** recognition   **8** discard   **9** 영국인들은 금방이라도 전쟁이 시작될 것을 두려워했다.   **10** 우리는 거대한 쓰나미에 의해 거의 휩쓸릴 뻔했다!

1   ③ 'sight(광경)'의 올바른 영영 풀이는 something that is worth looking at(볼만한 가치가 있는 어떤 것)이다. beating someone or something in a competition(경기에서 어떤 사람 또는 어떤 것을 이기는 것)에 해당하는 단어는 win(승리)이다.

① 질감 - 만져졌을 때 물질이 어떻게 느껴지는지
② 대중, 국민 - 한 나라에 사는 사람들의 총체적인 집단
④ 세부 사항 - 어떤 사람 또는 어떤 것에 대한 구체적인 정보
⑤ 초상화 - 주로 어떤 사람의 얼굴을 보여주는 그림이나 사진

[2-3]

2   enormous(거대한)와 가장 비슷한 의미의 단어는 ③ 'huge(큰)'이다.

> 그 뉴스는 거대한 폭풍우가 다가오고 있다고 지역 주민들에게 경고했다.

① 살아 있는   ② 활동적인   ④ 질긴, 거친   ⑤ 빠른

3   flee(도망가다)와 가장 비슷한 의미의 단어는 ② 'escape(도망치다)'이다.

> 경보 덕분에, 모두가 불이 난 건물에서 도망갈 수 있었다.

① 떠다니다   ③ 닿다   ④ 끌어내다   ⑤ 걸다

[4-6]

4   아이들은 종종 부모를 관찰하고 그들의 행동을 (약 오르게 한다 / <u>따라 한다</u>).

5   공장에서 나오는 연기는 환경을 (<u>오염시킬</u> / 매료시킬) 수도 있다.

6   심호흡을 해라, 그러면 그것이 당신의 불안을 (<u>완화할</u> / 약속할) 것이다.

[7-8]

> **보기**   인식   버리다   단체   전시하다

7   스마트폰은 음성 <u>인식</u> 소프트웨어를 이용해서 당신이 말하는 것을 이해할 수 있다.

8   많은 사람들이 비닐봉지를 단 한 번만 사용한 후에 <u>버린다</u>.

[9-10]

9   at any minute: 금방이라도

10   sweep away: 휩쓸다

UNIT 05 본책 p.64

1 ⑤ **2** ⑤ **3** store **4** distributed **5** replace **6** was full of **7** (to) socialize **8** draw attention to **9** 영국에서는, 엘리자베스 2세 여왕을 제외하고는, 화폐에 인쇄된 모든 사람들이 남자였다. **10** 그것은 그것들이 얼마나 오래 그리고 얼마나 많이 움직이는지에 달려있다.

[1-2]

1 ⑤ overlook: 간과하다

어떤 것의 중요성을 알지 못하고 무시하다

① 영감을 주다　　　② 알리다, 발표하다　　　③ ~을 대하다　　　④ 조종하다

2 ⑤ vast: 광대한

크기, 양, 또는 범위에서 매우 엄청난

① 날것의　　　② 추가적인　　　③ 보통의　　　④ 독성의

[3-5]

3 다람쥐는 추운 겨울에서 살아남기 위해 나무 열매를 (저장한다 / 복구한다).

4 Gloria씨는 그녀의 학생들 모두에게 시험지를 (공헌했다 / 나누어주었다).

5 Brad는 그의 컴퓨터 모니터를 더 큰 것으로 (대체할 / 답할) 것이다.

[6-8]

보기	~으로 가득 차다　　　어울리다　　　~에 관심을 끌어내다　　　강요하다　　　뒤로 빠지다

6 모든 좌석이 매진되었기 때문에, 그 공연장은 지난 주말에 사람들로 가득 찼다. (이때 문장에서 과거를 나타내는 last weekend(지난 주말)가 쓰였으므로, be를 was로 고쳐 써야 한다.)

7 학교는 학생들이 서로와 어울리는 것을 도울 많은 활동을 준비했다. (이때 문장에 쓰인 help는 「help + 목적어 + 동사원형/to-v」로 쓰이므로, socialize를 동사원형으로 쓰거나 to socialize로 고쳐 써야 한다.)

8 감독은 해양 오염에 관심을 끌어내기 위해 고래에 대한 다큐멘터리를 제작했다.

[9-10]

9 except for: ~을 제외하고

10 depend on: ~에 달려있다, ~에 의존하다

1 ② 2 ⓐ 3 ⓒ 4 ⓑ 5 ④ 6 flow into 7 sign up for 8 dispose of 9 또한, 당신이 원치 않는 서비스를 제시간에 취소할 수 있도록 당신의 달력에 표시해둬라. 10 손목에는, 터널과 같은 좁은 공간이 있는데, 신경이 이것을 통과해 지나간다.

1 ①, ③, ④, ⑤는 유의어 관계이고, ② 'risk(위험(성)) - safety(안전)'는 반의어 관계이다.

① 고려하다 - 생각하다 ③ 사다 - 구입하다 ④ 약(물) - 약 ⑤ 늘리다 - 연장하다

[2-4]

2 posture(자세) - ⓐ 사람이 서 있거나, 앉아 있거나, 움직이고 있는 방식

3 point(가리키다) - ⓒ 손가락으로 어떤 사람이나 어떤 것을 가리키다

4 anticipate(예측하다) - ⓑ 어떤 것이 미래에 일어날 것을 예측하거나 예상하다

5 arise(발생하다)와 가장 비슷한 의미의 단어는 ④ 'occur(생기다, 일어나다)'이다.

> 고등학교에 들어가면 새로운 도전과제들이 발생할 수 있다.

① 비교하다 ② 경고하다 ③ 거부하다 ⑤ 위협하다

[6-8]

보기	~을 처리하다 가만히 있다 ~에 따라 ~을 신청하다 ~으로 흘러가다

6 콜롬비아강과 유콘강은 태평양으로 흘러간다.

7 많은 할인을 받고 싶다면 당신은 회원권을 신청해야 합니다.

8 유독한 쓰레기를 처리하는 데는 많은 비용이 든다.

[9-10]

9 in time: 제시간에, 늦지 않게

10 pass through: ~을 통과해 지나가다

UNIT 07 본책 p.88

1 valuable   2 religion   3 judge/판단하다   4 correct/교정하다, 바로잡다   5 threat/위협적인 존재   6 take away   7 policy   8 suffer from   9 이 방식으로, 그들은 2주에 걸쳐서 30분짜리 VR 치료 활동들을 끝마쳤다.   10 그 결과, 그 나라는 돈이 부족해졌다.

[1-2]

> 보기   경제의(형용사) : 경제(명사)

1 명사 value(가치)의 형용사형은 valuable(가치 있는)이다.

2 형용사 religious(종교의)의 명사형은 religion(종교)이다.

[3-5]

> 보기   계정   판단하다   교정하다, 바로잡다   위협적인 존재   구조   해결책

3 사실을 고려한 후에 어떤 것의 가치를 결정하다 - judge/판단하다

4 문제를 해결하고 일을 올바르게 하다 - correct/교정하다, 바로잡다

5 다른 사람들에게 해를 끼칠 수도 있는 누군가나 무언가 - threat/위협적인 존재

[6-8]

> 보기   입학   ~을 앓다   방침   가져가다   수술

6 당신이 식사를 끝마치면 종업원이 그릇을 가져갈 것입니다.

7 교복에 관한 학교의 방침은 매우 엄격했었다.

8 심장병을 앓는 사람들은 고기를 더 적게 먹어야 한다.

[9-10]

9 go through: ~을 끝마치다, 겪다

10 short of: ~이 부족한

1 ④   **2** observation   **3** analyze   **4** Confidence   **5** population   **6** apply to   **7** harsh   **8** is composed of   **9** 그것은 코치닐이라고 불리는 작은 곤충인데, 이것은 중남미에 있는 선인장을 먹고 산다.   **10** 완두콩의 80퍼센트가 그의 완두콩 식물의 20퍼센트에서 나오는 것으로 드러났다.

1 ①, ②, ③, ⑤는 유의어 관계이고, ④ 'tidy(깔끔한) - messy(지저분한)'는 반의어 관계이다.

   ① 우려, 걱정 - 걱정   ② 보여주다 - 보여주다   ③ 규칙 - 법칙   ⑤ 염색하다 - 염색하다

[2-3]

보기	선호(명사) : 선호하다(동사)

2 동사 observe(관찰하다)의 명사형은 observation(관찰)이다.

3 명사 analysis(분석)의 동사형은 analyze(분석하다)이다.

[4-5]

4 (자신감 / 우울함)은 사람들이 그들 자신을 믿도록 용기를 준다.

5 많은 사람들이 세종으로 이사해서, 그곳의 (반응 / 인구)가 증가했다.

[6-8]

보기	혹독한 ~에 적용되다 ~으로 구성되다 생산적인 수확하다

6 영화 할인은 18세 미만의 모든 학생들에게 적용될 것이다.

7 오직 몇몇 사람들만이 시베리아의 혹독한 날씨를 견딜 수 있다.

8 현재, 유럽 연합(EU)은 유럽에 위치한 27개 국가들로 구성된다. (이때 문장의 주어가 The European Union이고, 문장에서 현재를 나타내는 Currently(현재)가 쓰였으므로, be를 is로 고쳐 써야 한다.)

[9-10]

9 live on: ~을 먹고 살다

10 turn out: ~으로 드러나다, 판명되다

UNIT 09 본책 p.112

1 ④   2 ©   3 ⓑ   4 ⓐ   5 impact/충돌, 충격   6 alternative/대안   7 decorate   8 stimulate   9 이것은 보통 사람들이 회사의 정책에 동의할 때 일어난다.   10 과학자들은 이 사건이 공룡뿐만 아니라 지구상의 모든 생명체의 약 75퍼센트를 몰살시켰을 것이라고 추정한다!

1 ④ atmosphere: 대기; 분위기

> • 지구의 대기는 약 21퍼센트의 산소를 포함한다.
> • 관광객들은 현지 시장의 흥겨운 분위기를 즐긴다.

① 장점   ② (산들)바람   ③ 기류   ⑤ 보호소

[2-4]

2 비행기의 프로펠러는 매우 빠르게 돈다. - © rotate(회전하다)

3 그 도시는 폭풍우에 집을 잃은 사람들에게 지원을 제공했다. - ⓑ assistance(도움)

4 새로운 법안에 반대하는 대규모의 시위가 있을 예정이다. - ⓐ large(대규모의)

[5-6]

보기	대안	기후	부피	충돌, 충격	보호소

5 한 물체가 다른 물체에 부딪히는 힘이나 작용 - impact/충돌, 충격

6 다른 어떤 것 대신에 고를 수 있는 선택지 - alternative/대안

[7-8]

보기	결론을 내리다	자극하다	장식하다	증발하다	삭제하다

7 크리스마스트리를 장식하는 것은 많은 나라에서 흔한 일이다.

8 매운 음식을 먹는 것은 엔도르핀 생성을 자극할 수 있다.

[9-10]

9 agree with: ~에 동의하다

10 kill off: ~을 몰살시키다, 전멸시키다

1 ② 2 possessions 3 reproduce 4 obstacles 5 disrupted 6 capture 7 figure out 8 die out 9 경기에서 이길 것 같은 팀이나 사람은 탑독(강자)이라고 불린다. 10 반짝이는 다이아몬드가 이 물질로 칠해졌을 때, 그것은 눈에 보이지 않게 된 것처럼 보였다!

1 ② suspicious: 의심스러운

> 어떤 사람이나 어떤 것을 믿지 않는

① 값비싼   ③ 공평한   ④ 흥분한   ⑤ 수많은

[2-4]

2 올림픽 금메달은 그의 가장 자랑스러운 (소장품들 / 표현들) 중 하나이다.

3 꽃은 (번식하기 / 대표하기) 위해 벌과 나비로부터 도움을 필요로 한다.

4 David는 많은 (기적들 / 장애물들)을 극복하고 자신의 사업을 시작했다.

[5-6]

보기	방해하다 각기 다르다 포착하다 작동시키다 궁금하다

5 어젯밤에 개 짖는 소리가 내 잠을 방해했다. (이때 문장에서 과거를 나타내는 last night(어젯밤)이 쓰였으므로, disrupt를 disrupted로 고쳐 써야 한다.)

6 허블 망원경은 우주의 모습을 포착하는 데에 사용된다.

[7-8]

보기	자랑하다 알아내다 멸종하다 ~에 공감하다

7 A: 너는 이 문제의 정답을 알아냈니? 나는 도움이 좀 필요해.
　 B: 그건 간단해. 푸는 방법을 내가 너에게 보여줄게.

8 A: 우리가 여우를 사냥하는 것을 그만두지 않는다면 우리나라에서 여우는 멸종할 거야.
　 B: 동의해. 우리는 그것들을 보호해야 해.

[9-10]

9 be likely to: ~할 것 같다, ~할 가능성이 있다

10 be coated with: ~으로 칠해지다, 덮이다

Workbook

직독직해

◀ QR로 정답 확인하기

* 해설집 pp.2~80에 실린 지문 끊어읽기 해석으로 정답을 확인하거나, 정답 PDF를 해커스북(HackersBook.com)에서 다운받을 수 있습니다.

서술형 추가 문제

UNIT 01 1   p.3

A

(1) afford
(2) crack
(3) debate

B

(1) season to travel
(2) should be kept
(3) has been standing

C

(1) milk
(2) tea
(3) delicate
(4) temperature
(5) break[crack]
(6) enjoy

UNIT 01 2   p.5

A

(1) absorb
(2) concentrate
(3) immediately

B

(1) so does her older brother
(2) even more difficult than the one
(3) The gloves kept my hands warm

C

(1) concentrate[focus]
(2) caffeine[sugar]

(3) sugar[caffeine]
(4) go away
(5) absorbed
(6) sugar crash

UNIT 01 3   p.7

A

(1) reflect
(2) layer
(3) dry up

B

(1) had rained
(2) tall enough to reach
(3) where I bought

C

(1) ①
(2) Part of the surface
(3) The entire surface
(4) ④
(5) diamond
(6) hexagon

UNIT 01 4   p.9

A

(1) fascinated
(2) illness
(3) attraction

B

(1) one of the longest rivers
(2) told me to kick the soccer ball
(3) It is disappointing that the restaurant

C

(1) treatment[cure]
(2) dead
(3) healing powers
(4) headache
(5) ground into
(6) mixed

UNIT 02 1   p.11

A

(1) rather than
(2) resemble
(3) rare

B

(1) would like to ask
(2) easy for kids to understand
(3) a great place to relax

C

(1) ice crystals
(2) snowflakes
(3) float
(4) necessary[right]
(5) cold
(6) humidity
(7) wind

UNIT 02 2   p.13

A

(1) refuse
(2) give up
(3) pursue

B

(1) always practices playing the cello
(2) All the band's songs sounded very similar
(3) His dream of climbing Mount Everest came true

C

(1) gold medals
(2) world record
(3) walk
(4) diseases
(5) paralyzed
(6) running
(7) athlete

UNIT 02 — 3 p.15

A

(1) stand out
(2) majority
(3) break down

B

(1) the longer, the more
(2) tend to sit
(3) what his parents want

C

(1) opinions
(2) fit in
(3) stand out
(4) emotional bond
(5) decision
(6) status

UNIT 02 — 4 p.17

A

(1) room
(2) ancestor
(3) plenty of

B

(1) The concert hasn't started yet
(2) Some people argue that tomatoes
(3) More and more people are living alone

C

(1) cavities
(2) tough
(3) raw
(4) jaws
(5) plenty of room

UNIT 03 — 1 p.19

A

(1) emit
(2) guilty
(3) livestock

B

(1) may be delivered
(2) the Sydney Opera House, which was completed
(3) look like gentlemen

C

(1) regular
(2) guilty
(3) create
(4) greenhouse gas

UNIT 03 — 2 p.21

A

(1) fake
(2) in person
(3) curious

B

(1) It was a shooting star that Mina saw
(2) whether this is the right answer
(3) not wood but metal

C

(1) praised
(2) delicate
(3) chimpanzee
(4) journalist
(5) difference
(6) fake

UNIT 03 — 3 p.23

A

(1) assist
(2) qualified
(3) operate

B

(1) whose eyes
(2) a novel written
(3) cell in the human body has

C

(1) everyday[daily]

(2) robotic parts[wearable robots]
(3) quickly
(4) easily
(5) less
(6) longer
(7) wearable

UNIT 03 — 4 p.25

A

(1) coastline
(2) privacy
(3) incident

B

(1) It was such a beautiful painting
(2) Joy called the airline to cancel her airplane ticket
(3) The café where you can buy waffles

C

(1) aerial
(2) remove
(3) refused
(4) lawsuit
(5) looked it up[look at it]

UNIT 04 — 1 p.27

A

(1) discard
(2) donate
(3) contaminate

B

(1) Considering her age
(2) is used to make
(3) who[that] discovered gravity

C

(1) charity organization
(2) profits
(3) in need
(4) ecological
(5) toxic

Workbook

A

(1) release
(2) imitate
(3) recognition

B

(1) one of the largest birds in the world
(2) The guy sitting next to the window
(3) Tim's family has decided to move

C

(1) ④
(2) a portrait of a woman
(3) a portrait of a man
(4) ⑥
(5) the color
(6) the texture

A

(1) terrified
(2) come across
(3) well-known

B

(1) has met the president
(2) decorated with gold
(3) Even if it snows

C

(1) bookstore owner
(2) hung
(3) anxiety
(4) released
(5) parodies
(6) ⓑ, ⓐ, ⓒ

A

(1) injure
(2) sight

(3) urgently

B

(1) The TV had been fixed when Justin arrived
(2) The more popular the actor got, the busier
(3) If I had eaten lunch, I would not be hungry

C

(1) beach[shore]
(2) pulling back
(3) high hill
(4) earthquakes
(5) before

A

(1) replace
(2) except for
(3) influence

B

(1) would like to buy
(2) where hip-hop started
(3) may be released

C

(1) Jane Austen
(2) woman
(3) online petition
(4) signed
(5) Bank of England

A

(1) slightly
(2) Raw
(3) distribute

B

(1) The school requires students to wear
(2) the reason glaciers are melting
(3) how fast bamboos grow

C

(1) Continuous
(2) body muscles
(3) myoglobin
(4) red
(5) move around
(6) pink
(7) white

A

(1) beneficial
(2) chaos
(3) consumer

B

(1) without meeting them
(2) the Colosseum, which was built
(3) choose to travel

C

(1) Black Friday
(2) online
(3) lower
(4) beneficial
(5) price
(6) shipping cost

A

(1) symptom
(2) force
(3) ignore

B

(1) stop the bugs from biting you
(2) The articles published in this magazine
(3) Those who have many friends

C

(1) blinking
(2) clearing
(3) repeatedly

(4) ignore
(5) treat

UNIT 06 1 p.43

A

(1) sign up for
(2) in time
(3) remind

B

(1) museums to visit
(2) so that she could catch the train
(3) when we can meet

C

(1) remind their users
(2) forget to cancel
(3) automatically charged
(4) the terms and conditions
(5) marking your calendar

UNIT 06 2 p.45

A

(1) pass through
(2) narrow
(3) risk

B

(1) with his shoelaces untied
(2) The number of wild animals is
(3) a book, which became a best seller

C

(1) wrist
(2) nerves
(3) Repetitive
(4) palm[fingers]
(5) fingers[palm]
(6) severe pain

UNIT 06 3 p.47

A

(1) in advance
(2) arise
(3) according to

B

(1) Which seat
(2) what to plant
(3) Every door was locked

C

(1) difficult decisions
(2) answer
(3) situation
(4) programmed
(5) responsible

UNIT 06 4 p.49

A

(1) get rid of
(2) ecosystem
(3) contaminated

B

(1) Holding the camera in one hand
(2) The actor I wanted to see
(3) The bakery where Rose buys cake

C

(1) trash can
(2) chemicals
(3) surrounding
(4) pharmacies
(5) discard[dispose]

UNIT 07 1 p.51

A

(1) Make sure
(2) surgery
(3) result in

B

(1) sad to realize
(2) Whenever you need help
(3) while putting

C

(1) entire tongue
(2) roof
(3) upper teeth
(4) apart
(5) lips[mouth]
(6) closed

UNIT 07 2 p.53

A

(1) inappropriate
(2) apply for
(3) remove

B

(1) whether someone is telling a lie
(2) Although the traffic was heavy
(3) Using plastics has caused

C

(1) Employers
(2) take away
(3) determine
(4) threat

UNIT 07 3 p.55

A

(1) volunteer
(2) rescue
(3) solution

B

(1) has been fixed
(2) Once you understand
(3) had been studying

C

(1) headset
(2) virtual

(3) higher floor
(4) treatment
(5) afraid

UNIT 07
4 p.57

A

(1) severe
(2) valuable
(3) drought

B

(1) that my phone is not working
(2) What if I won the lottery
(3) The volleyball practice made me exhausted

C

(1) Severe droughts
(2) debt
(3) short of
(4) larger bills
(5) hyperinflation

UNIT 08
1 p.59

A

(1) device
(2) preference
(3) wonder

B

(1) is more likely to cause
(2) might[may] have left
(3) Germany, where he visited

C

(1) marketing
(2) programmatic advertising
(3) automatic program
(4) Internet cookies
(5) analyzes
(6) advertisements

UNIT 08
2 p.61

A

(1) live on
(2) crush
(3) concern

B

(1) These shoes aren't what Sally wanted to buy
(2) The book is being translated
(3) It takes 10 minutes to get to the theater

C

(1) cloth[pottery]
(2) pottery[cloth]
(3) attractive
(4) products
(5) protein
(6) allergic
(7) sacrificed

UNIT 08
3 p.63

A

(1) former
(2) reject
(3) reveal

B

(1) are considered sacred animals
(2) with her arm bandaged
(3) encouraged him to run

C

(1) rejected
(2) messy[unprofessional]
(3) unprofessional[messy]
(4) straightened
(5) wigs
(6) curly
(7) show

UNIT 08
4 p.65

A

(1) harvest
(2) apply to
(3) observation

B

(1) It is convenient that a library
(2) If we don't leave now
(3) If it snowed outside, the children could make a snowman

C

(1) effects
(2) causes
(3) pea plants
(4) land
(5) work
(6) remaining

UNIT 09
1 p.67

A

(1) policy
(2) support
(3) in need

B

(1) drawn by Picasso
(2) time to spend
(3) tried to catch
(4) dream of winning

C

(1) Protest
(2) refuse
(3) moral
(4) support
(5) sellers

UNIT 09
2 p.69

A

(1) alternative

(2) rotate

(3) activate

B

(1) three times as fast as

(2) not only appearance but also personality

(3) you don't have to do it

C

(1) safer

(2) hurt

(3) electricity

(4) alternative

UNIT 09
3 p.71

A

(1) uncover

(2) assume

(3) massive

B

(1) would have won

(2) caused many buildings to collapse

(3) while[whereas] tigers eat meat

C

(1) asteroid

(2) crater

(3) sulfur

(4) atmosphere

(5) sun

(6) temperature

(7) killed off

UNIT 09
4 p.73

A

(1) achieve

(2) participant

(3) decorate

B

(1) There used to be a park

(2) they had made yesterday

(3) what dessert she likes best

C

(1) taste

(2) memories

(3) childhood

(4) camping

(5) cacao leaves

(6) scent

UNIT 10
1 p.75

A

(1) pleasing

(2) cheer for

(3) badly

B

(1) is likely to rain

(2) think it possible to cure

(3) whenever I get angry

C

(1) lose

(2) unexpected

(3) just

(4) success

(5) relate to

UNIT 10
2 p.77

A

(1) reproduce

(2) direction

(3) blame

B

(1) the show had just ended

(2) Without oxygen, we wouldn't be able to

(3) Olivia had difficulty hearing

C

(1) disappearing

(2) return

(3) starve

(4) electronic signals

(5) disrupt

(6) environmental pollution

(7) exposure

UNIT 10
3 p.79

A

(1) absorb

(2) apply

(3) depend on

B

(1) five times higher than

(2) have been arguing

(3) seem to be excited

C

(1) take in

(2) absorbs

(3) space telescope

(4) observe

(5) clothes

UNIT 10
4 p.81

A

(1) missing

(2) possession

(3) figure out

B

(1) a letter, which was written by Sam

(2) The watch that he found

(3) discovered that snails can sleep

C

(1) ③

(2) a pair of sneakers

(3) a gym uniform

(4) ④

(5) the classroom

(6) the nurse's office

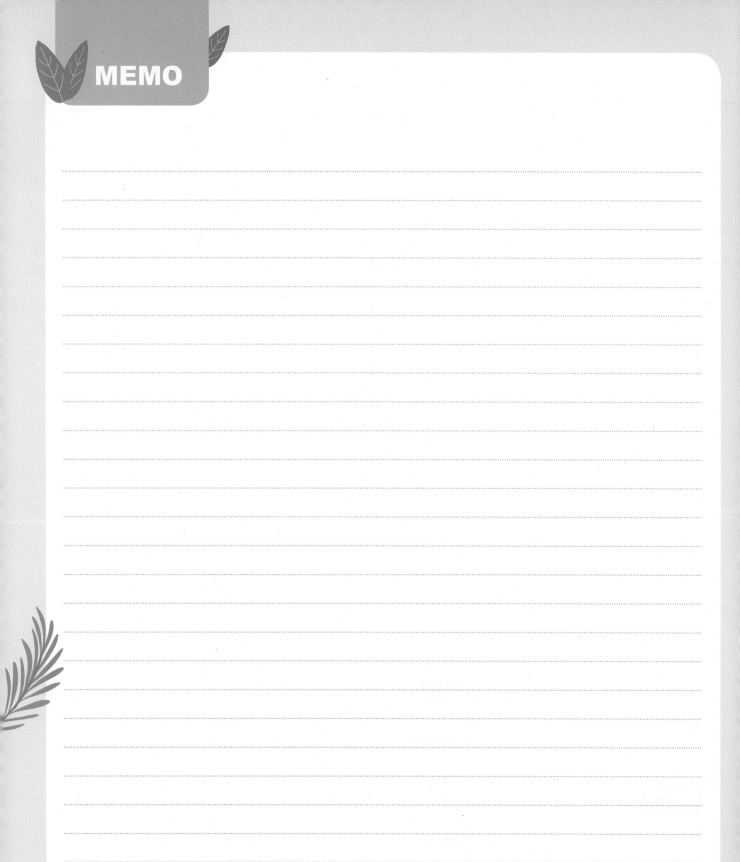

MEMO

MEMO

나에게 맞는 교재 선택!

	초5	초6	예비중	중1	중2
문법			Hackers Grammar Smart Starter	Hackers Grammar Smart Level 1	Hackers Grammar Smart Level 2
				기출로 적중 해커스 중학영문법 1학년	기출로 적중 해커스 중학영문법 2학년
서술형 구문				해커스 쓰기 자신감 Level 1	해커스 쓰기 자신감 Level 2
독해	Hackers Reading Smart Starter Level 1	Hackers Reading Smart Starter Level 2	Hackers Reading Smart Level 1	Hackers Reading Smart Level 2	Hackers Reading Smart Level 3
				Hackers Reading Path Level 1	Hackers Reading Path Level 2
					해커스 첫수능 영어 기초독해
듣기				해커스 중학영어듣기 모의고사 24회 Level 1	해커스 중학영어듣기 모의고사 24회 Level 2
어휘				해커스 3연타 중학영단어	
				해커스 보카 중학 기초	해커스 보카 중학 필수
					해커스 보카 중학 숙어

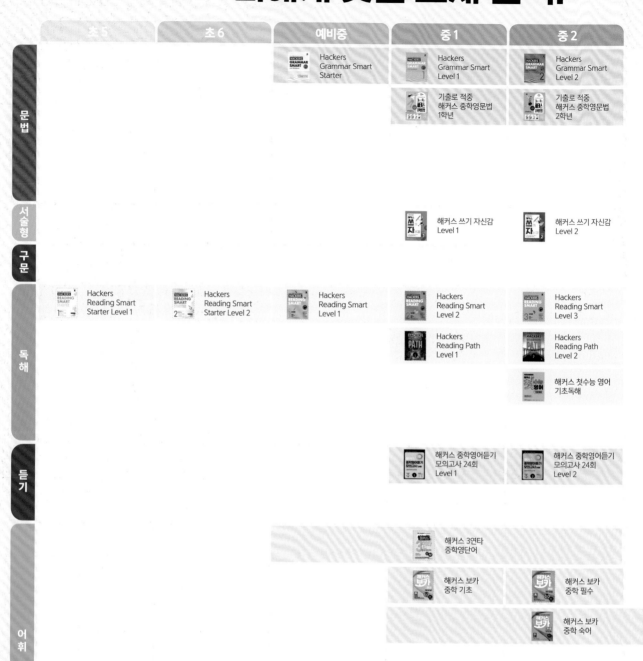

	READING	LISTENING	VOCA
토플	HACKERS APEX READING for the TOEFL iBT Basic/Intermediate/Advanced/Expert	HACKERS APEX LISTENING for the TOEFL iBT Basic/Intermediate/Advanced/Expert	HACKERS APEX VOCA for the TOEFL iBT HACKERS VOCABULARY

HACKERS
READING SMART

4
LEVEL

WORKBOOK

HACKERS

실력을 올리는 직독직해

끊어 읽기 한 표시를 따라 문장 구조에 유의하여 해석을 쓰고, 각 문장의 주어에는 밑줄을, 동사에는 동그라미를 쳐보세요.

❶ We all have different preferences / when it comes to food. / ❷ In the U.K., / people have been arguing / about the best way to make tea. / ❸ Which should be put in the cup first / —the milk or the tea? /

❹ The debate has a very long history. / ❺ In the 1700s, / when tea first became popular in the U.K., / most teacups were delicate. / ❻ When the boiling hot tea was poured into them, / they cracked / due to the sudden change in temperature. / ❼ Therefore, / many people began to pour the cooler milk in / first. / ❽ This is why / the Milk in First (MIF) method became common. / ❾ On the other hand, / the rich preferred Tea in First (TIF). / ❿ They could afford expensive teacups / that didn't break easily, / so they poured the tea in / first. / ⓫ This way, / they could enjoy the color, smell, and taste of the tea / before adding the milk. /

⓬ Three hundred years later, / the debate over MIF versus TIF / is still going on! /

실력을 더 올리는 서술형 추가 문제

A 우리말과 일치하도록 빈칸에 알맞은 단어를 글에서 찾아 쓰시오.

(1) Paul은 그것이 너무 비쌌기 때문에 새로운 카메라를 살 여유가 없었다.

⇒ Paul couldn't _____ a new camera because it was too expensive.

(2) 접시가 금이 가서, 나는 그것을 버렸다.

⇒ The plate was _____(e)d, so I threw it away.

(3) 교복이 필요한지에 대한 논쟁이 있다.

⇒ There is a(n) _____ on whether school uniforms are necessary.

B 우리말과 일치하도록 괄호 안의 말을 활용하여 문장을 완성하시오.

(1) 여행하기에 가장 좋은 계절은 봄이다. (season, travel)

⇒ The best _____ _____ _____ is spring.

(2) 계란은 냉장고에 보관되어야 한다. (should, keep)

⇒ Eggs _____ _____ _____ in the refrigerator.

(3) Alice는 한 시간 동안 줄을 서고 있다. (stand)

⇒ Alice _____ _____ _____ in line for an hour.

C 다음은 MIF로 차를 마시는 Sam과 TIF로 차를 마시는 Benny 사이의 대화문이다. 글의 내용과 일치하도록 다음 대화의 빈칸에 들어갈 말을 글에서 찾아 쓰시오.

> **Sam** : When making tea, I always pour the (1) _____ in first.
>
> **Benny**: Really? I usually pour the (2) _____ in first. What's good about your method?
>
> **Sam** : My teacups are very (3) _____ , so they would crack if the (4) _____ suddenly changed.
>
> **Benny**: Oh, that's not a problem for me. The teacups I have don't (5) _____ easily. So, I can (6) _____ the color, smell, and taste of the tea before adding milk.

실력을 올리는 직독직해

끊어 읽기 한 표시를 따라 문장 구조에 유의하여 해석을 쓰고, 각 문장의 주어에는 밑줄을, 동사에는 동그라미를 쳐보세요.

❶ Alex was studying late at night / for an exam. / ❷ He couldn't keep his eyes open, / so he had an energy drink. / ❸ He immediately felt more awake / and could focus better. / ❹ However, this didn't last long. / ❺ He soon became even more tired than before / and eventually fell asleep! /

❻ Why did this happen? /

❼ Energy drinks commonly contain lots of caffeine and sugar. / ❽ When you drink them, / the sugar and caffeine quickly raise / your heart rate, blood pressure, and energy level. / ❾ This helps you concentrate better. / ❿ But after about 45 minutes, / the effect starts to go away / as the caffeine is completely absorbed in your body. / ⓫ In addition, / when you take in a lot of sugar, / your body produces insulin / to maintain a steady blood sugar level. / ⓬ As a result, / the increased blood sugar level / starts to go down rapidly, / and so does your energy. /

⓭ This is a phenomenon / known as a sugar crash. /

⓮ Thus, / energy drinks are only useful / if you need to concentrate / for a brief period. /

실력을 더 올리는 서술형 추가 문제

A 다음 빈칸에 알맞은 단어를 보기에서 골라 쓰시오.

> 보기   awake   immediately   concentrate   absorb   phenomenon

(1) Black clothes _____ more sunlight than white clothes.

(2) Stella couldn't _____ because of the loud noise around her.

(3) The firefighters _____ took action to stop the fire from spreading.

B 우리말과 일치하도록 괄호 안의 말을 알맞게 배열하시오.

(1) Rachel은 매일 운동을 하는데, 그녀의 오빠도 그렇다. (her / does / brother / so / older)

⇒ Rachel exercises every day, and _____.

(2) 이 퍼즐은 우리가 어제 했던 것보다 훨씬 더 어렵다. (more / the one / difficult / even / than)

⇒ This puzzle is _____ we did yesterday.

(3) 그 장갑은 스키장에서 나의 손을 따뜻하게 유지해줬다. (kept / warm / the gloves / my hands)

⇒ _____ at the ski resort.

C 글의 내용과 일치하도록 다음 빈칸에 들어갈 말을 글에서 찾아 쓰시오.

Drinking Energy Drinks

Soon after	When you drink energy drinks, it helps you (1) _____ better. This happens because they contain lots of (2) _____ and (3) _____.
After about 45 minutes	The effect starts to (4) _____ _____ because the caffeine is completely (5) _____ in your body. Also, a phenomenon called a(n) (6) _____ _____ occurs.

실력을 올리는 **직독직해**

끊어 읽기 한 표시를 따라 문장 구조에 유의하여 해석을 쓰고, 각 문장의 주어에는 밑줄을, 동사에는 동그라미를 쳐보세요.

❶ Salar de Uyuni, / located in Bolivia, / is the largest salt desert in the

world. / ❷ It was formed / after lakes that once had been there dried up /

thousands of years ago. /

❸ Salar de Uyuni offers a unique experience / no matter when you

visit. / ❹ During the rainy season, / the desert becomes the world's

biggest natural mirror. / ❺ The entire surface is covered with a layer of

rainwater, / and it reflects the sky perfectly. / ❻ It is hard to tell / where

the land stops / and where the sky starts. / ❼ This makes you feel / as if

you're walking in the clouds! / ❽ Meanwhile, / during the dry

season, / it offers a totally different experience. / ❾ As the rainwater dries

up, / it leaves behind salt / in an interesting hexagon pattern. / ❿ The

desert looks like a giant white honeycomb. /

⓫ Salar de Uyuni is a popular place / not only for travelers / but also for

thousands of flamingos. / ⓬ If you're lucky enough, / you may see them

walking gracefully / around the desert! /

실력을 더 올리는 서술형 추가 문제

A 다음 영영 풀이에 해당하는 단어나 표현을 보기에서 골라 쓰시오.

보기　　　layer　　hexagon　　dry up　　reflect　　leave behind

(1) _____ : to send back light, heat, or sound

(2) _____ : a thin sheet on the surface of something

(3) _____ : to have the water in a river, lake, etc., disappear

B 우리말과 일치하도록 괄호 안의 말을 활용하여 문장을 완성하시오.

(1) 비가 왔기 때문에 잔디가 젖어 있었다. (rain)

⇒ The grass was wet because it _____ _____ .

(2) Brad는 천장에 닿을 만큼 충분히 키가 크지 않다. (tall, reach)

⇒ Brad isn't _____ _____ _____ _____ the ceiling.

(3) Linda는 나에게 내 새 신발을 어디에서 샀는지 물었다. (buy)

⇒ Linda asked me _____ _____ _____ my new shoes.

C 다음은 한 여행객의 일기이다. 글의 내용과 일치하지 <u>않는</u> 보기를 두 개 고르고, 알맞은 말을 글에서 찾아 바르게 고쳐 쓰시오.

The Largest Salt Desert in the World　　　　　　　　　　**February, 202X**

　　Seeing Salar de Uyuni was an experience I will never forget. It was the rainy season when I visited. ① <u>Part of the surface</u> was covered with a layer of rainwater, and it ② <u>reflected the sky</u> perfectly. I was also lucky to see thousands of ③ <u>flamingos</u> walking around. I heard an interesting ④ <u>diamond</u> pattern can be observed in the dry season.

틀린 보기	고쳐 쓰기	
(1) _____	(2) _____ →	(3) _____
(4) _____	(5) _____ →	(6) _____

실력을 올리는 직독직해

끊어 읽기 한 표시를 따라 문장 구조에 유의하여 해석을 쓰고, 각 문장의 주어에는 밑줄을, 동사에는 동그라미를 쳐보세요.

❶ Egyptian mummies are some of the most popular attractions / at history museums. / ❷ They are scary, / but they help / us understand ancient Egyptian culture better. / ❸ However, / a few centuries ago, / Europeans were fascinated with mummies / for a different reason. /

❹ In the 16th and 17th century, / Europeans ate mummies / as a treatment for various illnesses. / ❺ They believed / that dead human bodies possessed healing powers. / ❻ Specifically, / each part of the mummy / was thought to cure the same part of the body. / ❼ For example, / eating a mummy skull / was the treatment for a headache. /

❽ Then, / how did they consume mummies? / ❾ Mummies were ground into powder / and mixed with honey or chocolate. / ❿ Doctors then told their patients / to eat this mixture. / ⓫ However, / by the 18th century, / it became clear / that this strange remedy was not actually effective. / ⓬ As a result, / it fell out of favor. /

실력을 더 올리는 서술형 추가 문제

A 우리말과 일치하도록 빈칸에 알맞은 단어를 글에서 찾아 쓰시오.

(1) 관객들은 그 발레리나의 아름다운 공연에 의해 매료되었다.

⇒ The audience was _____ by the ballerina's beautiful performance.

(2) 즉시 치료되지 않는다면, 그 질병은 심각해질 수도 있다.

⇒ If not treated right away, the _____ can become severe.

(3) 뉴욕시에는 많은 문화적인 볼거리들이 있다.

⇒ There are many cultural _____s in New York City.

B 우리말과 일치하도록 괄호 안의 말을 알맞게 배열하시오.

(1) 아마존강은 세상에서 가장 긴 강 중 하나이다. (rivers / the / one / longest / of)

⇒ The Amazon River is _____ in the world.

(2) 감독님은 내게 축구공을 더 세게 차라고 말씀하셨다. (told / to / the soccer ball / me / kick)

⇒ The coach _____ harder.

(3) 그 레스토랑이 오늘 문을 일찍 닫은 것은 실망스럽다. (disappointing / it / the restaurant / is / that)

⇒ _____ closed early today.

C 글의 내용과 일치하도록 다음 기사의 빈칸에 들어갈 말을 글에서 찾아 쓰시오.

The London Daily	**May, 16XX**

Recently, eating mummies has become a(n) (1) _____ for various illnesses. It is believed that (2) _____ human bodies possess (3) _____ _____ that can cure illnesses. A patient with a(n) (4) _____, for instance, may be told to eat a mummy skull. The mummies are consumed as a mixture. They are (5) _____ _____ powder and (6) _____ with honey or chocolate.

실력을 올리는 **직독직해**

끊어 읽기 한 표시를 따라 문장 구조에 유의하여 해석을 쓰고, 각 문장의 주어에는 밑줄을, 동사에는 동그라미를 쳐보세요.

❶ There is a type of "dust" / that is as rare as a diamond. / ❷ It's called

diamond dust, / but it's actually a cloud! /

❸ Diamond dust forms near the ground / when moisture in the air

freezes. / ❹ It consists of millions of tiny ice crystals / that reflect sunlight

like sparkling diamonds. / ❺ These crystals resemble snowflakes / when

you look closely at them, / but they are much smaller and lighter. / ❻ So, /

they float in the air / rather than fall to the ground. /

❼ Unfortunately, / it is not always easy / to see diamond dust. / ❽ Only

a few places in the world / have the necessary conditions / for diamond

dust to form. / ❾ First of all, / it has to be extremely cold / —below

-16°C— / with high humidity under clear skies. / ❿ Also, / there should

be no wind, / otherwise, / the water vapor will be blown away. / ⓫ So, /

if you'd like to observe this beautiful phenomenon / in person, / you'll

have to be in the right place at the right time! /

실력을 더 올리는 **서술형 추가 문제**

A 다음 빈칸에 알맞은 단어나 표현을 보기에서 골라 쓰시오.

> 보기   dust   rare   resemble   rather than   float

(1) I prefer taking the subway _____ the bus.

(2) Maria _____ s her mother more than her father.

(3) The painting was sold at a high price because it's extremely _____ .

B 우리말과 일치하도록 괄호 안의 말을 활용하여 문장을 완성하시오.

(1) 저는 당신에게 질문 하나를 하고 싶어요. (ask)

⇒ I _____ _____ _____ _____ you a question.

(2) 그 책은 아이들이 이해하기에 쉬운 것처럼 보였다. (easy, kids, understand)

⇒ The book seemed _____ _____ _____ _____

_____ .

(3) 이 해수욕장은 휴식하기에 좋은 장소이다. (a great place, relax)

⇒ This beach is _____ _____ _____ _____ _____ .

C 글의 내용과 일치하도록 다음 빈칸에 들어갈 말을 글에서 찾아 쓰시오.

> **Q.** What does diamond dust consist of?
>
> **A.** It is made of millions of tiny (1) _____ _____ that resemble
>
> (2) _____ when you look at them closely. These crystals are much
>
> smaller and lighter, so they (3) _____ in the air.

> **Q.** Why is it not always easy to see diamond dust?
>
> **A.** It is because there are only few places with the (4) _____ conditions
>
> for diamond dust formation. It has to be extremely (5) _____ with high
>
> (6) _____ under clear skies. Also, there should be no (7) _____ ,
>
> or else the water vapor might be blown away.

실력을 올리는 **직독직해**

끊어 읽기 한 표시를 따라 문장 구조에 유의하여 해석을 쓰고, 각 문장의 주어에는 밑줄을, 동사에는 동그라미를 쳐보세요.

❶ As a child, / she was told / that she wouldn't be able to walk again. /

❷ But, / at age 20, / she became the fastest woman in the world. /

❸ Does this sound hard to believe? / ❹ Actually, / this is the story of

Wilma Rudolph. /

❺ Wilma was born premature and weak. / ❻ She suffered from

numerous diseases / throughout childhood. / ❼ At age five, / her left leg

became paralyzed / due to polio. / ❽ Despite this, / Wilma refused to give

up. / ❾ To strengthen her leg muscles, / she began wearing a heavy brace

on her leg. / ❿ After several years of treatment, / she was finally able to

take the brace off / and walk on her own. / ⓫ But she didn't stop there. /

⓬ She started to practice running / and pursued her dream of becoming

an athlete. / ⓭ In 1956, / she went to her first Olympics / and won a bronze

medal. / ⓮ Just four years later, / at the next Olympics, / she became the

first American woman / to win three gold medals in one Olympics / and

even set a new world record! / ⓯ Her determination teaches us / that

nothing is impossible / if we have the will. /

실력을 더 올리는 서술형 추가 문제

A 우리말과 일치하도록 빈칸에 알맞은 단어나 표현을 글에서 찾아 쓰시오.

(1) 그 기자는 그 정보의 출처를 밝히는 것을 거부했다.

⇒ The reporter _____ (e)d to reveal the source of the information.

(2) 나는 Peter가 쉽게 포기하지 않기 때문에 그를 존경한다.

⇒ I respect Peter because he doesn't _____ _____ easily.

(3) 모든 학생은 그들의 꿈을 추구할 권리가 있다.

⇒ Every student has the right to _____ their dreams.

B 우리말과 일치하도록 괄호 안의 말을 알맞게 배열하시오.

(1) Josh는 방과 후에 항상 첼로를 연주하는 것을 연습한다. (playing / practices / always / the cello)

⇒ Josh _____ after school.

(2) 그 밴드의 모든 노래들은 매우 비슷하게 들렸다. (similar / all the band's songs / sounded / very)

⇒ _____.

(3) 에베레스트산을 오르려는 그의 꿈은 이루어졌다.

(Mount Everest / climbing / true / his dream / came / of)

⇒ _____.

C 글의 내용과 일치하도록 다음 윌마 루돌프의 가상 자서전의 빈칸에 들어갈 말을 글에서 찾아 쓰시오.

In 1960, I competed in the Olympics for the second time. This time, I won three
(1) _____ _____ and even set a new (2) _____ _____ !
As a child, I had been told that I wouldn't be able to (3) _____ again. I
suffered from numerous (4) _____ , and my left leg became (5) _____ .
However, I refused to give up. I received treatment, and the more I practiced walking,
the stronger I got. I kept practicing (6) _____ and finally pursued my dream of
becoming a(n) (7) _____ .

실력을 올리는 **직독직해**

끊어 읽기 한 표시를 따라 문장 구조에 유의하여 해석을 쓰고, 각 문장의 주어에는 밑줄을, 동사에는 동그라미를 쳐보세요.

❶ Show a group of friends / the picture on the left / for an interesting

experiment. / ❷ Ask each of them / which line—1, 2, or 3—is the same

length / as the red line on the left. / ❸ But, beforehand, / tell all but one

friend / to answer line 1. / ❹ Then, / observe what happens / when everyone

else gives the wrong answer. / ❺ Surprisingly, / the friend you didn't tell /

might answer line 1 too, / even though he or she knows / the correct

answer is line 3! / ❻ This is because of conformity. / ❼ Conformity is

a tendency to change our opinions or behavior / in order to fit in with

a group. / ❽ Most of us don't like to stand out, / so we often follow /

what the majority does. / ❾ The greater / the emotional bond we feel with

the group, / the more strongly we conform. / ❿ Other factors influence

conformity, too. / ⓫ When it is difficult to make a decision, / we tend

to go along with the majority. / ⓬ Also, / we will likely follow / those

who are higher in status. / ⓭ On the other hand, / conformity can break

down / if even one member of the group / disagrees with the majority

opinion. /

실력을 더 올리는 **서술형 추가 문제**

A 다음 영영 풀이에 해당하는 단어나 표현을 보기에서 골라 쓰시오.

> 보기   tendency   majority   stand out   go along with   break down

(1) _____ : to be very noticeable

(2) _____ : the larger number or part of something

(3) _____ : to fail or stop working

B 우리말과 일치하도록 괄호 안의 말을 활용하여 문장을 완성하시오.

(1) 그 연구는 우리가 누군가를 더 오래 볼수록, 그들을 더 좋아한다는 것을 보여준다. (long, much)

⇒ The research shows that _____ _____ we look at someone,

_____ _____ we like them.

(2) 나는 등을 구부린 채로 앉는 경향이 있다. (tend, sit)

⇒ I _____ _____ _____ with my back bent.

(3) Kevin은 그의 부모님께서 그들의 기념일 선물로 무엇을 원하시는지 잘 모르겠다. (his parents, want)

⇒ Kevin is not sure _____ _____ _____ _____ for

their anniversary gift.

C 글의 내용과 일치하도록 다음 빈칸에 들어갈 말을 글에서 찾아 쓰시오.

Conformity

Definition	It is a tendency to change our (1) _____ or behavior in order to (2) _____ _____ with a group. We often follow the majority because we don't like to (3) _____ _____ .
Influential Factors	• We conform more when we feel a greater (4) _____ _____ with a group. • We tend to follow the majority when it is hard to make a(n) (5) _____ . • We tend to follow people who are higher in (6) _____ .

실력을 올리는 **직독직해**

끊어 읽기 한 표시를 따라 문장 구조에 유의하여 해석을 쓰고, 각 문장의 주어에는 밑줄을, 동사에는 동그라미를 쳐보세요.

❶ Do you know / that you have teeth in the back of your mouth / that haven't come out yet? / ❷ They emerge when you're older, / usually after the age of 17. / ❸ At this age, / it is said / that you have gained wisdom. / ❹ This is why / they are called wisdom teeth. /

❺ In reality, / wisdom teeth often cause pain and cavities, / so most people have them removed. / ❻ However, / several million years ago, / our ancestors used their wisdom teeth / to eat tough roots, leaves, and raw meat. / ❼ Their jaws were also much larger, / providing plenty of room in the mouth / for wisdom teeth. /

❽ However, / as humans started to use fire for cooking, / food became softer and easier to chew. / ❾ As a result, / our jaws became smaller / over time. / ❿ Now, / we don't really have enough space / for wisdom teeth. / ⓫ In fact, / more and more people these days / don't get wisdom teeth / throughout their life! /

실력을 더 올리는 **서술형 추가 문제**

A 우리말과 일치하도록 빈칸에 알맞은 단어나 표현을 글에서 찾아 쓰시오.

(1) 이 모든 가구를 위한 공간이 충분하지 않다.

⇒ There is not enough _____ for all the furniture.

(2) 우리의 선조들은 자연재해에 대해 신들을 탓하곤 했다.

⇒ Our _____s used to blame the gods for natural disasters.

(3) 어떤 사람들은 항상 충분한 화석 연료가 있을 것이라 생각했다.

⇒ Some people thought there would always be _____ _____ fossil fuels.

B 우리말과 일치하도록 괄호 안의 말을 알맞게 배열하시오.

(1) 그 콘서트는 아직 시작하지 않았다. (yet / started / the concert / hasn't)

⇒ _____.

(2) 어떤 사람들은 토마토가 채소라고 주장한다. (argue / people / that / some / tomatoes)

⇒ _____ are vegetables.

(3) 요즘 점점 더 많은 사람들이 혼자 산다. (more / people / alone / and / living / are / more)

⇒ _____ these days.

C 글의 내용과 일치하도록 다음 일기의 빈칸에 들어갈 말을 글에서 찾아 쓰시오.

Farewell, Wisdom Teeth! **November, 202X**

  I had my wisdom teeth removed today. I made my decision when I heard that wisdom teeth can cause pain and (1) _____.

  The nurse told me that our ancestors once used wisdom teeth to eat (2) _____ roots, leaves, and (3) _____ meat. They also had larger (4) _____ that provided (5) _____ _____ _____ in the mouth for wisdom teeth.

실력을 올리는 **직독직해**

끊어 읽기 한 표시를 따라 문장 구조에 유의하여 해석을 쓰고, 각 문장의 주어에는 밑줄을, 동사에는 동그라미를 쳐보세요.

❶ If you sometimes feel guilty about eating meat, / you may be interested in a new product / called Clean Meat. /

❷ Clean Meat is produced in a lab. / ❸ First, / muscle cells are removed from a living animal, / such as a pig, cow, or chicken. / ❹ Next, / the cells are given nutrients / and grown into muscles, / which are the main part of the meat we eat. / ❺ Finally, / Clean Meat is processed into various food products, / like hamburger patties or sausages. /

❻ A single cell can create 10,000 kilograms of meat, / which looks and tastes just like regular meat. / ❼ With this new product, / you can eat / as much meat as you want / without killing livestock. / ❽ In addition, / it has a positive effect on the environment / by reducing the number of animals / that are raised on farms. / ❾ For example, / just four cows emit / the same amount of greenhouse gas as a car. / ❿ But Clean Meat doesn't release any greenhouse gas / at all. / ⓫ What *clean* meat it is! /

실력을 더 올리는 **서술형 추가 문제**

A 다음 영영 풀이에 해당하는 단어를 보기에서 골라 쓰시오.

> 보기   guilty   remove   nutrient   livestock   emit

(1) _____ : to send out gas, heat, light, sound, etc.

(2) _____ : feeling as if you have done something wrong

(3) _____ : animals that are kept on a farm

B 우리말과 일치하도록 괄호 안의 말을 활용하여 문장을 완성하시오.

(1) 그 택배는 내일 배송될지도 모른다. (may, deliver)

⇒ The package _____ _____ _____ tomorrow.

(2) 나는 시드니 오페라 하우스를 방문했는데, 그것은 1973년에 완공되었다.

(the Sydney Opera House, complete)

⇒ I visited _____ _____ _____ _____,

_____ _____ _____ in 1973.

(3) 황제펭귄들은 턱시도를 입은 신사처럼 보인다. (look, gentlemen)

⇒ Emperor penguins _____ _____ _____ wearing tuxedos.

C 글의 내용과 일치하도록 다음 광고의 빈칸에 들어갈 말을 글에서 찾아 쓰시오.

> ### Meet the Meat of the Future
>
> Have you tried Clean Meat? It looks and tastes just like (1) _____ meat.
> Unlike meat, however, you will never feel (2) _____ about eating it. What's
> amazing is that a single cell can (3) _____ 10,000 kilograms of meat!
> Moreover, it doesn't release any (4) _____ _____ either, so it's
> really clean! Try it now!

실력을 올리는 직독직해

끊어 읽기 한 표시를 따라 문장 구조에 유의하여 해석을 쓰고, 각 문장의 주어에는 밑줄을, 동사에는 동그라미를 쳐보세요.

❶ Look at these two works of art / painted by two different artists. /

❷ They both look like typical abstract paintings. / ❸ However, / one of the two has a very unusual story behind it. /

❹ In 1964, / several paintings by an artist named Pierre Brassau / were exhibited at an art show in Sweden. / ❺ There were works by other artists from all over the world / as well, / but it was Brassau's work / that attracted the most attention. / ❻ Critics praised his paintings / for being powerful yet delicate. / ❼ Everyone was curious / about who Brassau was / and couldn't wait to meet him in person. / ❽ But surprisingly, / he was not a person but a chimpanzee! / ❾ Pierre Brassau was the creation of a journalist. / ❿ The journalist wanted to test / whether art critics could tell the difference / between true abstract art and fake art. / ⓫ So, he let / a four-year-old chimpanzee at a nearby zoo / play with a brush and some paint. /

⓬ Which painting do you think was made / by the chimpanzee? /

⓭ It's the one on the left. /

실력을 더 올리는 **서술형 추가 문제**

A 다음 빈칸에 알맞은 단어나 표현을 보기에서 골라 쓰시오.

보기   curious   fake   abstract   in person   tell the difference

(1) The pearls in that necklace are _____, even though they look real.

(2) We're just online friends, so we've never met _____.

(3) Children are usually _____ about everything around them.

B 우리말과 일치하도록 괄호 안의 말을 알맞게 배열하시오.

(1) 미나가 어젯밤에 봤던 것은 바로 별똥별이었다. (saw / a shooting star / Mina / was / that / it)

⇒ _____ last night.

(2) 나는 이것이 정답인지 잘 모르겠다. (the / this / whether / right answer / is)

⇒ I'm not sure _____.

(3) 그 의자는 나무가 아니라 금속으로 만들어졌다. (metal / not / wood / but)

⇒ The chair was made of _____.

C 글의 내용과 일치하도록 다음 빈칸에 들어갈 말을 글에서 찾아 쓰시오.

Q. How did critics react to Pierre Brassau's work when it was exhibited?

A. They (1) _____ his paintings for being powerful yet (2) _____.

Q. What was surprising about Pierre Brassau?

A. Pierre Brassau was actually a(n) (3) _____. The truth was that Brassau was the creation of a(n) (4) _____.

Q. Why did he create Pierre Brassau?

A. He wanted to test whether art critics could tell the (5) _____ between true abstract art and (6) _____ art.

실력을 올리는 **직독직해**

끊어 읽기 한 표시를 따라 문장 구조에 유의하여 해석을 쓰고, 각 문장의 주어에는 밑줄을, 동사에는 동그라미를 쳐보세요.

❶ Did you know / that there is an international sports event / that only specially qualified people can participate in? / ❷ It is the Cybathlon, / which means "cyborg Olympics." /

❸ Every team in this competition / consists of one athlete and a group of robot developers. / ❹ The athletes are called "pilots." / ❺ They have physical disabilities, / so they wear and operate robotic parts / designed by the developers / to help them move. / ❻ During the competition, / pilots have to complete everyday tasks, / such as walking up the stairs or hanging the laundry. / ❼ The team / whose pilot carries out the tasks most successfully and quickly / wins. / ❽ The winning team receives two medals: / one for the pilot / and one for the group of robot developers. /

❾ The ultimate goal of the Cybathlon is to make robots / that move more easily, weigh less, and have a longer battery life. / ❿ This unique competition will contribute to developing wearable robots / to assist people with disabilities in their daily lives. /

실력을 더 올리는 **서술형 추가 문제**

A 다음 영영 풀이에 해당하는 단어를 보기에서 골라 쓰시오.

보기   disability   operate   international   qualified   assist

(1) _____ : to help someone to do something

(2) _____ : having the skills, knowledge, or abilities to do something

(3) _____ : to control a machine or piece of equipment

B 우리말과 일치하도록 괄호 안의 말을 활용하여 문장을 완성하시오.

(1) 나는 눈이 초록색인 소년을 만났다. (eyes)

⇒ I met a boy _____ _____ are green.

(2) 그는 Jane Austen에 의해 쓰여진 소설을 읽을 것이다. (a novel, write)

⇒ He is going to read _____ _____ _____ by Jane Austen.

(3) 인체에 있는 모든 세포는 동일한 DNA를 가지고 있다. (cell in the human body, have)

⇒ Every _____ _____ _____ _____
_____ _____ the same DNA.

C 글의 내용과 일치하도록 다음 빈칸에 들어갈 말을 글에서 찾아 쓰시오.

Cybathlon: Cyborg Olympics

Rules	• Athletes complete (1) _____ tasks with (2) _____ _____ designed by developers. • The team with the athlete who finishes the tasks most successfully and (3) _____ wins.
Ultimate Goal	The goal is to make robots that move more (4) _____, weigh (5) _____, and have a(n) (6) _____ battery life. It will help develop (7) _____ robots for people with disabilities.

실력을 올리는 **직독직해**

끊어 읽기 한 표시를 따라 문장 구조에 유의하여 해석을 쓰고, 각 문장의 주어에는 밑줄을, 동사에는 동그라미를 쳐보세요.

❶ In just one month, / more than 420,000 people / looked at a picture on the Internet. / ❷ It was just a picture of a house on a beach. / ❸ Then / why did such an ordinary photo / get so much attention? /

❹ In 2003, / one website had a collection / of over 120,000 aerial pictures. / ❺ They had been taken / to record the geological changes of the California coastline. / ❼ One of the photos was Hollywood entertainer Barbra Streisand's house. / ❻ Streisand asked the photographer / to remove the picture from the website / because she did not want the public to see her home. / ❽ But the photographer repeatedly refused. / ❾ Eventually, / she filed a 50-million-dollar lawsuit against him / for invading her privacy. / ❿ This incident was on the news. / ⓫ Soon, / millions of people heard about the picture / and looked it up on the Internet. /

⓬ This phenomenon became known as the Streisand effect. / ⓭ It refers to a situation / where an attempt to hide information / ironically helps spread it instead. /

실력을 더 올리는 서술형 추가 문제

A 우리말과 일치하도록 빈칸에 알맞은 단어를 글에서 찾아 쓰시오.

(1) 알래스카는 미국에서 가장 긴 해안선을 가지고 있다.

⇒ Alaska has the longest _____ in the United States.

(2) 소셜 미디어의 확산은 사용자들의 사생활을 보호하는 것을 어렵게 만들었다.

⇒ The spread of social media has made protecting users' _____ difficult.

(3) 새로 개봉된 그 영화는 실제 사건에 기반을 두고 있다.

⇒ The newly released movie is based on a real-life _____.

B 우리말과 일치하도록 괄호 안의 말을 알맞게 배열하시오.

(1) 그것은 매우 아름다운 그림이라서 모두가 좋아했다. (beautiful / was / it / a / such / painting)

⇒ _____ that everybody loved it.

(2) Joy는 그녀의 비행기 티켓을 취소하기 위해 항공사에 전화했다.
(called / cancel / Joy / to / her airplane ticket / the airline)

⇒ _____.

(3) 당신이 와플을 살 수 있는 그 카페는 이 거리에 있다. (you / the café / waffles / buy / where/ can)

⇒ _____ is on this street.

C 글의 내용과 일치하도록 다음 빈칸에 들어갈 말을 글에서 찾아 쓰시오.

A website had a collection of (1) _____ pictures, and one of them was Barbra Streisand's house.

⌄

She asked the photographer to (2) _____ the picture, but he (3) _____.

⌄

She filed a (4) _____ against him. However, hearing the news, millions of people (5) _____ _____ _____ on the Internet.

실력을 올리는 **직독직해**

끊어 읽기 한 표시를 따라 문장 구조에 유의하여 해석을 쓰고, 각 문장의 주어에는 밑줄을, 동사에는 동그라미를 쳐보세요.

---

❶ Each year, / over 1.5 billion phones are sold / worldwide. / ❷ This

means / that about the same number of old phones / are discarded. /

❸ But unfortunately, / only 10 percent of these phones / get recycled. /

❹ Phones contain many precious metals, / including gold. / ❺ If

they are recycled, / 400 grams of gold can be extracted / from one ton

of them. / ❻ This is a great amount, / considering only five grams of

gold are extracted / from the same weight of rocks. / ❼ Recycling phones

also has ecological benefits. / ❽ When phones are discarded, / they usually

end up in landfills / and contaminate the surrounding soil and water /

with toxic materials. /

❾ So, / how can you recycle your old phones? / ❿ You can donate

them to a charity organization. / ⓫ That way, / the precious metals from

the old phones / can be recycled, / and the profits can be used / to help

those who are in need. /

실력을 더 올리는 **서술형 추가 문제**

A 다음 영영 풀이에 해당하는 단어를 보기에서 골라 쓰시오.

> 보기   contaminate   recycle   discard   donate   extract

(1) _____ : to get rid of something

(2) _____ : to give something to a person or an organization to help them

(3) _____ : to make something dirty or poisonous

B 우리말과 일치하도록 괄호 안의 말을 활용하여 문장을 완성하시오.

(1) 그녀의 나이를 고려하면, 나의 할머니께서는 매우 건강하시다. (consider, her age)

⇒ _____ _____ _____ , my grandmother is very healthy.

(2) 식초는 피클을 만드는 데 사용된다. (use, make)

⇒ Vinegar _____ _____ _____ pickles.

(3) 뉴턴은 1687년에 중력을 발견한 물리학자이다. (discover, gravity)

⇒ Newton is the physicist _____ _____ _____ in 1687.

C 글의 내용과 일치하도록 다음 빈칸에 들어갈 말을 글에서 찾아 쓰시오.

Recycling Your Old Smartphones

Method	You can donate your old smartphones to a(n) (1) _____ _____ .
Advantages	• The (2) _____ from the recycled precious metals can be used to help people who are (3) _____ _____ . • It also has (4) _____ benefits because when phones are thrown away, they contaminate the environment with (5) _____ materials.

실력을 올리는 **직독직해**

끊어 읽기 한 표시를 따라 문장 구조에 유의하여 해석을 쓰고, 각 문장의 주어에는 밑줄을, 동사에는 동그라미를 쳐보세요.

❶ Rembrandt, / one of history's greatest artists, / died in 1669. /

❷ However, / a brand-new painting of his / was recently released. /

❸ How could a dead painter create something new? /

❹ Actually, / this painting was created / by artificial intelligence (AI) from the Next Rembrandt Project. / ❺ It analyzed all 346 paintings by Rembrandt / using 3D scans and facial recognition technology. /

❻ Based on that data, / it learned / how Rembrandt painted human faces and bodies / in his portraits. / ❼ Then, / the researchers decided to put the AI to the test. / ❽ They asked it / to produce a portrait of a man in his thirties / wearing black clothes and a black hat. / ❾ They didn't give it any other details. / ❿ When the portrait was completed, / it was then printed by a 3D printer. / ⓫ The printer used 13 layers of paint / to imitate the texture of Rembrandt's paintings. / ⓬ Surprisingly, / the portrait looked / as though it had been done by Rembrandt / himself! /

실력을 더 올리는 **서술형 추가 문제**

A 우리말과 일치하도록 빈칸에 알맞은 단어를 글에서 찾아 쓰시오.

(1) 그 새로운 온라인 야구 게임은 5월에 공개될 것이다.

⇒ The new online baseball game will be _____(e)d in May.

(2) 앵무새는 인간의 말을 따라 할 수 있다.

⇒ Parrots can _____ human speech.

(3) 나의 스마트워치는 음성 인식 기능을 가지고 있다.

⇒ My smartwatch has a voice _____ feature.

B 우리말과 일치하도록 괄호 안의 말을 알맞게 배열하시오.

(1) 타조는 세상에서 가장 큰 새 중 하나이다. (the largest / one / in the world / birds / of)

⇒ The ostrich is _____.

(2) 창문 옆에 앉아있는 그 남자는 나의 형이다. (to / sitting / the window / the guy / next)

⇒ _____ is my older brother.

(3) Tim의 가족은 내년에 부산으로 이사하기로 결정했다. (move / has / to / decided / Tim's family)

⇒ _____ to Busan next year.

C 글의 내용과 일치하지 <u>않는</u> 보기를 두 개 고르고, 알맞은 말을 글에서 찾아 바르게 고쳐 쓰시오.

The Next Rembrandt Project

① A brand-new painting of Rembrandt's was created with artificial intelligence. Using 3D scans and facial recognition technology, the AI ② analyzed his paintings. With the data, it learned how the artist painted ③ human faces and bodies. Later, the AI produced ④ a portrait of a woman. It was printed by ⑤ a 3D printer that used 13 layers of paint to imitate ⑥ the color of the artist's paintings.

틀린 보기	고쳐 쓰기	
(1) _____	(2) _____ → (3) _____	
(4) _____	(5) _____ → (6) _____	

실력을 올리는 **직독직해**

끊어 읽기 한 표시를 따라 문장 구조에 유의하여 해석을 쓰고, 각 문장의 주어에는 밑줄을, 동사에는 동그라미를 쳐보세요.

❶ Even if you don't know / what a "meme" is, / you have probably

come across one / on the Internet. / ❷ A meme is a popular image with

text / that is spread widely online for fun. / ❸ "Keep Calm and Carry On"

is a well-known example of this. /

❹ It was originally a poster / produced in 1939, / just a few days before

World War II. / ❺ British people were terrified / that a war would begin /

at any minute. / ❻ So, / the government designed a poster / to ease the

public's anxiety. / ❼ It had a crown on a red background / with the

saying "Keep Calm and Carry On." / ❽ However, / it was never officially

released to the public. / ❾ Then, / in 2000, / a bookstore owner found

the poster in an old box / and hung it in his store. / ❿ Soon, / customers

began showing an interest in the print. / ⓫ People made parodies of

it / by changing the words and design, / and it quickly became famous

worldwide. / ⓬ Eventually, / it became a meme! /

실력을 더 올리는 **서술형 추가 문제**

A 다음 빈칸에 알맞은 단어나 표현을 보기에서 골라 쓰시오.

> 보기   come across   hang   terrified   well-known   public

(1) He is _____ of snakes.

(2) Sora was surprised to _____ a rare book in the library.

(3) The actor is _____ for his many movies and commercials.

B 우리말과 일치하도록 괄호 안의 말을 활용하여 문장을 완성하시오.

(1) 준호는 전에 한번 대통령을 만난 적이 있다. (meet, the president)

⇒ Junho _____ _____ _____ _____ once before.

(2) 금으로 장식된 그 식탁은 비싸다. (decorate, with, gold)

⇒ The table _____ _____ _____ is expensive.

(3) 비록 내일 눈이 온다고 하더라도, Steve는 그 산을 오를 것이다. (even if, snow)

⇒ _____ _____ _____ _____ tomorrow, Steve will climb the mountain.

C 글의 내용과 일치하도록 다음 빈칸에 들어갈 말을 글에서 찾아 쓰고, ⓐ~ⓒ를 알맞은 순서대로 배열하시오.

How "Keep Calm and Carry On" Became a Meme

ⓐ A(n) (1) _____ _____ found the poster in an old box.
He (2) _____ it in his store, and it caught customers' attention.

ⓑ A few days before World War II, the British government created a poster to ease the public's (3) _____. However, it was never officially (4) _____.

ⓒ People made (5) _____ of the poster, and it quickly became famous worldwide.

순서: (6) _____ → _____ → _____

실력을 올리는 직독직해

끊어 읽기 한 표시를 따라 문장 구조에 유의하여 해석을 쓰고, 각 문장의 주어에는 밑줄을, 동사에는 동그라미를 쳐보세요.

❶ While on vacation, / my wife and I were having a lovely outdoor breakfast / at a hotel near the beach. / ❷ The beach was full of tourists. /

❸ Suddenly, / a waiter pointed to the sea. / ❹ The water was pulling back very fast. / ❺ The fascinating sight drove many tourists / to take pictures and videos with their phones. / ❻ But not my wife. / ❼ She held my hand / and shouted urgently. / ❽ "Run!" / ❾ We ran toward a high hill. /

❿ Soon after, / a giant wave crashed into the shore, / destroying everything in its path. / ⓫ We had nearly been swept away / by a monster tsunami! /

⓬ When we returned to the hotel, / we saw many people badly injured. /

⓭ I asked my wife / how she knew / that a tsunami was coming. / ⓮ She explained / that tsunamis are enormous waves / created by earthquakes under the sea. / ⓯ The seawater pulls back very quickly / before a tsunami occurs, / and the larger the tsunami is, / the faster the sea moves backwards. / ⓰ That's how she knew / that something wasn't right. /

⓱ If we hadn't fled, / we might not be alive now. /

실력을 더 올리는 서술형 추가 문제

A 우리말과 일치하도록 빈칸에 알맞은 단어를 글에서 찾아 쓰시오.

(1) 축구 선수들은 경기하는 동안 종종 다친다.

⇒ Soccer players are often _____(e)d while playing.

(2) 절벽의 아름다운 광경이 내 시선을 사로잡았다.

⇒ The beautiful _____ of the cliff caught my eye.

(3) 소방관은 그 아이를 구할 수 있는 방법을 다급하게 찾았다.

⇒ The firefighter _____ looked for a way to rescue the child.

B 우리말과 일치하도록 괄호 안의 말을 알맞게 배열하시오.

(1) Justin이 도착했을 때 그 TV는 수리되어 있었다. (when / been / had / the TV / fixed / Justin / arrived)

⇒ _____.

(2) 그 배우가 인기를 더 얻을수록, 그는 더 바빠졌다. (the actor / popular / the busier / got / the more)

⇒ _____ he was.

(3) 만약 내가 점심을 먹었더라면, 지금 배가 고프지 않을 텐데.
(I / lunch / would / had / if / eaten / not / I / hungry / be)

⇒ _____ now.

C 다음은 글쓴이의 아내와의 인터뷰이다. 글의 내용과 일치하도록 다음 답변의 빈칸에 들어갈 말을 글에서 찾아 쓰시오.

> **Q.** Could you tell us what happened that day?
>
> **A.** My husband and I were at a hotel near the (1) _____. When I saw the seawater (2) _____ _____ very fast, I knew a tsunami was coming. So we ran toward a(n) (3) _____ _____.

> **Q.** That sounds terrifying. How did you know a tsunami was coming?
>
> **A.** Tsunamis are huge waves created by (4) _____ under the sea. I knew that (5) _____ a tsunami occurs, the seawater pulls back quickly.

실력을 올리는 **직독직해**

끊어 읽기 한 표시를 따라 문장 구조에 유의하여 해석을 쓰고, 각 문장의 주어에는 밑줄을, 동사에는 동그라미를 쳐보세요.

❶ Is there an issue / that you'd like to change? / ❷ One person's voice may not be enough / to influence a government or a society, / but online petitions can be. / ❸ By sharing an issue with people / and collecting their signatures, / you can turn your ideas into action. / ❹ In the U.K., / all of the people printed on money / were men, / except for Queen Elizabeth II. / ❺ One woman wanted to change this, / so she started an online petition. / ❻ Soon, / over 35,000 people signed it. / ❼ As a result, / the Bank of England decided to print the face of Jane Austen, / on the ten-pound bill, / replacing Charles Darwin. /

❽ Governments around the world, / including Korea, / offer petition websites / where citizens can directly express their opinions. / ❾ Although leaders may not be able to reply / to every opinion, / petitions draw attention to important issues / that may be overlooked. / ❿ As more people participate in a petition, / it becomes easier / to inspire change for a better society. /

실력을 더 올리는 **서술형 추가 문제**

A 다음 빈칸에 알맞은 단어나 표현을 보기에서 골라 쓰시오.

> 보기   influence   except for   replace   overlook   reply

(1) New trees were planted to _____ the dead ones.

(2) The museum is open every day _____ Tuesdays.

(3) Renaissance art was strongly _____(e)d by mathematics.

B 우리말과 일치하도록 괄호 안의 말을 활용하여 문장을 완성하시오.

(1) 나는 제주도행 티켓을 사고 싶다. (would, buy)

⇒ I _____ _____ _____ _____ a ticket to Jeju-do.

(2) 뉴욕은 힙합이 시작된 도시이다. (hip-hop, start)

⇒ New York is the city _____ _____ _____.

(3) 그 새로운 영화는 다음 달에 개봉될 수도 있다. (may, release)

⇒ The new movie _____ _____ _____ next month.

C 글의 내용과 일치하도록 다음 대화의 빈칸에 들어갈 말을 글에서 찾아 쓰시오.

Justin: Hey, Sean. Do you know whose face that is on the ten-pound bill?

Sean : It's the face of (1) _____ _____. Before her, Charles Darwin used to be on it.

Justin: Really? Why was it changed?

Sean : Queen Elizabeth II used to be the only (2) _____ on U.K. bills. A woman started a(n) (3) _____ _____ to change this.

Justin: Was it successful?

Sean : Yes. Over 35,000 people (4) _____ it, and the (5) _____ _____ _____ decided to change the face on the bill.

실력을 올리는 **직독직해**

끊어 읽기 한 표시를 따라 문장 구조에 유의하여 해석을 쓰고, 각 문장의 주어에는 밑줄을, 동사에는 동그라미를 쳐보세요.

---

❶ You've probably seen chicken breasts or slices of beef / at the

supermarket. / ❷ They are both pieces of meat, / but one is white and the

other is red. / ❸ What makes them different? /

❹ The reason red meat is red / is not because of blood, / as many

people think. / ❺ It's actually caused by myoglobin, / which is a reddish-

colored protein in muscles. / ❻ Myoglobin stores and distributes oxygen

to muscles / when they need it. /

❼ Some animals have lots of myoglobin in their muscles / and others

have less. / ❽ It depends on / how long and how much they move. /

❾ Cows usually spend long periods of time / standing or walking. /

❿ This continuous activity requires them / to use all of their body

muscles. / ⓫ Therefore, / their muscles contain more myoglobin. / ⓬ This

makes beef look very red. / (⓭ Pork is pink when raw / but turns

white when cooked. /) ⓮ In contrast, / chickens don't move around as

much. / ⓯ They only occasionally run or jump. / ⓰ As a result, / the

meat from their legs is slightly pink, / but everywhere else, / including

the wings and breast, / is white. /

실력을 더 올리는 **서술형 추가 문제**

A 우리말과 일치하도록 빈칸에 알맞은 단어를 글에서 찾아 쓰시오.

(1) Nancy는 그녀의 남동생보다 약간 키가 크다.

⇒ Nancy is _____ taller than her little brother.

(2) 단지 그것이 신선할 때에만 날것의 닭고기는 먹기에 안전하다.

⇒ _____ chicken is safe to eat only when it is fresh.

(3) 그 봉사자들은 난민들에게 옷과 음식을 분배하였다.

⇒ The volunteers _____(e)d clothing and food to refugees.

B 우리말과 일치하도록 괄호 안의 말을 알맞게 배열하시오.

(1) 그 학교는 학생들로 하여금 교복을 입을 것을 요구한다. (students / to / the school / wear / requires)

⇒ _____ school uniforms.

(2) 지구 온난화가 빙하가 녹고 있는 이유이다. (melting / the reason / are / glaciers)

⇒ Global warming is _____.

(3) 그 생물학자는 대나무가 얼마나 빨리 자라는지 알고 싶어 한다. (grow / fast / bamboos / how)

⇒ The biologist wants to know _____.

C 글의 내용과 일치하도록 다음 빈칸에 들어갈 말을 글에서 찾아 쓰시오.

Cows	Chickens
• (1) _____ activity, such as standing or walking, requires them to use all of their (2) _____ _____. • Cows have more (3) _____ in their muscles, so beef looks very (4) _____.	• They just occasionally run or jump. They don't (5) _____ _____ a lot. • The meat from their legs is slightly (6) _____. However, everywhere else, it is (7) _____.

실력을 올리는 **직독직해**

끊어 읽기 한 표시를 따라 문장 구조에 유의하여 해석을 쓰고, 각 문장의 주어에는 밑줄을, 동사에는 동그라미를 쳐보세요.

❶ On the fourth Friday of November, / stores and malls in the U.S. /

are full of chaos. / ❷ It is Black Friday, / the biggest shopping day of the

year. / ❸ On this day, / many companies offer discounts of up to 90% /

on products such as electronics, clothes, and toys. /

❹ Recently, / people have begun waiting for another event / called Cyber

Monday. / ❺ It's an online event / that takes place on the Monday after

Black Friday. / ❻ Consumers can easily shop on the Internet / without

having to visit a crowded store. / ❼ And on Cyber Monday, / goods that

were not sold on Black Friday / are sold at an even lower price. /

❽ These discount events are beneficial for companies / as well as

consumers. / ❾ When there are unsold items, / companies have to

send them to their other branches / or to discount outlets. / ⓫ This

results in an extra shipping cost, / which is usually high in the U.S. / due

to its vast size. / ❿ Therefore, / many companies choose to sell the

products to customers, / even if it is at a lower price. /

실력을 더 올리는 서술형 추가 문제

A 다음 영영 풀이에 해당하는 단어를 보기에서 골라 쓰시오.

> 보기　　　　　consumer　　vast　　beneficial　　extra　　chaos

(1) _____ : helpful, useful, or good

(2) _____ : a state of confusion and no order

(3) _____ : a person who buys goods or services

B 우리말과 일치하도록 괄호 안의 말을 활용하여 문장을 완성하시오.

(1) 당신은 그들을 직접 만나지 않고 가상세계에서 친구들과 놀 수 있다. (meet, them)

⇒ You can hang out with friends in the virtual world _____ _____

_____ in person.

(2) Bill은 콜로세움을 방문했는데, 그것은 기원전 70년경에 지어졌다. (the Colosseum, build)

⇒ Bill visited _____ _____, _____ _____

_____ around 70 A.D.

(3) 나는 항상 기차로 여행하는 것을 선택한다. (choose, travel)

⇒ I always _____ _____ _____ by train.

C 글의 내용과 일치하도록 다음 빈칸에 들어갈 말을 글에서 찾아 쓰시오.

Cyber Monday

When it is	It takes place on the Monday after (1) _____ _____.
What it is	It is a(n) (2) _____ event where consumers can buy unsold goods from Black Friday at an even (3) _____ price.
Who it helps	Discount events are (4) _____ for both customers and companies. Customers can buy products at a cheaper (5) _____. Companies can also save on extra (6) _____ _____s.

실력을 올리는 **직독직해**

끊어 읽기 한 표시를 따라 문장 구조에 유의하여 해석을 쓰고, 각 문장의 주어에는 밑줄을, 동사에는 동그라미를 쳐보세요.

❶ My friend Edward makes a sound like "oh" / quite often. / ❷ He makes the noise / when other people are quiet / and even during class. / ❸ However, / he doesn't do it on purpose. / ❹ In fact, / he can't stop himself from doing it. /

❺ Edward and others like him have a condition / known as a tic disorder. / ❻ Those who suffer from it / may experience a wide range of symptoms, / such as blinking their eyes, / shaking their heads, / clearing their throats, / or saying a particular word repeatedly. /

❼ Tic disorders are much more common / than we think. / ❽ Between 10 to 20 percent of children / worldwide / have tics. / ❾ It's not usually a serious matter, / as the symptoms naturally disappear / when they get older. / ❿ But if you force people with tics to stop, / they can get stressed, / and this can make the symptoms worse. / ⓫ Thus, / the best thing to do / is ignore the tics and just treat them / as you would treat anyone else. /

실력을 더 올리는 서술형 추가 문제

A 우리말과 일치하도록 빈칸에 알맞은 단어를 글에서 찾아 쓰시오.

(1) 고열은 독감의 흔한 증상이다.

⇒ A high fever is a common _____ of the flu.

(2) 재민이의 엄마는 그가 머리를 자르도록 강요했다.

⇒ Jaemin's mom _____(e)d him to get a haircut.

(3) 만약 누군가가 너에게 상처가 되는 말을 한다면, 그것들을 그냥 무시하라.

⇒ If someone says hurtful words to you, just _____ them.

B 우리말과 일치하도록 괄호 안의 말을 알맞게 배열하시오.

(1) 티트리 오일은 벌레들이 당신을 무는 것을 막을 수도 있다. (stop / you / from / biting / the bugs)

⇒ Tea tree oil may _____ .

(2) 이 잡지에 실린 기사들은 흥미롭다. (in / the articles / this magazine / published)

⇒ _____ are interesting.

(3) 많은 친구들을 가지고 있는 사람들이 항상 행복한 것은 아니다. (many / have / who / friends / those)

⇒ _____ are not always happy.

C 글의 내용과 일치하도록 다음 빈칸에 들어갈 말을 글에서 찾아 쓰시오.

Q. What are the symptoms of tic disorder?

A. There are a wide range of symptoms, which include (1) _____ your eyes, shaking your head, (2) _____ your throat, and saying a particular word (3) _____ .

Q. How should we treat those with tic disorder?

A. You should (4) _____ the tics and (5) _____ them like anyone else.

실력을 올리는 직독직해

끊어 읽기 한 표시를 따라 문장 구조에 유의하여 해석을 쓰고, 각 문장의 주어에는 밑줄을, 동사에는 동그라미를 쳐보세요.

❶ "Free for one month" is a marketing trick / often used online. /

❽ A number of movie and music streaming services / offer free

usage / for a certain period of time. / ❾ This seems like a great way / to try

out a new service / without paying for it. /

❺ However, / problems occur / when the free trial period is over /

and you don't want the service anymore. / ❻ People who forget to cancel

their subscriptions / are automatically charged for another term. / ❼ And

few companies remind their users / of when their free trial ends. /

❷ Moreover, / some of them even make it hard / to cancel

subscriptions. / ❸ For instance, / you might have to call the customer

service center / only during office hours. / ❹ And it could take a long

time / just to speak to an employee. /

❿ Thus, / it's important / to check the terms and conditions of free

trials / before you sign up for a subscription. / ⓫ Also, / mark your

calendar / so that you can cancel the unwanted service / in time. /

실력을 더 올리는 서술형 추가 문제

A 다음 빈칸에 알맞은 단어나 표현을 보기에서 골라 쓰시오.

> 보기   sign up for   remind   occur   charge   in time

(1) I'm going to _____ a yoga course during summer break.

(2) Mat arrived _____ for dinner.

(3) Could you _____ me of your dog's name again?

B 우리말과 일치하도록 괄호 안의 말을 활용하여 문장을 완성하시오.

(1) 서울에는 방문할 많은 박물관들이 있다. (museums, visit)

⇒ There are many _____ _____ _____ in Seoul.

(2) 예나는 기차를 잡아탈 수 있도록 서둘렀다. (catch, the train)

⇒ Yena hurried _____ _____ _____ _____

_____ _____ .

(3) 우리가 언제 만날 수 있는지 나에게 알려줘. (can, meet)

⇒ Let me know _____ _____ _____ .

C 글의 내용과 일치하도록 다음 빈칸에 들어갈 말을 보기에서 찾아 쓰시오.

> 보기   remember to sign   remind their users   marking your calendar
>   forget to cancel   automatically charged   the terms and conditions

Problem with free trials	Few companies (1) _____ when the free trial is over. So, people who (2) _____ their subscriptions may be (3) _____ for another term.
Tips for customers	Make sure to check (4) _____ of free trials before you sign up. Also, (5) _____ helps you cancel unwanted service in time.

실력을 올리는 직독직해

끊어 읽기 한 표시를 따라 문장 구조에 유의하여 해석을 쓰고, 각 문장의 주어에는 밑줄을, 동사에는 동그라미를 쳐보세요.

❶ Here's a simple test / you can do right now. / ❷ Put the backs of your hands together / with your fingers pointing down. / ❸ Then, / stay still for one minute. / ❹ If you feel pain in the palm and first three fingers, / you may have carpal tunnel syndrome. /

❺ In the wrist, / there is a narrow space like a tunnel, / which nerves pass through. / ❻ Carpal tunnel syndrome occurs / when this tunnel gets squeezed / and puts pressure on the nerves. / ❼ In the beginning, / you might lose some feeling in your palm and fingers. / ❽ However, / later on, / you can experience severe pain in the entire wrist. / ❾ This causes some problems in everyday life. / ❿ You may often drop things / or have difficulty in using chopsticks. /

⓫ These days, / the number of people with this condition / is increasing. / ⓬ This is because / people use smartphones or type on keyboards / for too long / today. / ⓭ These tasks cause repetitive hand movements / and increase the risk. /

실력을 더 올리는 **서술형 추가 문제**

A 우리말과 일치하도록 빈칸에 알맞은 단어나 표현을 글에서 찾아 쓰시오.

(1) 많은 배들이 수에즈 운하를 통과해 지나간다.

⇒ Many ships ＿＿＿＿＿＿ ＿＿＿＿＿＿ the Suez Canal.

(2) 책꽂이와 벽 사이에 좁은 틈이 있었다.

⇒ There was a(n) ＿＿＿＿＿＿ gap between the bookshelf and the wall.

(3) 밤에 자전거를 타는 것은 사고의 위험성을 증가시킨다.

⇒ Biking at night increases the ＿＿＿＿＿＿ of an accident.

B 우리말과 일치하도록 괄호 안의 말을 알맞게 배열하시오.

(1) Eric은 그의 신발 끈이 풀린 채로 트랙을 달리고 있었다. (his / with / untied / shoelaces)

⇒ Eric was running on the track ＿＿＿＿＿＿＿＿＿＿＿＿＿＿＿＿ .

(2) 야생 동물의 수가 매년 급격하게 감소하고 있다. (wild animals / number / is / of / the)

⇒ ＿＿＿＿＿＿＿＿＿＿＿＿＿＿＿＿＿ falling rapidly every year.

(3) Smith씨는 책을 하나 썼는데, 그것은 베스트셀러가 되었다. (a best seller / a book / became / which)

⇒ Mr. Smith wrote ＿＿＿＿＿＿＿＿＿＿＿＿＿＿＿＿ .

C 글의 내용과 일치하도록 다음 빈칸에 들어갈 말을 글에서 찾아 쓰시오.

Carpal Tunnel Syndrome

Cause	• It occurs when a narrow space in the (1) ＿＿＿＿＿ gets squeezed and puts pressure on the (2) ＿＿＿＿＿ . • (3) ＿＿＿＿＿ hand movements can increase the risk.
Symptoms	• At first, you might lose some feeling in your (4) ＿＿＿＿＿ and (5) ＿＿＿＿＿ . • Later, you may experience (6) ＿＿＿＿＿ ＿＿＿＿＿ in your entire wrist. This can cause problems in everyday life.

실력을 올리는 직독직해

끊어 읽기 한 표시를 따라 문장 구조에 유의하여 해석을 쓰고, 각 문장의 주어에는 밑줄을, 동사에는 동그라미를 쳐보세요.

❶ Can a car drive by itself completely / without a driver? / ❷ In other words, / are self-driving cars really possible? / ❸ Not just yet. / ❹ This is because / they cannot make difficult decisions yet, / like in the following examples. /

A. ❺ If your car goes straight, / five people will be injured. / ❻ But, if it makes a turn, / only one person will be killed. /

B. ❼ If your car goes straight, / one person will be killed. / ❽ But, if it makes a turn, / you will get seriously injured. /

❾ Which decision should be made in each situation? / ❿ Of course, / there is no right answer. / ⓫ However, / self-driving cars must know what to do / in advance / because they drive according to a program. / ⓬ Every situation needs to be considered / and programmed into them. / ⓭ Besides, / if an accident does occur, / another problem arises. / ⓮ Who is ultimately responsible / —the software, the car company, or the human driver? / ⓯ In order to use self-driving cars successfully, / we need to think deeply about these issues. /

실력을 더 올리는 서술형 추가 문제

A 다음 빈칸에 알맞은 단어나 표현을 보기에서 골라 쓰시오.

> 보기   consider   arise   in advance   according to   seriously

(1) If you have to cancel your reservation, please let us know _____ .

(2) Accidents _____ from unsafe behavior.

(3) The books are organized _____ their title.

B 우리말과 일치하도록 괄호 안의 말을 활용하여 문장을 완성하시오.

(1) 너는 비행기에서 어떤 좌석을 더 선호하니, 창문 쪽 좌석 아니면 통로 쪽 좌석? (seat)

⇒ _____ _____ do you prefer on the plane, the window seat or the aisle seat?

(2) Sally는 그녀의 정원에 무엇을 심을지 결정할 수 없다. (plant)

⇒ Sally can't decide _____ _____ _____ in her garden.

(3) 모든 문이 잠겨있어서, 나는 안으로 들어갈 수 없었다. (door, be, lock)

⇒ _____ _____ _____ _____ , so I couldn't get inside.

C 글의 내용과 일치하도록 다음 빈칸에 들어갈 말을 글에서 찾아 쓰시오.

> **Q.** Are self-driving cars really possible?
>
> **A.** No. They are not possible now because self-driving cars are not able to make
> (1) _____ _____ yet.

> **Q.** Why is it challenging to make self-driving cars work?
>
> **A.** Self-driving cars have to know what to do even when there is no right
> (2) _____ . Therefore, every (3) _____ needs to be considered
> and (4) _____ into them. Also, when an accident takes place, who is
> ultimately (5) _____ ?

실력을 올리는 직독직해

끊어 읽기 한 표시를 따라 문장 구조에 유의하여 해석을 쓰고, 각 문장의 주어에는 밑줄을, 동사에는 동그라미를 쳐보세요.

❶ How do you get rid of medicine / you no longer need? / ❷ You

might probably throw it in the trash can / or flush it down the toilet. /

❸ However, / you shouldn't do either! /

❹ Medicine disposed of this way / eventually enters the environment. /

❺ Unfortunately, / the chemicals in the drugs / don't decompose

easily. / ❻ So, / they remain in the ground and water / for a long time, /

damaging the surrounding ecosystem. / ❼ For example, / a small amount

of estrogen in hormone drugs / can change male fish into females! /

❽ Also, / medicine that isn't filtered out / can flow into our drinking

water. / ❾ If we keep drinking this contaminated water, / it may harm

our health. /

❿ So, / how should we dispose of old medicine? / ⓫ You can bring it

to local pharmacies. / ⓬ They usually have boxes / where you can discard

drugs safely. /

실력을 더 올리는 **서술형 추가 문제**

A 우리말과 일치하도록 빈칸에 알맞은 단어나 표현을 글에서 찾아 쓰시오.

(1) 너는 너의 낡은 신발을 버려야 한다.

⇒ You should _____ _____ _____ your old shoes.

(2) 심해는 여전히 수수께끼로 남아 있는 거대한 생태계이다.

⇒ The deep sea is a huge _____ that still remains a mystery.

(3) 만약 네가 오염된 음식을 먹는다면, 너는 식중독에 걸릴 것이다.

⇒ If you eat _____ food, you will get food poisoning.

B 우리말과 일치하도록 괄호 안의 말을 알맞게 배열하시오.

(1) 한 손으로 카메라를 들고서, Sam은 사진을 찍었다. (one hand / the camera / in / holding)

⇒ _____, Sam took a picture.

(2) 내가 보고 싶었던 배우가 그의 손을 흔들고 있었다. (I / to / the actor / wanted / see)

⇒ _____ was waving his hand.

(3) Rose가 케이크를 사는 그 빵집은 시내에 위치해 있다. (Rose / cake / where / buys / the bakery)

⇒ _____ is located downtown.

C 글의 내용과 일치하도록 다음 대화의 빈칸에 들어갈 말을 글에서 찾아 쓰시오.

Hansu: Don't throw those drugs in the (1) _____ _____!

Dan　: Why not?

Hansu: The (2) _____ in drugs don't decompose easily, so they can

damage the (3) _____ ecosystem.

Dan　: Oh. Then how should I dispose of old medicine?

Hansu: Bring it to one of your local (4) _____. They usually have boxes

where you can (5) _____ drugs safely.

실력을 올리는 **직독직해**

끊어 읽기 한 표시를 따라 문장 구조에 유의하여 해석을 쓰고, 각 문장의 주어에는 밑줄을, 동사에는 동그라미를 쳐보세요.

❶ Dr. John Mew was surprised to find / that many problems with facial structure / resulted from bad habits during childhood. / ❷ For example, / placing the tongue on the bottom of the mouth / could result in a short chin or an uneven face. / ❸ He believed / that such problems could be corrected / without surgery. / ❹ Thus, / he developed a tongue exercise / called mewing, / named after himself. /

❺ The practice of mewing is simple: / ❻ Place the entire tongue / against the roof of the mouth. / ❼ Make sure / it doesn't touch the upper teeth. / ❽ Then, / close the lips / while keeping the upper and lower teeth apart. /

❾ For the best results, / you should do this / whenever your mouth is closed. /

❿ During mewing, / you use the muscles on your tongue, lips and cheeks. / ⓫ This can strengthen facial muscles, / help keep your teeth even, / and change the shape of your face. / ⓬ Mewing is especially effective on young children / whose bones are still growing. / ⓭ But even some adults say / that mewing works well on them, too! /

실력을 더 올리는 **서술형 추가 문제**

A 다음 빈칸에 알맞은 단어나 표현을 보기에서 골라 쓰시오.

> 보기   uneven   result in   make sure   surgery   apart

(1) _____ you write your name before you turn in your assignment.

(2) Marie went to the hospital for her _____ .

(3) Eating too much junk food will _____ gaining weight.

B 우리말과 일치하도록 괄호 안의 말을 활용하여 문장을 완성하시오.

(1) 나는 여름 방학이 끝난 것을 깨달아서 슬펐다. (sad, realize)

⇒ I was _____ _____ _____ that summer break was over.

(2) 네가 도움이 필요할 때마다, 나에게 알려줘. (need, help)

⇒ _____ _____ _____ _____ , let me know.

(3) 그것에 설탕을 넣으면서 반죽을 섞어라. (while, put)

⇒ Mix the dough _____ _____ sugar in it.

C 글의 내용과 일치하도록 다음 빈칸에 들어갈 말을 글에서 찾아 쓰시오.

How to Practice Mewing

Place the (1) _____ _____ against the (2) _____ of the mouth. Make sure that the tongue doesn't touch the (3) _____ _____ .

While keeping the upper and lower teeth (4) _____ , close your (5) _____ .
It is recommended that you do this whenever your mouth is (6) _____ .

실력을 올리는 **직독직해**

끊어 읽기 한 표시를 따라 문장 구조에 유의하여 해석을 쓰고, 각 문장의 주어에는 밑줄을, 동사에는 동그라미를 쳐보세요.

---

❶ Nate was supposed to be a freshman football player / at Cornell University. / ❷ However, / before the semester began, / he received some shocking news. / ❸ He was removed from the football team / because of his social media account! / ❹ Nate and his friend had posted a video with racist content / on a social media site. / ❺ Although he was a good player, / it made Cornell worry about his personality, / and he had to leave the university. /

❻ Social media has become a way / to judge who a person is / in the U.S. / ❼ In fact, / 70% of employers use social media / to review job applicants / during their hiring process. / ❽ They search the applicants' accounts / for things like photos with inappropriate behavior / and negative posts about race, gender, or religion. / ❾ Such content can take away job opportunities. / ❿ In addition, / socially unacceptable posts / can be obstacles to visiting the country. / ⓫ Nowadays, / when a person applies for a U.S. visa, / the government collects social media information. / ⓬ It then uses this to determine / whether the applicant is a threat to the country. / ⓭ Therefore, / be careful about / what you post on social media! /

실력을 더 올리는 서술형 추가 문제

A 우리말과 일치하도록 빈칸에 알맞은 단어나 표현을 글에서 찾아 쓰시오.

(1) 영화 속 폭력적인 장면은 아이들에게 부적절하다.

⇒ Violent scenes in movies are _____ for children.

(2) 나는 장학금을 신청할 것이다.

⇒ I'm going to _____ _____ a scholarship.

(3) 대왕판다는 멸종위기 종 목록에서 제외되었다.

⇒ Giant pandas were _____(e)d from the endangered species list.

B 우리말과 일치하도록 괄호 안의 말을 알맞게 배열하시오.

(1) 누군가 거짓말을 하고 있는지 아닌지 아는 것은 어렵다. (someone / a lie / whether / is / telling)

⇒ It's difficult to know _____ .

(2) 비록 교통이 혼잡했지만, 나는 제시간에 공항에 도착했다. (the traffic / heavy / although / was)

⇒ _____ , I arrived at the airport on time.

(3) 플라스틱을 사용하는 것은 많은 환경 문제를 초래했다. (has / plastics / caused / using)

⇒ _____ lots of environmental problems.

C 글의 내용과 일치하도록 다음 빈칸에 들어갈 말을 글에서 찾아 쓰시오.

In the U.S., many people are judged based on their social media accounts.

Job Applicants	Visa Applicants
(1) _____ use social media to review job applicants. Negative posts can (2) _____ _____ job opportunities.	The U.S. government uses social media to (3) _____ if a visa applicant is a(n) (4) _____ .

실력을 올리는 직독직해

끊어 읽기 한 표시를 따라 문장 구조에 유의하여 해석을 쓰고, 각 문장의 주어에는 밑줄을, 동사에는 동그라미를 쳐보세요.

❶ Some people are extremely afraid of high places. / ❷ It isn't easy / to treat this phobia, / but a very effective solution has been found. /

❸ Recently, / researchers at Oxford University / have developed a program / to treat the fear of heights / using virtual reality (VR). /

❹ They tested their program on volunteers / who had been suffering from it for decades. / ❺ During the treatment, / the participants put on a VR headset / and completed several tasks / in a virtual 10-story shopping mall. / ❻ The tasks were designed to be fun / to help people overcome their fear more easily. / ❼ For example, / they involved / rescuing a cat from a tree, / walking across a rope bridge, / or even riding a flying whale! / ❽ Once the participants succeeded in one task, / they would go up to a higher floor and start another. / ❾ In this way, / they went through 30-minute VR treatment sessions / over two weeks. / ❿ After the final session, / about 70% of them said / that they were much less afraid! /

실력을 더 올리는 **서술형 추가 문제**

A 다음 영영 풀이에 해당하는 단어나 표현을 보기에서 골라 쓰시오.

보기   solution   go through   rescue   volunteer   suffer from

(1) _____ : someone who does a job willingly even if it is unpaid

(2) _____ : to save someone or something from a dangerous or harmful situation

(3) _____ : the answer to a problem

B 우리말과 일치하도록 괄호 안의 말을 활용하여 문장을 완성하시오.

(1) 그 기계는 수리공에 의해 수리되었다. (have, fix)

⇒ The machine _____ _____ _____ by the repair person.

(2) 일단 네가 모든 규칙들을 이해하면, 너는 이 게임을 즐길 것이다. (understand)

⇒ _____ _____ _____ all the rules, you'll enjoy this game.

(3) 아빠가 도착하셨을 때, 나는 두 시간 동안 공부를 하고 있었다. (study)

⇒ When my dad arrived, I _____ _____ _____ for two hours.

C 글의 내용과 일치하도록 다음 광고의 빈칸에 들어갈 말을 글에서 찾아 쓰시오.

A Great Solution for Your Fear of Heights!

You will put on a VR (1) _____ and complete several tasks in a(n)
(2) _____ 10-story shopping mall. Once you succeed in one task, you will
go up to a(n) (3) _____ _____. For two weeks, you will go through
30-minute VR (4) _____ sessions. Afterwards, 70% of our participants
say they are much less (5) _____. Now you're next. The fun tasks will help you
overcome your fear more easily!

실력을 올리는 **직독직해**

끊어 읽기 한 표시를 따라 문장 구조에 유의하여 해석을 쓰고, 각 문장의 주어에는 밑줄을, 동사에는 동그라미를 쳐보세요.

---

❶ Imagine yourself with one billion dollars. / ❷ You might think about

buying / a luxurious sports car / or perhaps a private jet to travel around

the world! / ❸ But, / what if you couldn't even buy an egg / because three

eggs cost 100 billion dollars? /

❼ In 2008, / this actually happened in Zimbabwe. / ❽ Zimbabwe

was once one of the richest countries in Africa. / ❾ But its economy

began to decline in the late 1990s / for several reasons. /

❹ The first of these reasons is / that severe droughts sharply

reduced crop production. / ❺ Furthermore, / economic policy failures

and political corruption / increased the national debt. / ❻ As a result, /

the country became short of money. /

❿ The government tried to solve the problem / by printing more

money and creating larger bills. / ⓫ Unfortunately, / this only made

matters worse, / as the money became less valuable. / ⓬ So, / the price

of goods rose sharply, / which resulted in hyperinflation. /

⓭ In the end, / people used one-billion-dollar bills / as firewood,

wallpaper, and even toilet paper. /

실력을 더 올리는 서술형 추가 문제

A 우리말과 일치하도록 빈칸에 알맞은 단어를 글에서 찾아 쓰시오.

(1) 아프리카의 몇몇 국가들은 극심한 물 부족으로 인해 고통받고 있다.

⇒ Some countries in Africa are suffering from a(n) _____ water shortage.

(2) 그 꽃병은 역사적으로 중요하기 때문에 매우 가치 있다.

⇒ The vase is very _____ because it is historically important.

(3) 긴 가뭄 때문에, 그 연못은 말랐다.

⇒ Due to the long _____, the pond dried up.

B 우리말과 일치하도록 괄호 안의 말을 알맞게 배열하시오.

(1) 문제는 내 전화기가 작동하지 않고 있다는 것이다. (my phone / working / not / that / is)

⇒ The problem is _____.

(2) 내가 복권에 당첨되면 어떨까? (the lottery / if / what / won / I)

⇒ _____ ?

(3) 배구 연습은 나를 지치게 만들었다. (me / exhausted / made / the volleyball practice)

⇒ _____.

C 글의 내용과 일치하도록 다음 빈칸에 들어갈 말을 글에서 찾아 쓰시오.

Q. Why did Zimbabwe's economy decline in the late 1990s?

A. (1) _____ _____ reduced crop production. Also, the national

(2) _____ increased due to economic policy failure and political corruption.

As a result, Zimbabwe became (3) _____ _____ money.

Q. How did the government try to solve this problem?

A. They printed more money and created (4) _____ _____. This

caused the price of goods to rise sharply, which resulted in (5) _____.

실력을 올리는 **직독직해**

끊어 읽기 한 표시를 따라 문장 구조에 유의하여 해석을 쓰고, 각 문장의 주어에는 밑줄을, 동사에는 동그라미를 쳐보세요.

❶ John wants to buy a pair of running shoes. / ❷ He searches for them on an online shopping mall / but decides not to buy them. / ❸ A few minutes later, / he goes on another website, / where he sees an advertisement for those shoes. / ❹ He visits several others / and notices the same advertisement again and again. / ❺ Eventually, / John clicks the advertisement and buys the shoes. /

❻ Have you ever had the same experience as John? / ❼ If so, / you might have wondered / why you see the same advertisement on different websites. / ❽ It's a marketing method / called programmatic advertising. / ❾ It uses an automatic program / to match advertisements to customers. / ❿ Every time you search something online, / Internet cookies are created and stored / on your device. / ⓫ By using these cookies, / the program analyzes your interests and preferences. / ⓬ Then / it shows the best advertisements for you. / ⓭ Since advertisements are selectively shown / to those who are more likely to buy the goods, / the results are quite effective. /

실력을 더 올리는 **서술형 추가 문제**

A 다음 빈칸에 알맞은 단어를 보기에서 골라 쓰시오.

> 보기   wonder   automatic   match   device   preference

(1) The store sells cameras, laptops, and other electronic _____(e)s.

(2) You can add more hot sauce depending on your _____ .

(3) Tom _____(e)d if the incredible story was true.

B 우리말과 일치하도록 괄호 안의 말을 활용하여 문장을 완성하시오.

(1) 말린 과일은 신선한 과일보다 충치를 일으킬 가능성이 더 높다. (more, likely, cause)

⇒ Dried fruit _____ _____ _____ _____

_____ cavities than fresh fruit.

(2) 그는 그의 지갑을 그 카페에 두고 왔을지도 모른다. (leave)

⇒ He _____ _____ _____ his wallet at the café.

(3) Jack은 독일로 여행을 갔는데, 그곳에서 그는 많은 유적지를 방문했다. (Germany, visit)

⇒ Jack traveled to _____ , _____ _____ _____

many historic sites.

C 글의 내용과 일치하도록 다음 빈칸에 들어갈 말을 글에서 찾아 쓰시오.

> **Q.** Why do we see the same advertisement on different websites?
>
> **A.** This is because of a(n) (1) _____ method, called (2) _____
>
> _____ .

> **Q.** How does this method work?
>
> **A.** By using a(n) (3) _____ _____ , it matches advertisements
>
> to customers. Each time we search for something online, (4) _____
>
> _____ are created and stored in our device. With these cookies, the
>
> program (5) _____ our interests and preferences. Then it shows the best
>
> (6) _____ for us.

실력을 올리는 직독직해

끊어 읽기 한 표시를 따라 문장 구조에 유의하여 해석을 쓰고, 각 문장의 주어에는 밑줄을, 동사에는 동그라미를 쳐보세요.

❶ Believe it or not, / what makes strawberry milk look pink / is a dead bug! / ❷ It is a tiny insect / called the cochineal, / which lives on cactus in Central and South America. / ❸ These insects are collected, dried, and crushed into a powder / that is then used as a bright red dye. /

❹ Cochineals have been used as a natural dye / for a long time. /

❺ Ancient Mayans and Aztecs used them / to color cloth and pottery. /

❻ Aztec women also colored their teeth red / with crushed cochineals / to make themselves look more attractive. / ❼ Today, / cochineal dye is widely used in products / from food and drinks to cosmetics, / including lipsticks. /

❽ However, / there are concerns over its use. / ❾ The protein in cochineal dye / can cause an allergic reaction in some people. /

❿ Furthermore, / too many cochineals are being sacrificed / —it takes more than 100,000 cochineals / to get a single kilogram of dye! /

⓫ Therefore, / companies are trying to use less cochineal dye. /

실력을 더 올리는 서술형 추가 문제

A 우리말과 일치하도록 빈칸에 알맞은 단어나 표현을 글에서 찾아 쓰시오.

(1) 고슴도치는 곤충을 먹고 산다.

⇒ Hedgehogs _____ _____ insects.

(2) 먼저, 블루베리와 포도를 그릇에 으깨라.

⇒ First, _____ the blueberries and grapes in a bowl.

(3) 그 활동가들은 기후 변화에 대한 그들의 깊은 우려를 표했다.

⇒ The activists expressed their deep _____ about climate change.

B 우리말과 일치하도록 괄호 안의 말을 알맞게 배열하시오.

(1) 이 신발은 Sally가 사고 싶었던 것이 아니다. (aren't / wanted / Sally / buy / these shoes / what / to)

⇒ _____ .

(2) 그 책은 러시아어에서 한국어로 번역되고 있다. (being / is / the book / translated)

⇒ _____ from Russian to Korean.

(3) 극장에 가기 위해 버스로 10분이 걸린다. (to / takes / 10 minutes / get / it / the theater / to)

⇒ _____ by bus.

C 글의 내용과 일치하도록 다음 빈칸에 들어갈 말을 글에서 찾아 쓰시오.

Cochineal Dye

Usages	• Ancient people used cochineals to color (1) _____ and (2) _____. Aztec women also used them to look more (3) _____. • Today, the dye is used in (4) _____ including food, drinks, and cosmetics.
Concerns	The (5) _____ in the dye can cause (6) _____ reactions. Moreover, too many cochineals need to be (7) _____ to make the dye.

실력을 올리는 직독직해

끊어 읽기 한 표시를 따라 문장 구조에 유의하여 해석을 쓰고, 각 문장의 주어에는 밑줄을, 동사에는 동그라미를 쳐보세요.

❶ African Americans typically have curly hair. / ❷ They can braid it / or let it grow naturally into an Afro. / ❸ But until recently, / these styles were rejected in some workplaces and schools. / ❹ That's because / they were considered messy and unprofessional. / ❺ So, / many African Americans, / especially women, / straightened their hair with harsh chemicals / or cut their hair short. / ❻ Others wore wigs / to hide their natural curls. /

❼ However, / Michelle Obama, / the former First Lady, / proudly revealed her naturally curly hair / on the cover of a magazine / in 2018. / ❽ That same year, / congresswoman Ayanna Pressley gave important speeches / with her curly hair braided. /

❾ Now, / their actions have encouraged many African Americans / to show their natural hair. / ❿ It is not just a matter of style and appearance. / ⓫ It is a sign of overcoming prejudice / and building confidence. /

실력을 더 올리는 서술형 추가 문제

A 다음 영영 풀이에 해당하는 단어를 [보기]에서 골라 쓰시오.

> [보기]　　　reject　　messy　　harsh　　former　　reveal

(1) _____ : happening or existing in the past and not now

(2) _____ : to refuse to accept or use

(3) _____ : to show something that was previously hidden or unknown

B 우리말과 일치하도록 괄호 안의 말을 활용하여 문장을 완성하시오.

(1) 힌두교에서, 소는 신성한 동물로 여겨진다. (consider, sacred animals)

⇒ In Hinduism, cows _____ _____ _____ _____ .

(2) Betty는 그녀의 팔에 붕대를 감은 채로 병원을 떠났다. (her arm, bandage)

⇒ Betty left the hospital _____ _____ _____ _____ .

(3) 그 트레이너는 그가 5분 더 뛰도록 격려했다. (encourage, him, run)

⇒ The trainer _____ _____ _____ _____ for five
more minutes.

C 글의 내용과 일치하도록 다음 빈칸에 들어갈 말을 글에서 찾아 쓰시오.

In the past	The natural hairstyles of African Americans were (1) _____ in some places because they were considered (2) _____ and (3) _____ . Therefore, many African Americans (4) _____ their hair, cut their hair short, or wore (5) ____ .
In recent times	Some famous African American women proudly revealed their naturally (6) _____ hair. Their actions have encouraged many African Americans to (7) _____ their natural hair.

실력을 올리는 직독직해

끊어 읽기 한 표시를 따라 문장 구조에 유의하여 해석을 쓰고, 각 문장의 주어에는 밑줄을, 동사에는 동그라미를 쳐보세요.

❶ Vilfredo Pareto was an Italian economist / in the early 1900s. /

❷ One day, / he made an interesting observation / while harvesting peas

in his garden. / ❸ It turned out / that 80% of the peas came from 20%

of his pea plants. / ❹ More surprisingly, / he noticed / that the same

pattern existed in the economy! / ❺ For example, / 80% of Italy's land

was owned by 20% of its population. / ❻ He concluded / that 80% of

effects come from 20% of causes. / ❼ This 80/20 pattern became known

as the Pareto Principle / or the 80/20 Rule. /

❽ The Pareto Principle is commonly seen / in nature. / ❾ Let's take the

example of ants. / ❿ If you observe a group of ants, / you will see / that

just 20% of the ants work hard / to get food for the remaining 80% of

the ants. / ⓫ You might think / that if you separated these active ants

from the others, / the new group would be composed of only hard-

working ants. / ⓬ But interestingly, / the rule would apply to this group /

as well. / ⓭ In other words, / only 20% of the members would be

productive! /

실력을 더 올리는 서술형 추가 문제

A 우리말과 일치하도록 빈칸에 알맞은 단어나 표현을 글에서 찾아 쓰시오.

(1) 그 농부는 작년보다 더 많은 감자를 수확할 계획이다.
   ⇒ The farmer is planning to _____ more potatoes than last year.

(2) 할인가는 오프라인과 온라인 판매 둘 다에 적용된다.
   ⇒ Discounted prices _____ _____ both offline and online purchases.

(3) 아기들은 관찰과 모방을 통해 언어들을 배운다.
   ⇒ Babies learn languages through _____ and imitation.

B 우리말과 일치하도록 괄호 안의 말을 알맞게 배열하시오.

(1) 도서관이 나의 집 근처에 있다는 것은 편리하다. (that / is / a library / convenient / it)
   ⇒ _____ is near my house.

(2) 만약 우리가 지금 떠나지 않는다면, 우리는 버스를 놓칠 것이다. (don't / if / now / leave / we)
   ⇒ _____ , we will miss the bus.

(3) 만약 밖에 눈이 왔다면, 아이들이 눈사람을 만들 수 있을 텐데.
   (make / outside / a snowman / the children / snowed / if / could / it)
   ⇒ _____ .

C 글의 내용과 일치하도록 다음 빈칸에 들어갈 말을 글에서 찾아 쓰시오.

The Pareto Principle: 80% of (1) _____ come from 20% of (2) _____

Example 1	Example 2	Example 3
Pareto observed that 80% of his peas came from 20% of his (3) _____ _____ .	80% of Italy's (4) _____ was owned by 20% of the country's people.	Only 20% of the ants (5) _____ hard to feed the (6) _____ 80%.

실력을 올리는 직독직해

끊어 읽기 한 표시를 따라 문장 구조에 유의하여 해석을 쓰고, 각 문장의 주어에는 밑줄을, 동사에는 동그라미를 쳐보세요.

❶ You are about to buy lotion. / ❷ Company A's product is tested on

animals. / ❸ Company B, / on the other hand, / doesn't do animal testing, /

and it regularly donates to animal shelters. / ❹ If you love animals, / you

would avoid Company A's lotion / and buy B's lotion instead. / ❺ In

this case, / the former is called a boycott / and the latter is called a

buycott. /

❻ Both of them are active behaviors of consumers / to express protest

or support. / ❼ During boycott, / people refuse to buy products from

certain companies / that have environmental, political, or moral issues. /

❽ Meanwhile, / a buycott is the act of buying companies' goods / to

support them. / ❾ This usually occurs / when people agree with a

company's policies. / (❿ A company tries to develop new goods / to

attract more customers. /) ⓫ A buycott can also be the act / of helping

out sellers in need, / such as those selling fruit damaged by a typhoon. /

⓬ Whether it's a boycott or a buycott, / it gives consumers the power /

to make a decision to create change. /

실력을 더 올리는 서술형 추가 문제

A 다음 빈칸에 알맞은 단어나 표현을 보기에서 골라 쓰시오.

> 보기   in need   policy   meanwhile   support   moral

(1) Some people agree with the new _____, but others are against it.

(2) The author was able to finish writing the book with the _____ of her family.

(3) His car is desperately _____ of repair.

B 우리말과 일치하도록 괄호 안의 말을 활용하여 문장을 완성하시오.

(1) 그 박물관은 피카소에 의해 그려진 몇 개의 스케치들을 소장하고 있다. (draw, Picasso)

⇒ The museum owns several sketches _____ _____ _____ .

(2) 지은이는 그녀의 친구들과 보낼 더 많은 시간을 원한다. (time, spend)

⇒ Jieun wants more _____ _____ _____ with her friends.

(3) 북극곰은 연어를 잡으려고 노력했다. (try, catch)

⇒ The polar bear _____ _____ _____ salmon.

(4) 복권에 당첨되는 Nicole의 꿈은 일어날 것 같지 않았다. (dream, win)

⇒ Nicole's _____ _____ _____ the lottery seemed unlikely.

C 글의 내용과 일치하도록 다음 빈칸에 들어갈 말을 글에서 찾아 쓰시오.

Active Behaviors of Customers to Express (1) _____ or Support

Boycott	Buycott
People (2) _____ to buy certain products with environmental, political, or (3) _____ issues.	People buy companies' goods to (4) _____ them. It can also help out (5) _____ in need.

실력을 올리는 **직독직해**

끊어 읽기 한 표시를 따라 문장 구조에 유의하여 해석을 쓰고, 각 문장의 주어에는 밑줄을, 동사에는 동그라미를 쳐보세요.

❶ Have you ever seen a bladeless fan? / ❷ It has many advantages /

over a regular fan with blades. / ❸ Not only does a bladeless fan cool you

off better, / but it also uses less electricity. / ❹ In addition, / it's safer. /

❺ You don't have to worry / about getting hurt by the rotating blades. /

❻ But how does a bladeless fan create a cool breeze / without blades? /

❼ The fan consists of two main parts: / a base and an upper ring. / ❽ The

base contains an electric motor with hidden blades. / ❾ When the motor

is activated, / the blades spin, / and it sucks in the surrounding air /

through holes. / ❿ Then, / the base pushes the air out / through the ring. /

⓫ This creates a very strong airflow. / ⓬ In fact, / the volume of air that

comes out / is 15 times higher / than the amount taken in at the base! /

⓭ So, / a bladeless fan can be a good alternative / on a hot summer day. /

실력을 더 올리는 서술형 추가 문제

A 우리말과 일치하도록 빈칸에 알맞은 단어를 글에서 찾아 쓰시오.

(1) 종이 빨대는 플라스틱 빨대의 대안으로 제안된다.

⇒ Paper straws are suggested as a(n) _____ to plastic straws.

(2) 시곗바늘은 같은 방향으로 회전한다.

⇒ The hands of a clock _____ in the same direction.

(3) 당신은 빨간색 버튼을 누름으로써 보안 장치를 작동시킬 수 있다.

⇒ You can _____ the security system by pressing the red button.

B 우리말과 일치하도록 괄호 안의 말을 알맞게 배열하시오.

(1) 새 기차는 옛날 것의 세 배만큼 빠르다. (fast / as / times / as / three)

⇒ The new train travels _____ the old one.

(2) 유전자는 외모뿐만 아니라 성격도 결정짓는다. (also / appearance / only / personality / not / but)

⇒ Genes determine _____ .

(3) 내가 이미 바닥을 쓸었기 때문에, 너는 그것을 할 필요가 없다. (don't / do / have / it / you / to)

⇒ I already swept the floor, so _____ .

C 글의 내용과 일치하도록 다음 광고의 빈칸에 들어갈 말을 보기 에서 찾아 쓰시오.

| 보기 | dangerous | safer | light | alternative | hurt | electricity |

Make Your Hot Summer Safer with a Bladeless Fan

Our bladeless fan is much (1) _____ than a regular fan with blades! Say goodbye to your worries about getting (2) _____ by rotating blades. It has many other advantages, too. It can cool you off better. It even uses less (3) _____ . Try our brand-new bladeless fan. It will be a good (4) _____ to regular fans on a hot summer day!

실력을 올리는 **직독직해**

끊어 읽기 한 표시를 따라 문장 구조에 유의하여 해석을 쓰고, 각 문장의 주어에는 밑줄을, 동사에는 동그라미를 쳐보세요.

---

❶ Around 66 million years ago, / a giant asteroid hit the Earth. /

❷ The impact created a massive crater / beneath the Gulf of Mexico. /

❸ Many believed / that this caused the extinction of the dinosaurs, / but it

was unclear / exactly how it happened. / ❹ However, / recently, / scientists

uncovered new information / that might solve the mystery. /

❺ They first collected and analyzed rock samples from the crater. /

❻ Then, / they found out / that there was no sulfur in them, / while the

area surrounding the crater / was rich in sulfur. / ❼ This led them to

assume / the impact caused / a huge amount of sulfur from the

crater / to evaporate into the atmosphere. / ❽ A large cloud of sulfur

would have blocked the sun, / and the average temperature of the

planet / may have decreased by about 15°C. / ❾ This global winter would

have lasted / for decades. / ❿ During this period, / plants would have

died, / and the food chain would have broken down. / ⓫ The scientists

assume / this event killed off / not only the dinosaurs / but also about

75% of all life on the planet! /

실력을 더 올리는 서술형 추가 문제

A 다음 영영 풀이에 해당하는 단어를 보기에서 골라 쓰시오.

> 보기   massive   uncover   impact   assume   surround

(1) _____ : to discover something secret or hidden

(2) _____ : to think that something is true without definite proof

(3) _____ : very large in size, amount, or number

B 우리말과 일치하도록 괄호 안의 말을 활용하여 문장을 완성하시오.

(1) 만약 내가 피곤하지 않았더라면, 나는 그 경주를 이겼을 수도 있다. (would, win)

⇒ If I weren't tired, I _____ _____ _____ the race.

(2) 그 지진은 많은 건물들이 무너지도록 만들었다. (cause, many buildings, collapse)

⇒ The earthquake _____ _____ _____ _____ _____.

(3) 기린은 식물을 먹는 반면에, 호랑이는 고기를 먹는다. (tigers, eat, meat)

⇒ Giraffes eat plants, _____ _____ _____.

C 글의 내용과 일치하도록 다음 빈칸에 들어갈 말을 글에서 찾아 쓰시오.

> A giant (1) _____ hit the Earth, which created a huge (2) _____
> beneath the Gulf of Mexico.

⌄

> The impact caused a great amount of (3) _____ to evaporate into the
> (4) _____.

⌄

> A large cloud blocked the (5) _____, and this made the average (6) _____
> drop. It is assumed that the global winter (7) _____ _____ about
> 75% of all life on the planet.

실력을 올리는 **직독직해**

끊어 읽기 한 표시를 따라 문장 구조에 유의하여 해석을 쓰고, 각 문장의 주어에는 밑줄을, 동사에는 동그라미를 쳐보세요.

❶ Chef Jordi Roca had a friend / who could no longer taste food / after cancer treatment. / ❷ Roca decided to do something / for people like his friend / and began a special project / that had one clear goal: / helping people taste again! /

❸ To achieve this goal, / Roca tried to find a food / that most people have strong and happy memories about. / ❹ He finally chose chocolate / and asked people / what memories they had of it. / ❺ Then, / he made chocolate / that was specifically created for each person. / ❻ One participant named Javier / shared his childhood memories of eating chocolate / while camping in the mountains. / ❼ So, / Roca decorated the chocolate with cacao leaves / and added the scent of rain on dry soil. /

❽ When Javier took a bite of the chocolate, / it reminded him of those memories. / ❾ This stimulated his nerve cells to feel / what he had tasted back then. / ❿ He was thrilled and said, / "Eating chocolate used to feel like chewing metal. / ⓫ But now I can finally taste it again!" /

실력을 더 올리는 **서술형 추가 문제**

A 우리말과 일치하도록 빈칸에 알맞은 단어를 글에서 찾아 쓰시오.

(1) Mark는 10kg을 뺀다는 그의 목표를 달성했다.

⇒ Mark _____ (e)d his goal of losing 10 kilograms.

(2) 모든 참가자는 그들의 신분증을 지참하도록 요구된다.

⇒ All _____ s are required to bring their ID cards.

(3) 우리는 거실을 알록달록한 조명으로 장식할 것이다.

⇒ We will _____ the living room with colorful lights.

B 우리말과 일치하도록 괄호 안의 말을 알맞게 배열하시오.

(1) 전에는 저 학교 옆에 공원이 있었다. (to / a park / be / used / There)

⇒ _____ next to that school.

(2) 그들은 그들이 어제 만들었던 샌드위치들을 먹었다. (made / they / yesterday / had)

⇒ They ate the sandwiches that _____ .

(3) 나는 지나에게 그녀가 어떤 디저트를 가장 좋아하는지 물었다. (likes / what / best / dessert / she)

⇒ I asked Jina _____ .

C 다음은 Jordi Roca와의 가상 인터뷰이다. 글의 내용과 일치하도록 다음 답변의 빈칸에 들어갈 말을 글에서 찾아 쓰시오.

Q. Why did you choose chocolate for your project?

A. I wanted to help people (1) _____ again, so I tried to find a food that most people have strong and happy (2) _____ about.

Q. I heard there was a participant named Javier. What did you make for him?

A. Javier told me about his (3) _____ memories of eating chocolate while (4) _____ in the mountains. So, I decorated his chocolate with (5) _____ _____ and added the (6) _____ of rain on dry soil.

실력을 올리는 **직독직해**

끊어 읽기 한 표시를 따라 문장 구조에 유의하여 해석을 쓰고, 각 문장의 주어에는 밑줄을, 동사에는 동그라미를 쳐보세요.

❶ Have you ever cheered for a team / that was losing badly in a

match? / ❷ Then / you've experienced the underdog effect. /

❸ A team or person that is likely to win in a match / is called a top

dog. / ❹ On the other hand, / the one that is likely to lose / is called

an underdog. / ❺ Interestingly, / we usually cheer for the underdog /

when the two compete against each other. / ❻ While the top dog winning

is not that exciting, / the underdog winning is far more surprising

and pleasing. / ❼ This is because / our brains react more sensitively /

to unexpected events / than to expected ones. / ❽ Moreover, /

when only the strong win, / we think it unfair. / ❾ It feels just / for the

underdog / to overcome obstacles and achieve success. / ❿ For these

reasons, / we tend to support the underdog / and relate to their joy /

whenever they win. /

실력을 더 올리는 **서술형 추가 문제**

A 다음 빈칸에 알맞은 단어나 표현을 [보기]에서 골라 쓰시오.

> [보기]　　　sensitively　　unfair　　cheer for　　pleasing　　badly

(1) It was _____ to hear that I got good grades.

(2) Many fans went to the stadium to _____ their favorite team.

(3) Minji was injured _____ in the accident.

B 우리말과 일치하도록 괄호 안의 말을 활용하여 문장을 완성하시오.

(1) 내일 아침에 비가 올 것 같다. (likely, rain)

⇒ It _____ _____ _____ _____ tomorrow morning.

(2) 많은 의사들이 그 질병을 치료하는 것이 가능하다고 생각한다. (think, possible, cure)

⇒ Many doctors _____ _____ _____ _____

_____ the disease.

(3) 나는 화가 날 때마다 심호흡을 한다. (get, angry)

⇒ I take deep breaths _____ _____ _____.

C 글의 내용과 일치하도록 다음 빈칸에 들어갈 말을 글에서 찾아 쓰시오.

The Underdog Effect

What it is	It is the phenomenon in which we support the team or person that is likely to (1) _____.
Why it happens	This happens because our brains react more sensitively to (2) _____ events. Also, it feels (3) _____ when the underdog overcomes obstacles and achieves (4) _____. That is why we support the underdog and (5) _____ _____ their joy if they win.

실력을 올리는 **직독직해**

끊어 읽기 한 표시를 따라 문장 구조에 유의하여 해석을 쓰고, 각 문장의 주어에는 밑줄을, 동사에는 동그라미를 쳐보세요.

❶ Honey bees are disappearing / all over the world. / ❷ Tens of thousands of worker bees leave their hive / to search for flowers / but never return. / ❸ The remaining bees, / including the queen and the young bees, / starve to death. / ❹ Eventually, / the entire honey bee colony collapses. /

❺ When this phenomenon was first reported / in 2006, / over 800,000 colonies had already died out. / ❻ This can cause a serious problem / because honey bees play a vital role / in helping plants reproduce. / ❼ As a matter of fact, / honey bees pollinate 70% of our main food crops, / including most fruits and vegetables. / ❽ Without them, / we wouldn't be able to grow fruits and vegetables! /

❾ There are numerous theories / about why such a phenomenon is occurring. / ❿ Many of them suggest / that environmental pollution, diseases, or exposure to harmful agricultural chemicals / could be the main causes. / ⓫ Some researchers also blame electronic signals from mobile phones. / ⓬ They disrupt the bees' sense of direction, / so the bees have difficulty finding their way home. /

실력을 더 올리는 **서술형 추가 문제**

A 우리말과 일치하도록 빈칸에 알맞은 단어를 글에서 찾아 쓰시오.

(1) 거북이는 모래에 알을 낳음으로써 번식한다.

⇒ Turtles _____ by laying eggs in the sand.

(2) 그 말들은 같은 방향으로 달리고 있다.

⇒ The horses are running in the same _____ .

(3) 너의 실수에 대해 남들을 탓하지 마라.

⇒ Don't _____ others for your mistakes.

B 우리말과 일치하도록 괄호 안의 말을 알맞게 배열하시오.

(1) 우리가 그 공원에 도착했을 때, 그 공연이 막 끝났었다. (ended / the show / just / had)

⇒ When we arrived at the park, _____ .

(2) 산소가 없다면, 우리는 숨을 쉬지 못할 텐데. (to / be / wouldn't / oxygen / without / we / able)

⇒ _____ breathe.

(3) Olivia는 그녀의 오른쪽 귀로 듣는 데 어려움을 겪었다. (hearing / had / Olivia / difficulty)

⇒ _____ with her right ear.

C 글의 내용과 일치하도록 다음 빈칸에 들어갈 말을 글에서 찾아 쓰시오.

Problem	Many honey bees are (1) _____ . They leave their hive to find flowers but never (2) _____ . This causes the remaining bees to (3) _____ to death.
Possible Causes	• Some people blame (4) _____ _____ from mobile phones, which (5) _____ the bees' sense of direction. • Others say it is caused by (6) _____ _____ , diseases, or (7) _____ to harmful chemicals.

끊어 읽기 한 표시를 따라 문장 구조에 유의하여 해석을 쓰고, 각 문장의 주어에는 밑줄을, 동사에는 동그라미를 쳐보세요.

❶ Are all black colors the same? / ❷ Actually, / there are various kinds

of black / with different levels of darkness. / ❸ Recently, / scientists have

been trying to create the darkest black color. /

❹ The darkness of a color depends on / how much visible light

is absorbed by it. / ❺ Normal black paint takes in about 90% of light. /

❻ But newly developed black materials / can take in more light, / so they

look darker. / ❼ For example, / a color called Vantablack absorbs / up to

99.965% of light. / ❽ In 2019, / MIT engineers created a black material /

that can capture 99.995% of light. / ❾ It is 10 times darker than

Vantablack. / ❿ When a sparkling diamond was coated with this

material, / it seemed to become invisible! /

⓫ These new black colors can be used / for different purposes. /

⓬ When applied to a space telescope, / they can absorb any unwanted

light. / ⓭ This makes it easier / to observe stars. / ⓮ Also, / they can

be used on sculptures / to create wonderful pieces of art / and on clothes /

to make unique designs. /

실력을 더 올리는 서술형 추가 문제

A 다음 빈칸에 알맞은 단어나 표현을 보기에서 골라 쓰시오.

보기   depend on   capture   apply   absorb   unwanted

(1) Trees _____ carbon dioxide and release oxygen into the air.

(2) You should _____ sunscreen at least 20 minutes before going out.

(3) The value of old furniture will _____ its condition.

B 우리말과 일치하도록 괄호 안의 말을 활용하여 문장을 완성하시오.

(1) 에베레스트산은 한라산보다 약 다섯 배 더 높다. (high)

⇒ Mount Everest is about _____ _____ _____

_____ Mount Halla.

(2) George와 Emma는 오후 2시부터 다투고 있다. (argue)

⇒ George and Emma _____ _____ _____ since 2 P.M.

(3) 너는 그 여행에 대해 신이 난 것처럼 보인다. (seem, be, excited)

⇒ You _____ _____ _____ _____ about the trip.

C 글의 내용과 일치하도록 다음 빈칸에 들어갈 말을 글에서 찾아 쓰시오.

> **Q.** Why does Vantablack look darker than normal black?
>
> **A.** Vantablack looks darker because it can (1) _____ _____ more
> light than normal black. In fact, Vantablack (2) _____ up to 99.965% of light!

> **Q.** For what purposes can the darker black colors be used?
>
> **A.** They can be applied to absorb any unwanted light in a(n) (3) _____
> _____ . This helps us (4) _____ stars more easily. Darker black
> colors can also be used to create art and to make unique designs on
> (5) _____ .

실력을 올리는 **직독직해**

끊어 읽기 한 표시를 따라 문장 구조에 유의하여 해석을 쓰고, 각 문장의 주어에는 밑줄을, 동사에는 동그라미를 쳐보세요.

---

❶ Erick and his classmates are big fans of K-pop. / ❸ One day, /

Erick brought to school / his favorite possessions, / which were signed

albums by Redpink and Black Velvet. / ❹ He showed off the albums

to his friends / and then put them in his locker. / ❷ But, / after

gym class, / he discovered / that his Redpink album was missing! /

❺ Erick was suspicious of three classmates / —Spencer, Tate, and

James— / who were all late to gym class. / ❻ He said, / "One of my albums

is missing. / ❼ Why were you guys late?" / ❽ These were their responses: /

Spencer: ❾ "I didn't touch your albums. / ❿ I just had to borrow a gym

uniform!" /

Tate: ⓫ "I went to the nurse's office. / ⓬ I'm not even a fan of Redpink!" /

James: ⓭ "I was in the restroom for a long time / because of a

stomachache." /

⓮ Erick figured out / who had taken his album / from their statements. /

⓯ It seemed one of them knew something / that Erick hadn't told them. /

⓰ Finally, / he got the album back, / along with an apology from him. /

실력을 더 올리는 서술형 추가 문제

A 우리말과 일치하도록 빈칸에 알맞은 단어나 표현을 글에서 찾아 쓰시오.

(1) 정모는 그의 핸드폰이 사라진 것을 알아챘다.

⇒ Jungmo noticed that his cellphone was _____.

(2) 이 목걸이는 그 여왕의 가장 귀중한 소장품이다.

⇒ This necklace is the queen's most precious _____.

(3) 나는 그 문제를 어떻게 풀어야 하는지 알아낼 수 없다.

⇒ I can't _____ _____ how to solve the problem.

B 우리말과 일치하도록 괄호 안의 말을 알맞게 배열하시오.

(1) Kim은 편지를 읽고 있는데, 그것은 Sam에 의해 쓰여졌다. (was / Sam / a letter / which / written / by)

⇒ Kim is reading _____.

(2) 그가 책상 밑에서 발견한 그 시계는 나의 것이다. (that / he / the watch / found)

⇒ _____ under the desk is mine.

(3) 달팽이가 3년 동안 잘 수 있다는 것이 밝혀졌다. (can / that / snails / sleep / discovered)

⇒ It was _____ for three years.

C 다음은 Erick의 일기이다. 글의 내용과 일치하지 <u>않는</u> 보기를 두 개 고르고, 알맞은 말을 글에서 찾아 바르게 고쳐 쓰시오.

> After ① <u>gym class</u>, I found my ② <u>Redpink album</u> missing! My three friends were all late for class, so I was suspicious of them. I asked them why they were late. Spencer said he had to borrow ③ <u>a pair of sneakers</u>. Tate said he went to ④ <u>the classroom</u>. He also told me that he wasn't ⑤ <u>a fan of Redpink</u>. James said he was in the restroom because of ⑥ <u>a stomachache</u>. I knew right then who stole my album!

틀린 보기	고쳐 쓰기	
(1) _____	(2) _____ → (3) _____	
(4) _____	(5) _____ → (6) _____	

MEMO

MEMO

MEMO